МАРШ ТУРЕЦКОГО

Фридрих
НЕЗНАНСКИЙ

Исполняющий обязанности

МОСКВА
2005

УДК 821.161.1-312.4
ББК 84(2Рос=Рус)6-44
Н44

Серия основана в 1995 году

Эта книга от начала и до конца придумана автором. Конечно, в ней использованы некоторые подлинные материалы как из собственной практики автора, бывшего российского следователя и адвоката, так и из практики других российских юристов. Однако события, место действия и персонажи, безусловно, вымышлены. Совпадения имен и названий с именами и названиями реально существующих лиц и мест могут быть только случайными.

Подписано в печать с готовых диапозитивов 21.07.05.
Формат 84×108¹/32. Бумага газетная. Печать офсетная.
Усл. печ. л. 18,48. Тираж 12 000 экз. Заказ 2040.

ISBN 5-17-032597-5 (ООО «Издательство АСТ»)
ISBN 5-7390-1745-9 (ООО «Агентство «КРПА «Олимп»)
ISBN 985-13-4878-3 (ООО «Харвест»)

Глава первая
ЛЕПИЛА

1

Татьяна Васильевна Артемова медленно поднималась по лестнице на девятый этаж. Это был не ее каприз, а ежедневное физическое и даже отчасти нравственное испытание. Противное, тяжкое, но... необходимое. Хочешь держать себя в форме, изволь подчиняться. Пятьдесят лет для красивой, ну во всяком случае, весьма привлекательной еще женщины не такая уж грань, после которой и вспомнить, как говорится, будет нечего. Но если каждый твой рабочий день расписан уже второй десяток лет практически поминутно, очень трудно найти время для того, чтобы следить за своей физической формой. А надо. Вот и одышка появляется, этого еще недоставало!

Странно, вроде ничего тяжелого она не несла, кроме разве что груза прожитых лет, а уставала. Возраст, конечно. Ну и еще заботы...

Шофер мужа Веня — она слышала, как наверху громко хлопнула дверь в квартиру, — уже поднял пакеты с продуктами, которые она захватила в универсаме, и теперь раскладывал их, наверное, на столе на кухне, вынимая из тяжелых сумок. Хоть это самой не надо делать...

Так, седьмой этаж... Еще короткая передышка — и

крупная, представительная женщина, постояв на лестничной площадке, двинулась дальше. Оставалось фактически два пролета. Дверь на площадку перед лифтовыми кабинами никогда не запиралась. Соседи знали о чудаческой привычке Татьяны Васильевны всегда подниматься только пешком и пользоваться лифтом лишь в исключительных случаях.

Татьяна Васильевна подумала: «Как странно, ежедневно поднимаюсь по этой лестнице и никогда не обращала внимания на стены, которые, как и большинство им подобных в таких же домах, расписаны мальчишками английскими словами? (Доминировало среди подросткового творчества широко-известное ругательство.) А зачем им это все? Из чувства протеста? Но против чего? Откуда, в самом деле, эта бессмысленная матерщина на языке, которым ты, пацан, став взрослым, никогда не будешь пользоваться? И что за вызов? Раньше, помнится, писали: «Вася плюс Таня = любовь», и это было ужасно стыдно, так что и подумать страшно, а теперь?.. Надо бы напомнить консьержке, сидящей внизу, в застекленной будке, что между восьмым и девятым этажами снова порезвились местные хулиганы. Замыть бы это, стереть англоязычную гадость!..»

Вот и закончилась бесконечная лестница... Упрямство, разумеется, хорошее качество характера — иногда! — но все-таки ужасно утомительное. Наверное, пора с этим делом действительно «завязывать», как выражается муж. С его стороны ее привычная методичность всякий раз оборачивается шутками, насмешками — беззлобными, правда, но иногда очень почему-то обидными.

Татьяна Васильевна немного постояла, успокоила дыхание, взялась за ручку лестничной двери и потянула ее на себя. И в этот миг прямо в лицо ей ударила ослепительная, гигантская вспышка, и грянул оглушительный взрыв. Но его она уже не слышала...

Начальник следственного отдела межрайонной прокуратуры Валентин Арнольдович Кучкин счел своим долгом немедленно прибыть на место происшествия, хотя в этот день он чувствовал себя неважно — простудился и, мучаясь сильным насморком, усиленно лечился, находясь дома. Но, узнав из телефонного звонка своего зама, что в элитном доме на Бережковской набережной только что убита супруга заместителя мэра, он немедленно приказал подать машину. Не забыл даже мундир надеть, хотя дома ходил в пижаме.

Когда он приехал на место происшествия, на лестничной площадке девятого этажа, буквально развороченной мощным взрывом, уже работала группа сотрудников следственного отдела прокуратуры, толпились оперативники из МУРа. А эксперты-взрывотехники собирали остатки металлических частей мусоропровода, покореженной лифтовой кабины, которая, на беду, стояла на девятом этаже, и деталей разорвавшегося заряда, заложенного в том самом мусоропроводе. По их первоначальной версии, здесь было применено взрывное устройство мощностью примерно триста граммов взрывчатки в тротиловом эквиваленте и со взрывателем натяжного действия. То есть была установлена растяжка, закрепленная одним концом на нижней филенке двери, а другим — на самом взрывателе, спрятанном в мусоропроводе. Такой бомбой можно было не то что человека убить, но и целый стояк дома разворотить! Что, в общем-то, и произошло.

Кучкин прошел в квартиру потерпевших. Сам Георгий Витальевич, которого Валентин Арнольдович прекрасно знал, лежал на диване в полуобморочном состоянии. Возле него хлопотали доктор, пожилая женщина-врач и молоденькая медицинская сестра в неприлично коротком халате. Но это прокурор отметил походя, гораздо больше его сейчас занимало состояние хозяина квартиры.

— Георгий Витальевич, — негромко позвал он, склонившись над широколицым мужчиной с мокрым полотенцем на лбу, — как вы себя чувствуете?

Спросив, он понял, что более идиотский вопрос трудно себе представить. Ну как на него ответить? Хорошо? Бред! Плохо? Это и так видно, даже невооруженным глазом. И прокурор поспешил исправить свою оплошность:

— Я понимаю, как вам сейчас тяжело... Примите мои самые искренние соболезнования, однако что сделано... того, к великому сожалению, не исправишь. Скажите, как это произошло? А то от тех, — он неприязненно мотнул головой в сторону сотрудников прокуратуры, работавших за распахнутой настежь дверью квартиры на лестничной площадке, заваленной кусками бетона и другого мусора, — толку пока не добиться.

— Я могу сказать, — заявил, входя в комнату, рослый парень с подвязанной левой рукой и несколькими кровоподтеками на лице.

— Вы кто? — нахмурился начальник следственного отдела.

— Я водитель Георгия Витальевича. Я Татьяну Васильевну и привез...

Уже через минуту Кучкин знал всю предысторию со взрывом во всех подробностях.

Вениамин, или Веня, как его звали в доме Алексеевых-Артемовых, привез супругу хозяина с работы. Откуда конкретно? Из окружной наркологической больницы, где Татьяна Васильевна работает... работала до последней минуты главным врачом. Она же, кстати, являлась и главным наркологом центрального района. По своему обычаю, она отправилась наверх не на лифте, как все нормальные люди, а стала подниматься по лестнице, что делала и вчера, и позавчера, и всю свою жизнь в этом доме. Пешком по лестнице вверх — это была ее привычная зарядка. И об этом знали все ее знакомые и не удивлялись. У каждого, в конце концов, есть свой пунктик. Так произошло и теперь.

Она уже поднялась и открыла дверь с лестницы, что ведет на площадку перед лифтами, когда раздался оглушительный взрыв, который разнес стены и убил женщину наповал. Вернее, если по правде, то не до конца убил. Она еще дышала, когда прибыла «скорая», вызванная им, Вениамином. А хозяин в это время валялся на полу без сознания, и медицинская помощь оказалась нужнее скорее ему, нежели его супруге. Но пока ее спускали на носилках по разрушенной лестнице, жизнь ее прекратилась, поскольку оказалась несовместимой с полученными ранениями. Так заявили врачи. Они же и отвезли развороченное взрывом тело в морг.

Вот, собственно, и вся история. Кто это сделал и зачем — не мог сказать ни один из присутствующих здесь.

Пока длился рассказ Вениамина, пришел в себя супруг погибшей. Он, несмотря на протесты врачей, приподнялся и сел, узнал наконец Кучкина, слабым голосом поблагодарил того, что Валентин Арнольдович принял так близко к сердцу его трагедию, и, подозвав его к себе поближе, а также услав из комнаты всех остальных, вдруг напряженным шепотом произнес:

— Вы догадываетесь, что произошло?

Кажется, этот его вопрос был из той же серии, что и первый вопрос Кучкина. Но Валентин Арнольдович не подал вида.

— Это не ее... — Алексеев всхлипнул. — Они меня хотели убить... Таня — случайная жертва!..

Вот так новость! Только этого сейчас не хватало!

— С чего вы взяли? — осторожно спросил начальник следственного отдела.

— Я знаю... Они мне уже не раз угрожали... Это все из-за стройкомплекса... Бедная, несчастная Таня! Ее-то за что?! Она же доктор, она всю жизнь людям помогала!

Лечила их, страдала из-за них! И ее убили-и-и... за что-о-о?.. — Он застонал, обхватив голову руками и раскачиваясь. Но вдруг взгляд его снова стал осмысленным. — Валентин Арнольдович, я помогу вам! Я назову фамилии этих мерзавцев! А вы их обязательно возьмите, выбейте из них признания и... накажите, чтоб другим... чтоб другим!..

— Наказывать — это дело суда...

— Я назову! Обязательно! Только дайте мне возможность прийти в себя... пережить это чудовищное горе...

Он зарыдал, и Кучкин понял, что большего пока от этого свидетеля он не добьется. И не надо. Пусть расследование преступления идет пока своим путем, а вернуться к показаниям можно будет и завтра.

Полагая, что больше ему здесь сегодня делать нечего, и оставив безутешного Георгия Витальевича Алексеева на попечении врачей, Валентин Арнольдович уехал восвояси — лечиться и ужинать.

2

Четыре дня прошли с момента вышеозначенного трагического события. Улеглись похоронные волнения, зато усилились разговоры относительного того, кто теперь будет назначен на место главврача ведущей наркологической больницы и соответственно станет главным районным наркологом. Решение еще не было принято наверху, у городского нарколога, и этот вопрос оставался открытым, вызывая у заинтересованных лиц бесконечные пересуды.

Один из тех, кто определенно мог бы претендовать на служебное повышение в связи с открывшимися возможностями, доктор Вячеслав Сергеевич Баранов, сидел в своем непритязательном кабинетике главного врача наркологического диспансера. Уже заканчивался бесконечный рабочий день, подходила к финишу и его беседа с посетительницей, которая на сегодня была, видимо, одной из последних у него на приеме.

— Вы, надеюсь, не забыли наш договор? — Испытующим взглядом доктор в отутюженном белом халате посмотрел на сидящую перед ним важную даму, закутанную в меха, и загадочно улыбнулся.

— Не забыла, доктор, — ответила та, одной рукой небрежно расстегивая сумочку, лежащую перед ней на столе. — Но как же я узнаю о том, что наш договор действительно решился в пользу... э-э... объекта, о коем между нами шла речь? И потом, я должна быть полностью уверена, что вопросов больше не возникнет! Разве не так?

Она говорила очень туманно, полагая, видимо, что в этом кабинете только таким образом и следует изъясняться — словно о чем-то постороннем.

Он снисходительно посмотрел на нее — такую вальяжную, самодовольную, богатую, которая может себе позволить разговаривать с ним как бы через губу. Ну да, а кто он, вообще, для нее? Врач из диспансера, пусть и главный... Но это даже не главврач той же районной поликлиники, куда она наверняка сто лет не ходила. К ней доктора сами по телефонному звонку на дом выезжают, из ЦКБ поди, из бывшей «кремлевки». И ботинки в прихожей снимают. Интересно, им что, домашние тапочки без задников выдают или целлофановые бахилы, модные нынче в частных клиниках? А солидные доктора, точнее, сопливые, безграмотные в медицинском отношении мальчишки, почитающие себя невесть кем в профессии и научившиеся не лечить пациентов, а лишь наперед угадывать их желания, заботливо спрашивают ее: «А что бы вы хотели принять на ночь? А от чего вы себя, уважаемая... ага, Прасковья Поликарповна, чувствуете комфортней?» Вот такой, понимаешь, расклад...

А ты мечешься как сумасшедший — там урвешь, тут перехватишь, на тот же бензин для срочных поздних выездов. Будто нищий. Чтоб такая вот Прасковья Поликарповна потом смотрела на тебя как на приставучую прислугу, которой приходится отстегивать дополнительные деньги за работу повышенной сложности. Так и это для того, кто понимает, а ей-то самой без разницы. Справка всего-то и нужна, что ее сынок, наверное очередной балбес, состоит на учете в психушке в связи с эпизодическим употреблением наркотиков и, следовательно, должен получить освобождение от призыва в армию.

Справка что? Бумажка, которой, в сущности, можно подтереться. Но прежде чем эта «бумажка» поступит в райвоенкомат, она должна пройти по многочисленным документам, ведомостям, обрасти анализами. Вот, собственно, конкретный процесс «прохождения» и стоит тех больших денег, которые для этой Прасковьи, поди, мелочь. При ее-то супруге!

Впрочем, это сейчас дама смотрела на него как на слугу. Дело фактически уже сделано, подошло время расчета. А при первом посещении она выглядела едва ли не самой несчастной просительницей, у которой судьба ломается прямо на глазах, и не пожалеть ее — себя не уважать.

«Зря я поторопился. В этом деле вполне можно было удвоить цену», — запоздало подумал доктор, и тень недовольства мелькнула на его лице. Придется ведь и с военкомом делиться. От него ж клиентка пожаловала, с его подачи...

Господи, как же надоела эта вечная зависимость!

Пухлый указательный палец с толстым золотым кольцом и вдобавок еще крупным перстнем по-прежнему лежал, словно в ожидании, на замке сумочки из змеиной кожи, аналогичной той, из которой были сделаны и ее туфли. Небрежно распахнув полы диковинной своей шубы, дама закинула крупную, полную ногу на другую и покачивала ею, демонстрируя туфлю с длинным острым каблуком. На таких не то что ходить, на них и смотреть боязно! Довольство, достаток так и перли, черт возьми, из этой дамы, не совсем молодой уже, но вполне пригодной для определенных целей. У доктора даже мелькнула шальная мысль: встать сейчас, запереть дверь на ключ, а потом развернуть эту стерву, закинуть ей шубу на голову да задуть с такой силой и яростью, чтоб она завопила как резаная. А что?

Он, видимо, слишком много «сказал» своим взглядом, потому что она тут же убрала ногу и стала смущенно копаться в сумочке, хотя нужды в том никакой не было. Да и деньги она наверняка не раз уже пересчитала. Вон они — тонюсенькая пачка, аптечной резинкой перетянутая. Не такие уж и деньги, чтобы о них жалеть! Подумаешь, всего штука баксов! Зато отпрыск навсегда освобожден от армейской службы. А для их общего наверняка семейного бизнеса справка из наркологии о «бытовом употреблении наркотиков» младшим из ее членов ни малейшей роли играть не будет, такие дела...

Деньги перекочевали со стола в приоткрытый ящик письменного стола — доктор сделал всего лишь спокойный жест карандашом с ластиком на конце, и пачка сама соскользнула в ящик. Этой показной небрежностью он как бы утверждал себя, демонстрируя, что деньги для него, в сущности, такая мелочь, о которой и думать не приходится.

— Так я могу надеяться, доктор? — уже с просительной интонацией произнесла дама и задвигалась на стуле, собираясь подняться.

— Вполне. — Он развел руками и поднялся сам, чтобы подать ей руку и проводить до двери. — Из военкомата вам скоро сообщат об их решении, можете не сомневаться.

«А она очень даже ничего, — подумал он, не отпуская еще ее пальцев и берясь за ручку двери, — если подумать да прикинуть, то вполне».

— Я надеюсь в скором времени, — сказал доверительным тоном, — сменить этот кабинет. — Он с насмешливой улыбкой обвел взглядом непритязательного вида стены. — В следующий раз, мадам, вы, наверное, пожалуете ко мне уже в Центральную наркологическую больницу. В кабинет главного врача. Есть такая, понимаете ли, перспектива.

— Но у меня только один сын, — возразила она с кокетливой усмешкой.

— А я думаю, мадам, что вам самой скоро может понадобиться толковый невропатолог. К тридцати-то годам пора бы вам уже и о себе подумать...

— Ах какой вы! — опять кокетливо засмеялась она. — А ведь мне уже почти сорок!

«Врет, — подумал он без всякого снисхождения к ней. — Минимум сорок пять, вон морщинки-то... А руки на что похожи?.. Но крепка еще, в теле, ничего не скажешь, небось и до сладенького охотница... Прописал бы я ей сейчас пару... рецептов...»

— Правда? Вот ни за что бы не дал! Прямо-таки превосходно выглядите! И поэтому я с величайшим моим удовольствием и полностью к вашим услугам. — Он небрежно вынул из кармана свою сверкающую лаком визитку и протянул ей: — Здесь и домашний телефон, мало ли, на всякий случай — нервишки вдруг расшалятся, сны нехорошие будут сниться, то, другое. А я, к вашему сведению, и гипнозом владею, и кое-какими новейшими американскими методиками... Теперь ведь модно иметь персональных врачей, верно? Ну... не смею вас больше задерживать, однако если что — звоните.

Доктор закрыл за дамой дверь и потер ладони так, что они «загорелись». И было отчего. Три посетителя — три тысячи долларов. Ну полторы придется отдать полковнику Скворцову из военкомата, который, собственно, и «подсказал» безутешным богатым родительницам выход из «тупиковой ситуации» с их отпрысками, подлежащими призыву в армию. Плюс к этому четыре выезда на дом для купирования абстиненции. Тоже порядка пяти тысяч. В общем, сегодня неплохой улов. Не такой, правда, как хотелось бы, но жаловаться грех. А если нет поздних посетителей, то вполне можно позволить себе и традиционное активное снятие напряжения в конце долгого трудового дня. И доктор снял телефонную трубку:

— Варенька, там на сегодня у тебя никто больше не предвидится?

— Никого нет, Вячеслав Сергеич, — откликнулась секретарша — с виду вроде бы еще девчонка, но вытянувшаяся уже, крепенькая такая, старательная и наивная до умопомрачения. «Иногда, между прочим, этот хорошо, вероятно, сыгранный наив бывает очень уместен», — с удовольствием думал доктор.

— Тогда посмотри, если Ольга Ивановна не очень сейчас занята, скажи, пусть зайдет ко мне с теми документами, которые она приготовила на подпись.

— Хорошо, Вячеслав Сергеич!

А вот Ольга, старшая медсестра, с широченными бедрами, тяжелым узлом черных волос, гордо оттягивающим ее небольшую красивую головку, и с пухлыми, карминно-красными, жадными губами, всегда отлично знала свое дело. И умела его делать, и любила, в чем он не раз убеждался и от чего вовсе не собирался отказываться и в дальнейшем.

Пока старшая медсестра шла, доктор Баранов смахнул со стола в ящик все бумаги, достал из сейфа начатую бутылку коньяку, пару рюмочек, блюдце с нарезанным и посыпанным сахаром лимоном и отнес все это на круглый столик за ширмой, перегораживающий его кабинет надвое.

Эта высокая ширма с яркими золотистыми и алыми китайскими павлинами, резко контрастирующая с почти стерильной чистотой довольно бедного кабинета, всегда вызывала интерес, особенно у таких посетительниц, которая недавно покинула его кабинет. За ширмой просматривалась довольно широкая кушетка — для осмотра пациентов. И отдельные женщины поглядывали на нее — доктор это нередко замечал — с откровенным любопытством, словно представляя себе мысленно, что на ней могло происходить в отдельные моменты врачебного осмотра. И ведь они не ошибались. Именно для этой цели и держал в кабинете эту кушетку за привлекательной ширмой главврач диспансера. На случай, который, бывало, и не подводил. Но, как говорится, за неимением гербовой пишем на обычной! И Ольга полностью и отлично подходила под это определение.

Она быстро вошла, с любопытством окинула взглядом кабинет, будто собралась увидеть что-то необычное, шумно потянула воздух ноздрями, раскрыла яркие свои губы в улыбке и, обернувшись к двери, заперла ее на два поворота ключа.

— Уже накалился, да? — спросила весело. — И что это у нее за духи такие?

— С чего ты взяла? — недовольно и деланно озабоченно отозвался он.

— А я ее видела. Ничего бабенка, старовата, правда, для тебя, но если раскочегарить, как ты умеешь... Не пытался еще? — словно нарочно заводила она его. — А что, очень советую попробовать! — И непонятно было — всерьез она говорила или просто шутила.

— Не говори глупостей, — будто пойманный на чем-то неприличном, несколько смущенно отозвался он. — Налей нам по рюмочке. — Он жестом показал за ширму.

— Слушаюсь, мой господин! — так же весело отозвалась Ольга и, вызывающе покачивая широкими бедрами, удалилась за ширму.

Короткое время там что-то шуршало, стукалось об

пол, — видно, падали сброшенные туфли, потом резко заскрипела кушетка — это старшая медсестра заняла наконец привычное свое исходное положение.

— Иди, я налила, — послышался ее голос, и доктор Баранов, стягивая с себя халат и небрежно кидая его на ширму, отправился к Ольге.

Кушетка заскрипела еще резче и ритмичнее, послышались глубокие вздохи, обрываемые короткими всхлипами, больше похожими на сдерживаемые с трудом вскрики, а затем разом оборвались, будто обрезанные долгим и протяжным, но едва слышным стоном. И непонятно было, чей это стон — мужчины или женщины...

Дважды коротко прозвенели и резко прерывались телефонные звонки.

Скрип кушетки то возобновлялся, то скоро прекращался. Наконец, поддергивая и поправляя на плечах подтяжки, из-за ширмы появился доктор. Короткое время спустя вышла и старшая медсестра, застегивая на себе белый, тесноватый для нее халат. Она подала доктору пиджак и помогла надеть его в рукава, затем взяла со стола бумажную салфетку, послюнила ее и, подойдя вплотную к Вячеславу Сергеевичу, вытерла ею щеки и крылья его ноздрей, убирая следы своей губной помады.

— Так что ты утром намекал насчет дневного стационара? — спросила усталым, но деловитым голосом.

— Я думаю, — так же серьезно ответил Баранов, — что возможность занять кресло главврача ведущей наркологической больницы, совместив ее с должностью главного нарколога, становится не такой уж несбыточной мечтой, вот что.

— На фоне недавних событий? А от кого исходит такое предложение? — Ольга, похоже, зрила в самый корень.

— Есть кое-кто, — неопределенно ответил Баранов, не желая раньше времени выдавать свою тайну — так он хотел, чтоб ей, во всяком случае, казалось. — Ты-то пойдешь со мной? Как решила? Или останешься здесь? Или, может, у тебя уже имеются более выгодные предложения?

— Чудак, — усмехнулась Ольга, — а куда я от тебя, вообще, денусь? И кто тебе будет постоянно обеспечивать нужный тонус и полное душевное спокойствие? Сам подумай!

— Да разве только в этом дело? Мне верные люди понадобятся. А их очень мало.

— Будет больше. Ничего, справишься. Ты, смотрю, бодрый, даже не утомился. Сейчас пойду Варьке скажу, чтоб она еще губками поработала, на дорожку тебе, хочешь?

— А сама?

— Могу, конечно, но я не по этой части, ты же знаешь. И потом, я вовсе не ревнивая, что тебе так же хорошо известно... Слушай, Слав, а чего это разговоры вдруг пошли всякие?.. Будто бы ты сам и заказал Артемову? Ты бы пресекал их? Зачем тебе нужна лишняя болтовня?..

Иногда она была не к месту догадливой, знал о таком ее качестве Баранов. Этакая, понимаешь, не в меру сообразительная барышня тридцати трех лет от роду. И в этом имелся как несомненный ее плюс, так и некоторый минус — никогда ведь не знаешь, куда повернет вдруг женская сообразительность!

— А что я могу поделать? Собака лает — ветер носит. На всякий роток не накинешь платок, так ведь говорят? Но что-то предпринять придется, ты права. Пока я выезжал, мне тут никто из важных людей не звонил?

— У Варьки все записано, ты же знаешь. А кто тебе нужен конкретно, мне разве известно? — прижимаясь к нему всем телом, мурлыкнула она.

— Да-а... Ну ладно, давай тогда отдыхай, прибери там только, — мотнул он головой в сторону кушетки.

— А ты Варьку разве не захочешь угостить? — лукаво усмехнулась Ольга.

— Ой, девки, и тяжело ж мне с вами!

— Так уж! — отрываясь наконец от него и снимая руки с его плеч, с ухмылкой сказала Ольга. Она с вызовом подмигнула доктору, чмокнула его в щеку и, снова покачивая бедрами и похлопывая себя пальцами по втянутому животу, пошла к двери. Обернулась, сказала: — А ты у меня еще молодец! Вполне, вполне...

И пока Вячеслав Сергеевич раздумывал над ее словами, в кабинет вошла Варвара — студентка-вечерница с медфака — и с вопросительной ленцой уставилась на него. Ее острый кончик языка медленно скользил по приоткрытым пухлым губам, а выпуклые голубые глазки блудливо перетекали с доктора на павлинов и обратно.

3

Этот совсем уже поздний телефонный звонок сразу показался доктору Баранову чрезвычайно неприятным. Во-первых, он застал Вячеслава Сергеевича в очень неудобный для него момент. Варька так старалась, да и он уже сам, по правде говоря, сомлел, поэтому пришлось прерываться, и девушка, помня о своих обязанностях прежде всего секретарши, сама принесла ему на кушетку телефонную трубку.

А во-вторых, звонок явно был необычным — тот, кто добивался доктора, определенно знал, что тот у себя в кабинете, и, более того, мог даже угадать, чем доктор в настоящий момент занимается. Поэтому, видимо, телефон и звонил долго, пронзительно и требовательно.

Вячеслав Сергеевич, прежде чем заговорить, постарался успокоить собственное дыхание и несколько раз глубоко вдохнул-выдохнул. Варвара уже успела смыться в приемную — знает порядок, послушная девушка. А в трубке стояло напряженное молчание.

— Я слушаю, — медленным и утомленным голосом сильно занятого человека наконец спросил Баранов.

— Не притворяйся, лепила! — послышался наглый и грубый ответ.

— Минутку, в чем дело? Вы кто?! — гневно повысил голос доктор, а пальцы его тем временем торопливо и машинально застегивали брюки.

— Не выступай, лепила! — В трубке послышался ехидный смешок. — А то мы не знаем, чего ты так поздно сидишь у себя? С прошмандовками своими! Кончай давай, у нас больше времени нету, базар к тебе имеется.

— Какой еще базар? — недовольно поморщился Вячеслав Сергеевич, уже понимая, о чем идет речь и кто назначает ему встречу, забивает стрелку — по-ихнему.

— Крутой! — уже без тени смеха рявкнул голос. — Сказано, кончай и выходи. Мы тут рядом, возле твоей тачки. Не тяни, твою мать...

«Ну точно они... — с неприятным ощущением подбирающейся к нему опасности подумал доктор. — Послать бы их подальше... Но с этой публикой тянуть нельзя...»

На автомобильной стоянке, напротив входа в неврологический диспансер, возле скромной «семерки» Вячеслава Сергеевича пристроился «БМВ» черного цвета — любимая машина крутых и бандитов. Правда, в последнее время на них, говорят, стали ездить и члены правительства — не на таких, конечно, а на последних моделях.

«Хорошо бы заиметь такую машинку, — с завистью подумал Баранов, — пациент сразу станет смотреть на тебя другими глазами».

А от того, как он на тебя смотрит, зависит в первую очередь и твой гонорар. Но о такой дорогой машине — на подержанную доктор ни за что бы не согласился — пока приходилось только мечтать. Однако... если некоторые его соображения и предположения смогут осуществиться — о чем сейчас, вероятно, и пойдет речь, — то скоро можно будет и машинку себе позволить. И достойную занимаемой должности квартиру прикупить, и очередные отпуска организовывать, исходя наконец из личных своих потребностей, а не исключительно из возможностей, среди которых имеются, как правило, слабо приемлемые либо вообще неприемлемые варианты.

Левая задняя дверь черной машины открылась, и высунутая рука махнула доктору, приглашая садиться. В «БМВ» уже находились трое — один сидел за рулем, второй — рядом с ним, а третий и приглашал его устроиться на заднем сиденье.

— Ну че, лепила, испугался? Просекли мы тебя? — насмешливо спросил один из громил, сидевший впереди.

— А вы нормальным языком можете говорить? — спросил Баранов в свою очередь.

— Ишь какие мы крутые! — бросил сидевший рядом с ним и жестом показал переднему, чтобы тот заткнулся. — Так как прикажешь тебя называть? Лепила — это по-нашему. А чтоб на зоне тебе толмач не потребовался, привыкай заранее! От сумы и от тюрьмы... слышал небось?

— У вас дело ко мне или треп? И откуда вы узнали, что я на службе?

— Ну ты даешь, лепила! — расхохотался сидевший спереди. — Так окна ж у тебя светились. А чувырла твоя жопастенькая уже давно домой намылилась! И дверь своим ключом заперла.

«Как все, оказывается, примитивно просто, — с неприязнью уже к себе подумал Баранов. — Но что они все вокруг да около?»

— Ну и где же ваш базар? — спросил уже нетерпеливо.

— А это мы щас поедем, отвезем тебя, там и будет.

— Куда? У меня своя машина!

— Не боись, лепила, базар серьезный, тебя обратно доставят, когда надо. Двигай, Чугун! — Сидящий рядом с доктором тронул водителя за плечо, и тот включил зажигание.

Стрелка, как они это мероприятие назвали, была намечена у них в кафе у черта на куличках, на Самаркандском бульваре.

В самом кафе, оформленном в восточном стиле и в данный момент практически пустом, верхний свет был приглушен и горели только маленькие лампочки под абажурами на столах. Возле одного из них в углу на деревянном диване, укрытом ковром с разбросанными на нем маленькими подушечками, с пиалой в руке полулежал толстый, явно восточного вида бритый человек в тюбетейке. Напротив него, почему-то в кресле, расположился молодой, черноволосый мужчина — скорее кавказской внешности. Он пил из длинного бокала красное вино. Третий собеседник, которого, несмотря на полутьму, все же узнал Вячеслав Сергеевич, сидел как бы отдельно от этих двоих и пил чай из стакана в блестящем подстаканнике. Был этот человек со смазливым лицом хотя и без привычного милицейского своего полковничьего мундира, а в обычном темном костюме и при слегка приспущенном галстуке, но его легко распознал доктор Баранов как главного среди остальных.

— Чего так долго собирался, доктор? — спросил толстый азиат, отставляя пиалу и показывая на уже достаточно разоренный ужинавшими тут людьми стол.

— Поздние посетители, — ответил за Баранова приведший его сосед из машины.

— Капусту рубил, да? — засмеялся азиат. — Ладно, тебе потом еще накроют. Садись, беседа с тобой есть. Это Вахтанг, — он показал на молодого человека. — С Петром Ильичом ты уже, возможно, хорошо знаком, а я Исламбек. Тут все мое, — обвел-то он обеими руками как бы одно помещение кафе, а выглядело так, будто обнял весь Юго-Восточный административный округ столицы.

Да так оно, впрочем, наверняка и было. Но странное дело, смеялся, представляя своих, в данный момент, можно сказать, собутыльников один Исламбек, двое других хранили упорное молчание.

Вячеслав Сергеевич, пододвинул себе стул и сел, отпихнув локтем уже использованную, но не убранную со стола посуду. Сказал тоном совершенно чужого в компании человека:

— Ну и чего вам от меня потребовалось? Укол кому сделать?

Не совсем понимал он, но больше делал вид, что не представляет причину своего присутствия здесь, среди этих, по большому счету, незнакомых ему людей. Двоих он точно не знал.

Ну с Огородниковым, начальником отдела по борьбе с организованной преступностью в округе, он был, естественно, знаком, хотя и шапочно, — встречались на крупных совещаниях в отделе здравоохранения, где обсуждались показатели по борьбе с наркоманами. Он частенько там присутствовал, — видно, ему было положено по должности. Но здесь-то что этих людей объединяло — вот вопрос? И кто они на самом деле? Догадки строить в подобных ситуациях, а пуще того верить им было бы преступным легкомыслием. Да и вообще, не нравилась эта обстановка Баранову, чего он не стал скрывать, а всем своим видом показывал, что всего лишь подчиняется силе.

Заметил это его отношение и Вахтанг. Он что-то сказал, возможно, на азербайджанском языке, отчего полковник поморщился. Но Вахтанг тут же поправился, перевел свою фразу на ломаный русский:

— Я говорю, он ничего не понимает, — Вахтанг брезгливо покосился на доктора, — объяснить надо, а не вола тянуть, да?

— Слушай! — всплеснул пухлыми руками Исламбек,

обращаясь к Баранову. — Что непонятного, скажи? Ты просил помощи у Давида, так? Он пообещал и сделал. Что непонятного? Давид — мой человек, это я ему велел. Но тебе, доктор, теперь не с ним, а со мной говорить надо. Не знаю, что непонятного?.. — Он откинулся на подушки. — Скажи ты, Вахтанг!

— Подождите, господа, — поморщился Вячеслав Сергеевич. — Похоже, мы в самом деле не понимаем друг друга. Я не знаю, какое отношение имеет к вам ваш Давид, но я с ним, скорее всего, незнаком. Это первое. Естественно, я ни о чем его не просил. И не знаю, о чем вы тут толкуете, — это во-вторых. А в-третьих, я, наверное, засиделся в гостях и, если вы не против, с удовольствием покинул бы ваше приятное общество...

Доктор Баранов сейчас врал. Врал и себе, и им. Он прекрасно понимал, о чем и о ком конкретно идет речь. Но дело в том, что беседовал доктор с одним из бывших пациентов, которого он лично сумел спасти в свое время от приговора, добившись принудительного для него лечения в психиатрической больнице, иначе за двойное убийство, совершенное с особой жестокостью, тому парню грозило бы пожизненное заключение. А из психушки он скромненько вышел через три года по решению психиатрической комиссии в связи с ремиссией и, поскольку больше не представлял социальной опасности для общества, был направлен под диспансерное наблюдение — так было записано в его окончательном диагнозе. Короче, этот парень по кличке Додик должен был теперь по гроб жизни быть благодарным доктору Баранову, который принял в его судьбе столь деятельное участие. Небесплатно, конечно, об этом никто и не говорит. Но факт свидетельствует сам за себя.

И когда однажды у Вячеслава Сергеевича возникла мысль коренным образом исправить и свою биографию, отказавшись от долгих и бесперспективных потуг вырваться в высший эшелон наркологической, так сказать, власти, дельный совет и конкретная помощь Додика оказались весьма своевременными и полезными. Может, это они его Давидом теперь кличут? Баранов уже и сам забыл настоящие имя и отчество своего подопечного.

Но если Додик и взялся помочь своему спасителю, то какое отношение имеют к нему эти люди? И самое неприятное, пожалуй, то, что они непохожи на самозванцев. Этот смазливый полковник, эти явные бандиты, которые приехали за ним, за доктором, чтобы привезти его сюда, эти, наконец, странные восточные люди, которые ведут теперь не менее странные разговоры... Это все как понимать?

Если Додик его заложил, передав, скажем, заказ своим подельникам, а сам отошел в сторону, то зачем же он лично приезжал за гонораром? Словом, какая-то здесь туфта. И наверное, без Додика ему вообще вести разговор с этими людьми не пристало. Если опять же в базаре, как заметил тот бандит из «БМВ», появится реальная нужда.

Сказанное им по поводу Давида, похоже, совершенно не смутило преступную троицу, как про себя окрестил их уже Вячеслав Сергеевич.

— Ты не торопись, уважаемый, — в свою очередь недовольно поморщился и Исламбек. — Зачем так сразу? Мы же еще ни о чем не поговорили? Пиалу поднять не успели за дальнейшее, как у вас в Москве говорят, плодотворное сотрудничество. Ничего не успели, а ты уже торопишься. Нехорошо, вот и Вахтанг готов подтвердить. Подтверди, Вахтанг, пожалуйста.

Вахтанг кивнул своей черной, кучерявой головой. Исламбек перевел взгляд на полковника, тот приподнял одну бровь и хмыкнул, движением руки показав, что тоже согласен с общим мнением.

— Вы, как я понимаю, все давно между собой знакомы, так? — спросил Баранов у полковника.

— Можно сказать, что так, — кивнул тот.

— И в курсе всех общих дел?

— В курсе, — улыбнулся полковник.

— Так зачем же нам базар устраивать? — усмехнулся и Баранов. — Давайте, Петр Ильич, я завтра с утречка, скажем, подъеду к вам в отдел, где мы и сможем переговорить на интересующую вас тему. Тем более что я с этими господами незнаком, мы, вижу, не понимаем друг друга. Зачем же зря напрягаться? Портить друг другу послеобеденное настроение, правда?

— А он дело говорит, — сказал полковник Исламбеку. — Может, в самом деле рано еще брать быка за рога? Как вы?

Вахтанг молча пожал плечами. Исламбек испытующе посмотрел на Баранова и обеими ладонями провел по лицу, будто на молитве.

— Но я хочу, чтоб он знал... наше мнение, да?

— Узнает, — спокойно, словно о постороннем, заметил полковник. И повернулся наконец к Баранову: — Ну так извините, что оторвали вас сегодня от важных дел. Вопрос, в сущности, довольно серьезный, и решать его на ходу никто не согласится, это правильно. Значит, я жду вас завтра к десяти, вы знаете, где мы находимся.

— Знаю. — Баранов поднялся. — Разрешите откланяться, господа. Меня обещали доставить?..

Исламбек что-то громко выкрикнул по-своему, в зале показался давешний сосед по машине и мотнул головой, приглашая следовать за собой. Расстались без рукопожатий, спокойно, даже отчасти доброжелательно. Но, выйдя на улицу, к стоящей у входа в кафе черной машине, Вячеслав Сергеевич ощутил наконец, что вся спина у него мокрая и ледяная.

«Пронесло», — сказал он сам себе и зябко поежился. Отвратительное это чувство собственной беспомощности. Но теперь первым делом надо было достать Додика — хотя бы даже и со дна моря...

4

Пока машина с молчаливым шофером мчалась обратно, ближе к центру города, Вячеслав Сергеевич ощущал, как к нему постепенно возвращалось спокойствие. Вспомнив выражение того уголовника насчет «жопастенькой чувырлы», доктор даже подумал, что вот именно сейчас, после перенесенного стресса, что ни говори, она вполне была бы уместна. Но — увы! — у нее семья, дом. Это он, душа неприкаянная, куда хочет — едет, с кем хочет — спит, а у них, у его женщин, свои постоянные заботы. Вот и оставались разве что мелкие увлечения, а не подлинные страсти. Как в старой байке — кино, вино и домино, вместо набережных Парижа на выходные, вместо ресторанов Ниццы во время летнего отпуска и вместо леди герл из какого-нибудь шикарного стрип-бара. Ну последнее-то можно и в Москве организовать, да денег, честно говоря, жалко. Не так их еще и много было у доктора Баранова, чтобы бездумно тратить на пусть дорогих, но все же шлюх.

Водитель, которого звали Чугун, привез его обратно и высадил возле «семерки». Он молчал всю дорогу и не отвечал ни на один вопрос доктора. А знать, с кем он встречался, очень хотелось. Нет, можно было, разумеется, подождать до завтра, до разговора с полковником, и уже у него выяснить, так сказать, диспозицию. Но лучше все-таки быть в подобных ситуациях заранее подготовленным к серьезному разговору, ну хотя бы информированным, чтобы по нечаянности не совершить потом ошибки.

— Значит, тебе неизвестно, чем занимается Исламбек? — уже без всякой надежды спросил у Чугуна Баранов, открывая дверь машины.

И тот неожиданно открыл рот:

— Не советую тебе, доктор, свой нос к нему совать.

Чем занимается, тем и занимается, не твое собачье дело. А будешь бодягу разводить, замочат, и все дела.

Хоть и грубо ответил Чугун, но грамотно: не болтай, мол, лишнего, не накликай на свою голову беду.

— Ладно, и на том спасибо, — отозвался доктор, выходя из машины, которая тут же лихо развернулась, обдав его фонтаном снежной пыли, и укатила.

Показалось странным, что свет в окне рабочего кабинета еще горел. Баранов взглянул на наручные часы — половина двенадцатого. Значит, либо он сам забыл выключить свет, выходя, либо Варька, чертова девка, отправляясь домой, не заглянула в кабинет — проверить. «Надо будет ей завтра сделать втык», — подумал Вячеслав Сергеевич и вдруг засмеялся — неожиданно и совсем неплохо получилось у него насчет втыка. Да, оно очень бы оказалось к месту, но сейчас самое главное — найти Додика. Найти и немедленно выяснить у него, что это еще за номера?..

Баранов открыл дверь диспансера своим ключом, затем запер с другой стороны и поднялся на второй этаж, в свой кабинет. В здании стояла тишина, приемная была также пуста, но свет в кабинете главврача горел. Полоска света пробивалась под закрытой дверью.

Вячеслав Сергеевич резко толкнул дверь, вошел к себе и... замер. В его тяжелом, вращающемся кресле с высоченной спинкой — она могла откидываться назад, и тогда в нем можно было даже накоротке вздремнуть — сидела, поджав под себя ноги, Варвара с тяжелой книгой на коленях. Она спала.

Доктор осторожно вынул из-под ее рук книгу, посмотрел на переплет — учебник анатомии. Ну да, лекции, семинары, а тут еще и работа — устает, бедная. Странно, что она не убежала домой после его ухода. А что он, вообще, о ней знает? Вот Ольга — та знает, она обо всех все знает! «Неревнивая я!» — ишь ты... А сама подсунула вместо себя девчонку и убежала к своему сожителю, так называемому гражданскому мужу. Да, впрочем, какой тот ей муж? Разве от мужа бегают направо и налево? А Олька такая, крутанет своим пышным задом — и за ней сразу целая стая кобелей устремляется.

— У-ух, стерва! — с удовольствием воскликнул Баранов, воочию увидев, как совсем недавно вот на той самой кушетке... Эх!

Но его вскрик разбудил Варвару. Вздрогнув, она открыла глаза, потом потерла их тыльной стороной ладоней и спустила ноги на пол.

— Ты чего домой-то не ушла? — с грубоватой ухмылкой спросил он.

— А вы ж уехали, ничего не сказали... Я вот ждала, позанималась немножко. А сколько времени?

— Ночь глубокая, ехать-то поздно. Тебе далеко?

— Я лучше здесь посплю, если позволите, — просительно сказала она, поднимаясь.

— Оставайся, — снисходительно заметил он, в который уже раз оценивая взглядом ее тоненькую, но весьма крепкую фигурку: девушка, возможно, и не комсомолка, и даже не ах какая красавица, но зато спортсменка очень даже приличная — это точно... — Возьми вон там, в шкафу, одеяло с подушкой и ложись... да вот хоть на ту же кушетку. Или, если не нравится, ступай на диван в Ольгином кабинете. Там помягче.

Она посмотрела на него непонятным взглядом и с вызовом засмеялась.

— Ты чего? — слегка опешил он.

— Ох, Вячеслав Сергеевич! — протяжно вздохнула девушка, как опытная, пожилая дама, многое повидавшая на свете. — И все-то вы знаете! И где мягче, а где жестче! Все прошли, все испытали? А что, лично мне нравятся такие мужчины...

Вот это было признание!

— Это какие же такие? — Он уже вообразил себе, как она станет сейчас расписывать его несомненные мужские достоинства.

— А без комплексов, — улыбнулась она. — Захотел — взял. Так и надо жить на этом свете... Поэтому сами выбирайте, где вам будет удобней, я не возражаю. И потом, мы еще не все сегодня попробовали.

— Ха, это ты в анатомии, что ли, вычитала?

— И вы еще собственным опытом не поделились, мы ж только начали, да?

— Умница ты, — после паузы сказал Баранов, чувствуя, что разговор уже приобретает ненужную остроту, так ведь и планы сорвать можно. — Но пока, знаешь что, иди-ка ты все-таки к Ольге в кабинет. Мне тут надо несколько срочных телефонных звонков сделать, а может, еще и встретиться кое с кем. Я позже приду, а ты пока отдыхай...

Она вышла, оглянувшись на него возле двери, и опять он почувствовал возбуждение, когда по нему скользнули ее выпуклые голубые глаза. Но сейчас главным было не это. И Вячеслав Сергеевич достал из письменного стола свою записную книжку, где на всякий случай были зашифрованы им некоторые номера телефонов, о владельцах которых должен был знать только он. И ничей чужой любопытный взгляд не разобрался бы в буквах и цифрах. Такая вот придумана была им конспирация — на всякий случай, береженого и Бог бережет...

Мобильный номер Додика отозвался. Бодрый, но незнакомый мужской голос без всякого акцента спросил:

— Вам кого? Куда звоните?

— Додик нужен, — в свою очередь с легким кавказским акцентом сказал Баранов.

— Кому нужен?

— Знакомый, слушай.

— Зовут как?

— Вай, любопытный! Ты у Додика спроси, он хочет, чтоб я назвался, да?

— Здорово, Слав, — тут же раздался в трубке голос Додика. — Какие проблемы?

— Меня посторонние не слышат?

— Нет.

— Тогда, если хочешь, чтоб у нас обоих не было проблем, срочно приезжай ко мне. На пункт, понял?

— Кайф найдется?

— Тебе — всегда, ты знаешь.

— Еду...

Он приехал быстро. Увидев из окна, как возле его «семерки» пристроился «ауди» Додика, Баранов спустился к выходу и открыл дверь.

Дмитрий Яковлевич Грицман, так было записано в паспорте Додика, невысокий, лысеющий брюнет с орлиным носом, но не кавказского, а явно семитского происхождения, с тонкими усиками и модной острой бородкой, небрежно, по-приятельски хлопнув ладонью о ладонь доктора, быстро взбежал по лестнице. При этом длинные полы его пальто распахивались, как крылья большой черной птицы. И когда Вячеслав Сергеевич поднялся к себе, предварительно заперев входную дверь, он увидел Додика, стоящего с полной рюмкой в руках. Это Варя так и не убрала спиртное со столика за ширмой, а Додик успел углядеть.

— Ваше драгоценное! — Баранов и глазом моргнуть не успел, как гость опрокинул в горло рюмку. — Сами не желаете, доктор? — засмеялся он. — Или это у тебя стимулятор для сугубо плотских целей?

И все-то он знает!..

— Не базарь, садись и рассказывай, Додик, что за люди такие? Перечисляю: Исламбек, Вахтанг и их окружение? Скажем, полковник Огородников еще. Какое отношение имеешь ты к ним или они к тебе? Я должен все знать, и срочно.

— А зачем тебе? — подумав, ответил Додик. — Хватит того, что они известны мне. Ты чего, сам на них вышел?.. А-а-а, — догадался вдруг он. — Это они, значит? И что ты им сказал?

— Ничего. Они упоминали о каком-то там Давиде... — При упоминании этого имени Додик невольно дернулся. — Сообщили, что по его просьбе этот Исламбек — да? выполнил мою просьбу. А я ответил, что никакого Давида не знаю, ни с кем ни о чем не договаривался, а если я нужен, то пусть полковник приглашает к себе, тогда и состоится базар. В смысле разговор. Завтра в десять в его кабинете в Текстильщиках. Теперь тебе понятно? Давай рассказывай, кому ты меня, сукин сын, жидовская морда, продал?

Баранов говорил нарочито спокойным тоном, хотя ему очень хотелось сейчас крепко врезать в эту смазливую рожу. И он знал, что у него получится, Додик всегда был слабаком в физическом плане, но и неукротимым в своей ненависти к кому-нибудь.

— Ты это... — сказал Додик негромко. — Ты не бери на себя... А то устрою то же самое, что твоей конкурентке, понял? И глазом не моргну, ты меня знаешь.

— Ладно, — легко согласился Баранов, — за морду извини, но кто тебя просил?..

— А это уже не твои заботы. Ты никому ничего не должен, я — тоже. Молчи в тряпочку. И запомни, расколоться ты можешь только в последнем слове. Что, кстати, совсем не обязательно. Не желаешь? — спросил, наливая себе новую рюмку.

— И тебе не советую, если хочешь получить кайф. Принял уже — и достаточно.

Додик подумал и отставил полную рюмку.

— Так чего им-то от меня надо?

— А ты сам не просекаешь? — усмехнулся гость.

— Как видишь. — Баранов развел руками.

— Они хотят предложить тебе участвовать в их бизнесе.

— А ты почем знаешь? И что за бизнес?

Мог и не отвечать Додик, тут бы и дурак все понял. Какой бизнес? Да, какой он может быть у азиатов либо кавказцев, вошедших в сговор с ментовкой и желающих установить деловые контакты с наркологом?

— Знаю потому, что знаю их. А бизнес? Тебе чего, объяснять нужно, какой он у них? Только учти, я в эти их игры не играю. Мне собственный кайф дороже. Это все?

— А почему они знают про... ну про этих конкурентов? — постарался обойти острую и неприятную для себя тему Баранов.

— Так кадры у всех, по сути, одни и те же. Трепанул небось. Я усек, не волнуйся. А кто скрипач-исполнитель? Меньше знаешь — лучше спишь.

— Ага, и дольше живешь, так?

— Это как у кого получится, — ухмыльнулся Додик, скидывая на кушетку пальто, за ним пиджак и заворачивая рукав рубашки. — Есть один такой... Тоже давний мой приятель. Из МЧС, бывший... майор. Алкаш, но ручонки золотые. Тебе ни к чему... Как говорил поэт Лермонтов, в руке не дрогнет. Не успеет, сечешь?

— Ну так что, — поднимаясь, сказал Баранов и подошел к сейфу. Отперев его, он позвякал внутри какими-то склянками, достал одноразовый шприц, заполнил его из ампулы, потом смочил в спирте клочок ватки и подошел к Додику. — Я тебе несильный... Легонький такой, но кайф получишь славный.

— А с собой дашь?.. Парочку?

— Дам, куда от тебя деться... Приляг лучше...

Сделав укол, Вячеслав Сергеевич затер место ваткой, а шприц выбросил в корзинку. Потом достал из сейфа еще пару ампул и, обернув их ваткой, завернул в листок белой бумаги. Оставил лежать на столе.

— Ну что? — с легкой насмешкой спросил у Додика.

Тот уже поднялся и медленно опускал рукав, одевался. При этом глаза его светились.

— Как называется, — немного хрипловатым голосом спросил у доктора.

— Не важно. Если не будешь злоупотреблять, и кайф получишь, и от ломки убережешься.

И снова врал доктор. Наркотик он вколол парню такой, после двух-трехразового приема которого человек железно садился на иглу. Ну а после, как говорится, «передозняк» — и полная хана. Но это произойдет не сегодня и не завтра. Потому что Додик был еще нужен Вячеславу Сергеевичу. С ним еще не закончилась работа. А вот когда дело окончательно будет сделано, вот тогда и можно отправлять парня к праотцам.

— Ну как, нормально? — спросил Баранов.

— Полный порядок! — Додик показал большой палец и потянулся к рюмке. Доктор усмехнулся и махнул рукой — валяй!

— А теперь послушай меня, Додик. Да, кстати, а почему они тебя звали Давидом? Ты же Дмитрий?

— Это в паспорте, — с одышкой заговорил Додик, — а вообще-то я Давид. Про звезду Давида когда-нибудь слышал? Это мой знак! А еще...

Его уже начинало заносить, возбуждение нарастало, и слова лились безостановочно. Баранов решил, пока не поздно, вернуться к своему делу, а потом отправить парня восвояси. Не дай бог, Варька еще появится, тогда от этого совсем уже не отвяжешься.

— Значит, слушай меня внимательно, — сказал, садясь, Баранов. — Необходимо сделать еще один шаг. Причем желательно, чтоб прямо завтра. Можешь организовать? Но только без кровопролития.

— Что, муляж требуется? А для кого?

— Не муляж, а все по-настоящему. Но чтоб я мог обнаружить и... сообщить куда надо, понял?

— А как же?.. — еще не сообразил Додик.

— А это пусть думает тот, кто поставит.

— И что, завтра?!

— Лучше сегодня. Если успеете, — усмехнулся Баранов.

— Бабки при тебе?

— А ты сколько запросишь? Учти, твой кайф дорогой! — Баранов просто не мог не поторговаться.

Додик уставился в потолок, повертел пальцами, прикидывая, потом сказал:

— За сложность, думаю... Тридцатник давай.

— Ты не ошалел?

— А ты чего хочешь? И рыбку съесть, и...

— Договорились, — перебил его Баранов, чтобы избавить свой слух от развязности своего ночного гостя.

Он поднялся, достал из сейфа три пачки долларов и швырнул их на стол перед Додиком.

— Слушай, мастер, а как я узнаю?

— Будешь смотреть внимательно. И дверь входную на себя не дергай.

— Только чтоб без ошибок!

— Да не боись ты! Ключи мне твои не нужны, он сам откроет, чтоб нужный след оставить. Давай сюда кайф, я погреб.

Доктор придвинул ему ампулы, гость спрятал их в глубокий карман пальто, бодро поднялся и, сделав ручкой, пошел вон. Баранов за ним, чтобы запереть дверь. Вот теперь уже — он знал это точно — домой к себе ему ехать совсем ни к чему. И девочка, оказывается, пригодилась — как раз вовремя.

5

Как там ни объясняй, что ни говори, а к дверям своей квартиры он подходил осторожно и с определенным душевным волнением.

По странной случайности, доктор Баранов проживал в старой двухкомнатной квартире на Саввинской набережной. Это на другой стороне Москвы-реки и примерно наискосок от того дома, где несколько дней назад прогремел взрыв, унеся жизнь неплохой, в общем, женщины, вся вина которой заключалась лишь в том, что занимаемая ею должность вошла в противоречие с интересами другого человека.

И вот сейчас этот сорокалетний человек — с красивым, но утомленным от фактически бессонной ночи лицом, высокий и стройный, припарковав во дворе свои синие «Жигули»-«семерку», с кейсом в руках осторожно, внимательно глядя себе под ноги, поднимался по лестнице на второй этаж.

Никаких консьержек в этом старом четырехэтажном доме не было, как и лифта, а кодовый замок открывался последовательным нажатием на три кнопки, вытертые до блеска среди темных остальных постоянными прикосновениями многих пальцев самих же жильцов.

Тусклая лампочка освещала лестничную площадку с четырьмя выходящими на нее дверьми. Три были нормальные, в смысле обычные деревянные, обитые коричневым дерматином. Его собственная — железная, покрытая черным лаком и с глазком посредине. Вот ее и стал внимательно осматривать Вячеслав Сергеевич Баранов.

При этом он подумал с некоторым даже душевным облегчением, что, наверное, они просто еще не успели. Все вокруг было чисто, и никаких следов взлома двери не наблюдалось. Или что-то все-таки было? Да, что-то, назовем это интуицией, подсказывало доктору, что с дверью не все ладно. Он опустился на корточки, пригляделся и увидел наконец, что от нижнего угла металлической двери внутрь квартиры уходит не то проводок, не то проволочка какая-то.

И ведь знал же, а все равно спину вдруг окатило ледяной волной. Но следом явилась холодная и расчетливая мысль.

Вячеслав Сергеевич ринулся звонить во все соседские двери. Стали выглядывать полусонные жильцы — времени только седьмой час! — спрашивая, что случилось? Но растерянный и бледный как полотно, доктор Баранов лишь размахивал руками и пытался что-то объяснить. Причем стоял напротив своей железной двери и никого не подпускал к ней близко. Наконец народ понял причину суматохи.

Кто-то присел и, ничего не трогая, сумел-таки тоже разглядеть почти неприметную проволочку внизу двери. Другой кинулся тут же звонить в милицию. Через полчаса прибыл милицейский дежурный наряд. Тоже по очереди приседали возле двери, рассматривали, а потом, оставив одного на страже, двое других укатили в отделение — за помощью.

Еще через какое-то время прибыли эксперты, тоже осмотрели находку, посовещались и принялись звонить, вызывая экспертов из ФСБ. Дело оказалось серьезным, гораздо серьезнее, чем народ предполагал.

И пока уже среди районного начальства обсуждался этот вопрос, всех жильцов дома спешно эвакуировали. И те кто в чем толпились у парапета набережной, с «волнительным интересом» разглядывая, как их дом оцепляют со всех сторон полосатыми лентами, а невесть откуда появившиеся регулировщики стали заворачивать все машины, следующие по набережной, в объезд.

Только во второй половине дня специалисты-взрывотехники сумели обезвредить довольно-таки мощный заряд, хитроумно заложенный изнутри возле двери на четвертом этаже. Очень сложная оказалась работа. Никак невозможно было подобраться к бомбе с установленным взрывателем натяжного действия. Пришлось подгонять машину с люлькой и вскрывать окна квартиры и, лишь проникнув таким образом в помещение, обезвредить взрывное устройство.

Разумеется, ни о какой встрече с полковником Огородниковым в Текстильщиках доктор Баранов не мог и думать. Да он даже и не вспомнил об этой встрече, пока не позвонил сам полковник и не поинтересовался, что случилось. Вот тут, срываясь на отчаянный крик, почти на истерику, сумел наконец объяснить ему Вячеслав Сергеевич, что произошло.

Но Огородников, выслушав, спокойно, даже с оттенком насмешки, спросил:

— Ну и чем закончилось? Обезвредили?

— Слава богу! — в экстазе воскликнул Баранов.

— Было б о чем говорить... Ладно, чувствую, вам сейчас не до серьезных дел, давайте перенесем встречу на завтра, на то же время. Но уж постарайтесь, чтоб снова не нашлась подобная дурацкая причина. Это может вызвать у сведущих людей подозрение. А кто занимается вашим делом, в курсе?

— Приезжал Валентин Арнольдович Кучкин, кажется, он начальник следственного отдела межрайонной прокуратуры, ну и... из милиции были тоже. И из госбезопасности.

— Знаю его, хорошо, расспрошу при случае... Вот видите, сколько вы шуму наделали, доктор? Но вы там сами-то не особо светитесь, — усмехнулся Огородников и добавил совсем некстати: — Вы нам понадобитесь живым.

«Ну и шуточки у них», — холодно подумал Баранов и отключил свой мобильник.

И только после этого сообразил, что Огородников звонил ему по мобильной связи, а не по городскому телефону. А номеров-то своих он полковнику, между прочим, не давал! Но игру свою предпочел продолжить. И когда следователь — молодой парнишка из прокуратуры — стал задавать ему массу вопросов — что, почему, откуда известно да как ему удалось обнаружить? — Вячеслав Сергеевич уже четко придерживался выбранной линии, якобы избавившись от истерики и обнаружив тем самым твердость характера и силу воли.

Да, он в последнее время постоянно чувствовал за собой что-то вроде слежки... Нет, он не знает, кого подозревать... Но он очень близко к сердцу воспринял гибель Татьяны Васильевны Артемовой, фактически соседки, во-он из того дома, что напротив, которая была его коллегой по профессии и отчасти даже начальством. Как главврач ведущей больницы, она курировала, естественно, и деятельность неврологического диспансера, которым он руководит... Да, в последнее время у него появились опасения и за свою жизнь... Кем могут быть эти люди? Да кем угодно! Наркобаронами... барыгами... просто озверевшими наркоманами... К сожалению, такая публика — имелись в виду пьяницы, наркоманы, всякого рода бомжи — является, вольно или невольно, главными клиентами врачей-наркологов. Точнее, пациентами. И от этого никуда не уйдешь. И народ этот чрезвычайно мстительный и нелогичный. Поэтому причиной для совершения самого кровавого преступления для них может стать все что угодно, вплоть до косого взгляда со стороны...

Не стоит также забывать и то важное обстоятельство, что пост, к примеру, главного нарколога, кое-кому может представляться весьма хлебным. Увы, это распространенная ошибка людей, не представляющих, чем в повседневной жизни занимаются невропатологи, психиатры, наркологи. И за такой пост вполне может развернуться между несведущими, но жадными до легкой прибыли людьми жестокая борьба. Вот это уже будет ближе к реальности.

Изобразив, таким образом, свою помощь следствию, Вячеслав Сергеевич окончательно успокоился, прибрал в квартире, после того как здесь побывали десятки, если не добрая сотня ног, и стал подумывать о том, кого бы сегодня пригласить для поднятия тонуса? Варьку? Нет, пожалуй, с нее пока достаточно. Девочка продемонстрировала ему уже много чрезвычайно любопытного, но она неутомима, а он уже не в том возрасте, чтобы демонстрировать подвиги полового гиганта. Надо бы и что-то полегче. Значит?

Следовательно, надо вызвонить Ольгу, сочинив срочный выезд реанимационной бригады на дом к какому-нибудь обдолбанному сынку крутого папаши, а вместо этого просто отдохнуть с ней от дневных треволнений. Но в мягкой, щадящей форме. Ольга именно к подобным вариантам как раз и приспособлена.

Глава вторая
РАБОЧИЕ ВЕРСИИ

1

Как ни пытался Вячеслав Сергеевич оттянуть свою встречу с полковником Огородниковым, ссылаясь на безумную загруженность по работе и необходимость являться в прокуратуру для разговоров с Кучкиным, увидеться им все же пришлось. Видимо, полковнику надоели отговорки, и он сам явился в наркологический диспансер. Приехал в гражданской одежде, чтобы не волновать клиентуру доктора своими милицейскими погонами.

Баранов немедленно выпроводил очередного пациента, отослал его к старшей медсестре на процедуры, а сам изобразил на лице озабоченность и пригласил нового посетителя садиться и рассказывать, что с ним. По поводу этакой демонстративной «забывчивости» Огородников лишь язвительно усмехнулся и предложил доктору запереть кабинет, чтоб не мешали посторонние.

— Ну конечно, — сразу «вспомнил» Баранов, кто перед ним. — Вы меня должны извинить, полковник, ни одной свободной минутки просто нет. Замотался. Да-да, мы же собирались встретиться, помню, как же! Но потом это идиотское событие с бомбой... Потом стражи порядка навалились со всех сторон, каждый требует от тебя каких-то объяснений, будто никто сам думать и не собирается, замотали... Так какие проблемы, полковник, извините, мы не представлены?

— Вы запамятовали, Петр Ильич я.

— Ах да, простите великодушно! — изобразил полную уже свою растерянность доктор Баранов.

— Прощаю, — сухо ответил Огородников, и лицо его стало суровым. — Но, полагаю, вы правильно оцените этот мой шаг.

— Не совсем понял, но тем не менее внимательно слушаю вас, Петр Ильич. Дело в том, что лично у меня ни к вам, ни к вашей службе вопросов, как вам, должно быть, известно, не имеется. Стало быть, они есть у вас ко мне? Внимательно, повторяю, слушаю.

— Ну что ж, если вам нравится именно такая манера разговора, извольте. Что касается вопросов к вам, то не тешьте себя, доктор, они имеются, причем такие, на которые вам было бы трудно и, пожалуй, неприятно отвечать. Это относительно службы, которую я возглавляю. Соответственно имеются они и у меня. Но, памятуя о вашем желании сотрудничать в дальнейшем, к чему, кстати, были уже сделаны и первые шаги, как вам известно, я готов отнестись без предубеждения к вашим попыткам уйти от нашего разговора.

— Но помилуйте!.. — воскликнул Баранов.

— Не надо, — поморщился полковник. — Я не на прием к доктору явился. Дело не ждет, вот о чем пойдет разговор. Так что постарайтесь действительно выслушать меня внимательно. Для собственной же пользы... Итак, первое. Вы хотели освободить себе дорожку к креслу главного окружного нарколога? Вам ее освободили. Вы испугались возможных подозрений со стороны коллег и, особенно, власти и пожелали напустить туману вокруг собственной персоны? И это вам сделали... Логично было бы узнать, что вы еще задумали и как долго собираетесь тянуть с окончательным ответом?

— Минутку, мне никто не задавал никаких вопросов, поэтому и отвечать не на что!

— Неужели вы такой наивный, доктор? — усмехнулся полковник. — Неужто вы так и не поняли, что следователи господина Кучкина не спрашивали вас ни о чем после гибели вашей соперницы лишь по той причине, что вы сами оказались таким ловким? Так ведь дело легко поправить. И найдется как минимум пяток свидетелей, которые дадут против вас необходимые показания. И потом, неужели вы считаете, что истерика, которую вы закатили возле своей квартиры, действительно обеляет ваши поступки? Я и не мог подумать, что вы столь легкомысленны. Вы меня разочаровываете!

— Но если вы, как уверяете, решительно все знаете, то где же ваш служебный долг, господин полковник? Где ваша профессиональная честь? Уж не шантажировать ли вы меня приехали?

— Мне всегда нравились догадливые люди. Пусть и совершенно беспринципные. С ними можно позволить себе быть откровенным до конца. Судя по оговоренным вами с исполнителями условиям вашего хитроумного плана, вы показались мне человеком, с которым можно иметь дело. Если скажете, что я глубоко ошибаюсь, так и не проникнув в глубокий смысл ваших моральных построений, я готов немедленно покинуть этот кабинет и больше не общаться с вами, ибо... Ну как бы вам понагляднее объяснить? Ибо, скажем, не существует сумасшедших, которые захотят общаться с пустым местом. В буквальном смысле пустым. Или, точнее, с внезапно опустевшим, в связи с тем что его обитатель безвременно нас покинул. Вам это ни о чем не говорит? — Полковник посмотрел с насмешкой и полез в карман. Но достал не пистолет, как мелькнуло в голове Баранова, а пачку дорогих сигарет «Давыдофф» и золоченую зажигалку. — Вы, надеюсь, не возражаете?

— Перестаньте мне угрожать, плевал я на ваших возможных свидетелей. Нет их у вас и быть не может. Но выслушать вас я готов. Курите, — безнадежно махнул рукой доктор и, встав, открыл настежь форточку. Садясь, спросил: — Значит, я получаю конкретное предложение?

— Вы не совсем правильно поняли, — сказал полковник, затягиваясь и выпуская струю по направлению к форточке, — предложение о сотрудничестве, судя по совершенной недавно акции, вами уже принято, — словно бы пошел на попятный полковник. — Речь идет лишь о том, как будут налажены рабочие связи и как вы сами сумеете создать свой... ну, скажем, производственно-творческий актив. Будут трудности на первых порах — ничего страшного, мы поможем и своими связями, и возможностями.

— А какой товар вы имеете в виду? — спросил Баранов. — И какой процент будет определять мою долю?

— Вот это более серьезный разговор, — удовлетворенно кивнул полковник. — Учитывая ваши сложности на первых порах, мы могли бы предложить вам... ну, к примеру, десять... даже двенадцать процентов от общей стоимости доставленного к вам товара. Учтите, вы не один, и ваша личная сумма уже на первых порах составит что-нибудь порядка пятидесяти тысяч.

— Вы о «зелени»?

— Разумеется. Ежемесячно. В дальнейшем процент может увеличиться. А на фоне ваших сегодняшних заработков — по всем направлениям, — полковник подмигнул с пониманием, — вы до конца текущего года, если оставите за собой исключительно одну организацию дела, ну и, естественно, подбор кадров, сможете увеличить свой личный капитал до миллиона. Это вполне реально. Скажу больше: нам это даже выгодно, ибо сытый человек действует осмотрительнее и изобретательнее голодного. Уж поверьте моему опыту. Убедил?

— Пожалуй, да, — ответил Баранов и задумался.

Перспективы рисовались головокружительные. Если полковник не врал. А он, похоже, не врал, хотя почти наверняка преувеличивал — именно с целью заставить слушателя трепетать при виде сверкающих уже в ощутимой близи россыпей.

— А зачем тогда нужна была странная встреча с этими... Исламбеком... Вахтангом?

— Вы будете иметь дело напрямую со мной. Либо с моим собственным представителем. А эти? Каждое серьезное дело составляет определенная цепочка заинтересованных лиц, которые желают знать, с кем придется работать. Это естественно. Но вам лучше эти имена на время забыть. Позже — видно будет. Дальнейшее определит уровень, доходы, иные слагающие.

— А насколько я могу быть уверенным, что должность главного нарколога...

— Вы хотите сказать: не уйдет ли она к другому? Это также, кстати, зависит в первую очередь от вас. От вашего твердого слова. Вам же теперь известно, что мины могут взрываться. Или не взрываться. В зависимости от точки зрения и даже воли заказчика, посредника, непосредственного исполнителя и так далее. Мы в данном случае заинтересованы, чтобы конкретно вы заняли этот пост. Он даст вам больше возможностей, верно?

— Смотря, что вы имеете в виду, — осторожно ответил Баранов.

— Да бросьте вы, ей-богу, — махнул рукой полковник.

Он поднялся, подошел к окну, небрежно выкинул окурок в форточку, по-хозяйски закрыл ее.

— Так как, я могу передать?

— Я согласен, — совершенно севшим от волнения голосом проговорил Вячеслав Сергеевич.

— Прекрасно, договорились. Вашу руку! — Полковник крепко пожал ладонь Баранова. — Товар вам привезут, возможно, в самое ближайшее время. С примерными расценками. По поводу качества можете не сомневаться.

— Но у меня могут быть встречные предложения, — возразил Баранов.

— Мы их... я с удовольствием вас выслушаю. А мой служебный кабинет для вас открыт. Мобильный телефон — круглосуточно. Любой вопрос и любая сложность у нас решаются немедленно, в этом и успех кампании.

— А что мне делать со следователями?

— Ну, — развел руками полковник, — это уже ваши проблемы, доктор. Сами повесили их на собственную шею, сами и разрешайте полегоньку. Я думаю, что долго они вас пытать не станут. Там у них сейчас куда более важные вопросы назревают. Ну разве что между нами... Ладно, так и быть. Вы сами себе здорово осложнили положение, доктор. Я имею в виду последнюю акцию. Не надо было торопиться, следовало бы посоветоваться со знающими людьми.

— Но с кем?! — воскликнул Баранов.

— Да хоть со мной, — цинично ухмыльнулся полковник. — Я понимаю, что сморозил глупость. Но в ней, вы сейчас убедитесь, немалая доля истины. Взрыв у Артемовой, как это было остроумно придумано вами, достиг сразу двух фактически противоположных целей. Убрал препятствие и одновременно переключил и приковал внимание следственной службы к недоброжелателям заместителя мэра. Это, между прочим, не первое покушение на замов нашего уважаемого городского руководителя, а раз так, то, значит, есть на то и веские причины. Но вот своей, как выражаются в наших службах, неавторизованной активностью вы совершенно напрасно привлекли внимание правоохранительных органов к себе самому. Или, точнее, переключили расследование на недоброжелателей куда более узкого круга, в котором отыскать недовольных вами, наркологами, гораздо легче. Да и проще. Агентура-то ведь имеется, не закончила она, к счастью, свое существование, несмотря на «завоевания демократии».

— И что же мне-то теперь делать? — растерялся Баранов.

— Не рыпаться. И твердо держаться своей линии. Жаль, я поздно узнал, а то бы сумел помешать вам совершить эту глупость. Но, так или иначе, теперь остается только ждать.

— А вы настолько в курсе дела, Петр Ильич?

— Я-то в курсе, да вы чуть было не вышли из-под контроля. Ладно, оставим пустые разговоры. Я поехал, а про меня придумайте для своих дам что-нибудь вроде бессонницы. Поверят.

И он покинул кабинет. А из головы Вячеслава Сергеевича долго еще не выходили слова насчет контроля. Да, у них все очень серьезно, и они пустыми словами не бросаются. Поэтому надо быть вдвойне осторожным. Хорошо, хоть на слово поверили, не заставили какой-нибудь смертельно опасный договор подписывать. Впрочем, и это еще не исключено.

2

Не успел Огородников отъехать, как Баранову позвонил начальник следственного отдела Кучкин.

— Вячеслав Сергеевич, — не здороваясь, сказал он, —

необходимо ваше присутствие. Понимаю вашу занятость, но и вы, уверен, должны быть заинтересованы в скорейшем раскрытии причин покушения на вашу жизнь. Подъезжайте к прокуратуре.

— Но у меня прием больных! В коридоре длиннющая очередь!

— Назначьте им другое время, — холодно и беспрекословно заметил Кучкин и положил трубку.

Вячеслав Сергеевич вспомнил старый, еще советских времен, анекдот.

Как там оправдывался узбек, которого в компартию не приняли за то, что он по молодости «басмачествовал маленько»? А вот прямо так и говорил: «Как неправду сказать, когда сам курбаши спрашивал?»

Да, оправданиями не отделаешься, когда тебя очередной «курбаши» к себе в кабинет вызывает! И доктор Баранов, отменив прием, а тех, что с процедурами, отправив к Ольге, уехал в следственный отдел.

По дороге он не мог отделаться от тревожного чувства, что сукин сын Додик, оказывается, возможно, и не стучал на него конкретно Огородникову, но что полковник знал о нем, Баранове, многое, это было несомненным. Даже, возможно, слишком многое. Что и придавало тому уверенности, будто доктор не станет трепыхаться. Не сможет. Так оно, в общем-то, и получилось. А теперь они, пожалуй, без всякого зазрения припишут себе чужие заслуги и так поставят вопрос, что доктор еще окажется им что-то должен. Ну уж нет!.. Как сказал полковник? Не рыпаться и твердо держаться своей линии? «Хм, интересно, а какая она, эта линия?» — не без саркастической усмешки задал себе вопрос Вячеслав Сергеевич.

Но долго размышлять на абстрактные темы доктор Баранов не умел, да и не хотел. Тем более что он уже приехал.

Моложавый и стройный Валентин Арнольдович Кучкин, в кителе с синими погонами старшего советника юстиции, вольготно развалился в кресле и не соизволил даже приподняться, когда вошел Баранов. Просто протянул через письменный стол, заваленный папками с бумагами, длинную руку и, поздоровавшись, жестом указал на стул у приставного столика:

— Садитесь, извините, если оторвал.

Он еще как бы спрашивал!

— Есть новости в расследовании? — озабоченно спросил Баранов, вежливо присаживаясь в этом учреждении на кончик стула.

— С чего вы взяли? — в свою очередь заметил Кучкин. — Я все от вас собирался их услышать! А вы молчите как... Ну как рыба об лед! — пошутил он и осклабился. — Так кого все-таки подозреваете?

Баранов развел руками.

— Насколько я слышал, — осторожно начал он, — мина у меня в квартире была примерно той же системы, что та, которая убила... нашу уважаемую Татьяну Васильевну? Здесь может просматриваться единый след, так?

— Это вы у меня спрашиваете? — ухмыльнулся Кучкин и двумя руками подтянул синий галстук. — Это мне самому интересно знать! Насчет общего, по вашему мнению, следа! Так кто же это мог бы быть?

— Я, конечно, могу только предположить, и то... неловко, будто я кого-то подозреваю в страшных преступлениях. Но это могла быть какая-то, скажем, навязчивая идея, и, например, у человека, вовсе не связанного с нашей профессией. В смысле врачебной. Маньяк какой-нибудь, недавно выпущенный из психиатрической клиники, либо вернувшийся после отсидки зэк, я знаю? Вот вам и результат.

— Но вы разве не считаете, что им мог оказаться также кто-то из тех, кто, подобно вам — я не ошибаюсь? —

претендует на должность, которую занимала доктор Артемова? — строго спросил Кучкин.

— Я ничего не могу дополнить к уже сказанному по этому поводу. Но у вас же, кажется, была куда более реальная версия, я не ошибаюсь?

— Вы о чем конкретно?

— Что это не на Татьяну Васильевну была объявлена охота, а на ее высокопоставленного, насколько мне известно, супруга...

— Откуда вам известна такая версия? — уже совсем жестко спросил Кучкин.

— О господи, да из досужих разговоров вокруг, из сплетен, я полагаю.

— Была, да вот в связи с вашим эпизодом отпала. — И старший советник испытующим, прямо-таки сверлящим змеиным взглядом уставился на доктора.

В очередной раз Баранов почувствовал правоту полковника Огородникова. Ошибка очевидна. Но почему он ее совершил? По причине неуверенности! По той причине, что коллеги в первую очередь приписали бы покушение делу рук или организации доктора Баранова, давно претендовавшего на место главного врача ведущей клиники. Ну и соответственно на все остальное. И вот чтобы снять возможные кривотолки... Да, только себе хуже сделал. Но... остается твердо выдерживать свою линию.

— Я слышал... все от тех же специалистов, которые работали в моей квартире... что заряд был поставлен опытным человеком, э-э... минером. Но если этот минер, — или сапер, как их называют? — не болен психическим заболеванием, что, кстати, вполне возможно... Вы же знаете, в какой сложной реабилитации нуждаются порой люди, прошедшие чеченскую войну? Это я к тому, что если он и есть наш маньяк, тогда его задачи очевидны. И не пройдет дня-двух, как снова грянет взрыв у кого-то из моих коллег.

— И кого вы подозреваете? — быстро спросил Кучкин.

«Ишь ты, какой быстрый! — подумал Баранов. — Я бы тоже хотел это знать...» Но ответил раздумчиво:

— В нашем округе есть еще парочка невропатологов уровня Татьяны Васильевны. Но один уже стар для ответственных должностей — это Ампилогов. А другой... Что ж, вполне возможно... Это Рассельский. Он большой умница, да. И это... энергичный, хваткий молодой человек, без принципов. Так что вполне...

Эдька Рассельский был абсолютное ничто, полнейший дурак, но с великим гонором и самомнением. Вот и пусть теперь следаки за ним побегают!.. «Все равно им делать нечего», — добавил Вячеслав Сергеевич про себя злорадно.

— А больше никого не подозреваете среди тех, кому вы могли бы перебежать, как говорится, дорожку?

— Да я и названных ни в чем не подозреваю! — искренне возмутился Баранов. — Не знаю, право! Либо вы меня неверно поняли?

— Не волнуйтесь, — нахмурился Кучкин, — я правильно вас понял...

Но по его взгляду, который он машинально отводил в сторону, Баранов видел, что прав — ни черта тот не понял, а только окончательно теперь запутался. Значит, и дело сделано верно.

— Мы, конечно, постараемся проработать различные версии, в том числе и те, которые подсказали вы, господин Баранов, но я прошу вас со всей ответственностью постараться припомнить всех своих, а также, вероятно, и Татьяны Васильевны пациентов с каким-то, на ваш профессиональный взгляд, ненормальным поведением. Или с неадекватной реакцией. Это очень важно для расследования... Ну что ж, больше задерживать вас не считаю нужным, но в следующий раз давайте договоримся сразу — никакие отговорки относительно вашей явки в наше учреждение приниматься во внимание не будут.

И он важно поднялся во весь свой высокий рост и протянул руку — со значением, следовало понимать...

Но моральные мытарства Вячеслава Сергеевича на этом не закончились.

Подъехав к своему «пункту», как он называл частенько наркологический диспансер, и заруливая на стоянку, он увидел рядом знакомый «ауди» Додика. А через секунду тот и сам опустил боковое стекло и взглянул на свежего и краснощекого доктора каким-то тоскливым, собачьим взглядом. А его обычная сероватая кожа лица сейчас отсвечивала в синеву. Мгновенная мысль подсказала, что все произошло скорее, чем предполагал Баранов. Сильный наркотик, который доктор вколол три дня назад любителю легкого «кайфа» Давиду Гринцману, сделал свое черное дело. Две переданные ампулы тоже ушли в дело, и Вячеслав Сергеевич увидел, что Додик, от которого он хотел, не ставя даже перед собой конкретной и быстро решаемой задачи, избавиться, сам уже выбрал свой последний путь.

— У тебя что-то случилось? — встревоженным голосом спросил доктор.

— Я такой жуткой ломки сто лет не испытывал, Славка, — почти просипел тот сдавленным голосом. — Что ты мне дал, падла? Я тебе вчера весь вечер звонил! Сегодня...

— Да милиция таскает на допросы! — обозлился Баранов. — Зря ты это все затеял!

— Я-а-а?! Ах ты гад ползучий! — Додик задергался в машине, пытаясь распахнуть дверь. Слюна брызгала у него изо рта.

Доктор выскочил наружу, помог открыть Додику дверь, но не выпустил его наружу:

— Сиди! Сейчас чего-нибудь придумаем. Я помогу тебе купировать абстиненцию. Только не дергайся. Ты когда кололся в последний раз?

— Вчера, — прохрипел тот.

— Сиди, я сейчас приду. Дверцу только закрой и никуда не выходи. Я сейчас...

«Разумеется, у врача очень жестокая профессия, — как-то посторонне размышлял доктор, взбегая в офис по ступенькам. — На то, чтобы жалеть пациента, просто не хватает времени и собственных душевных сил... Опять же и условия часто складываются настолько жестко, что жестче, как говорится, некуда... Вот как сейчас! И тут уже не до жалости. Просто приходится, ты вынужден делать так, чтобы выиграть время... Вот она какая штука — это время! И зачем он сменил имя Давид на Дмитрия? Какая разница, кем помирать? Все равно будут вспоминать Додика... Черт возьми, какая-то собачья кличка...»

Махнув только рукой на вопросительный взгляд Варвары, доктор быстро прошел в свой кабинет, открыл сейф и наполнил шприц двойной дозой того же самого тяжелого наркотика, который так быстро подействовал на его пациента. Бедняга Додик даже и не подозревал, что колол себе высококачественный героин. И ломка от него не идет ни в какое сравнение с теми последствиями от приема легких наркотиков, к которым он иногда прибегал, ради получения «простого человеческого кайфа».

А теперь доктор Баранов отлично знал, что делал. Наркотик подействует. Снимет состояние абстиненции. А затем? А потом, что называется, уж куда судьба-злодейка повернет...

Додик нетерпеливо ждал. Баранов сел к нему и сказал:

— Давай отъезжай подальше, чтоб нас тут не видели.

Додик послушно отъехал и свернул за угол.

— Ну закатывай рукав... Сейчас я тебе сделаю укол, быстро полегчает, и сразу же, никуда не заезжая, кати домой. Сегодня отлежишься еще немного, а завтра, по пути на работу, я заскочу к тебе на «Семеновскую» и привезу еще одну дозу. Последнюю, надеюсь. Я все-таки отучу тебя, сукин сын, от наркотиков! — уже со смехом воскликнул он, вводя иглу без всякой стерилизации в проступившую на внутреннем сгибе локтя вену...

Он посидел в машине еще несколько минут, пока у Додика не прояснился взгляд и не порозовело слегка лицо. Сказал на дорожку:

— Сильно не гони, а то я тебя знаю! — и даже погрозил шутливо пальцем.

Затем он вышел из машины и с облегчением захлопнул дверцу. «Ауди» рванул и, быстро набирая скорость, исчез в переплетении переулков.

Поздно вечером, уже за полночь, Вячеслав Сергеевич, сидя у накрытого стола, смотрел телевизор — очередной выпуск программы «Вести. Дежурная часть». В восьмичасовых «Вестях» интересующих его «новостей» не было. Однако новое сообщение привлекло внимание.

Речь, как всегда, зашла об автомобильных авариях на городских улицах.

— В районе шестнадцати часов на Золоторожской набережной Яузы, на большой скорости пробив радиатором чугунную решетку ограждения, перевернулась и упала в воду автомашина марки «Ауди»...

«Где ж это? — немедленно прикинул Баранов и вспомнил, что где-то недалеко от Курского вокзала. — Ну правильно, это его, Додика, дорога домой.

— ...Водитель не сумел покинуть быстро тонущую машину. Прибывшие вскоре сотрудники милиции и спасательной службы Министерства по чрезвычайным ситуациям сумели поднять перевернутый автомобиль. Водитель, молодой человек по фамилии Грицман — это удалось выяснить из найденных у погибшего документов — оказался в салоне один. Врачебная экспертиза показала, что он не принимал алкоголя, а, возможно, просто заснул за рулем. Не исключено, что и под действием наркотика, на это указывают следы многочисленных уколов на его вене. Из показаний случайного свидетеля происшествия ясно пока одно: перед «смертельным прыжком» в воду автомобиль вел себя на дороге так, словно внезапно потерял управление...

— Ну вот и все... мир праху твоему, Додик, — прочувствованно сказал вслух Вячеслав Сергеевич, налил полную рюмку коньяку, поднялся и единым махом осушил до дна.

И почувствовал, как на душе потеплело, словно он бескорыстно сделал большое доброе дело.

3

Доктор медицинских наук Василий Наумович Ампилогов, как выяснил старший советник юстиции Кучкин, которому межрайонный прокурор поручил лично разобраться во всех событиях последних дней, связанных со взрывами в жилищах врачей-наркологов, в настоящее время находился на пенсии.

«Странно, — подумал Валентин Арнольдович, — этому-то сушеному грибу зачем было нужно устраивать фейерверки на лестничных площадках? Как-то все это выглядит нереально. Определенно притянуто за уши», — решил он уже с раздражением, но по привычке не оставлять без тщательной проверки ни одного факта.

Оказывается, Эдуарда Григорьевича, лечащего врача той самой клиники, которой руководила погибшая Артемова, он уже видел, но лично знаком не был. Кучкин в тот день, когда было совершено убийство, запомнил почему-то этого рыжеволосого молодого человека в квартире Алексеевых-Артемовых. Он был в белом халате и делал успокоительный укол Георгию Витальевичу, который то взрывался истерикой, то беспомощно затихал и только плакал — тягостное зрелище видеть нормального, здорового и полного сил мужчину в таком состоянии.

А по поводу этого рыжего врача Валентин Арнольдович, помнится, еще подумал, что он прибыл с бригадой «скорой помощи». Но так как с пострадавшей было все и без слов понятно, то разговора не возникло.

И вот теперь, сидя напротив врача в ординаторской, откуда удалили посторонних, следователь Кучкин вел допрос Рассельского.

— Как вы оказались в квартире Татьяны Васильевны в момент ее гибели?

— Совершенно случайно, — потирая кончик веснушчатого носа, ответил Эдуард.

Называть его еще и Григорьевичем у Кучкина, что называется, рука не поднялась — больно молод еще. Но, вспоминая оценку, данную этому молодому человеку доктором Барановым, Валентин Арнольдович с сожалением подумал, что как раз вот от таких-то молодых, да ранних, и приходится ожидать всяких неприятностей. Вообще любой дряни! Никуда не годится сегодняшняя молодежь — все прохвосты и себе на уме.

— Что значит — случайно? Вы что, знали о взрыве? — удивился Кучкин.

— Узнал, — не ожидая подвоха, ответил Эдуард. — Татьяна Васильевна уже уехала домой, ее Веня повез, ну шофер ее мужа, а я оставался на дежурстве. И тут как раз неприятный случай. Вот я и позвонил ей на мобильник. Но никто не ответил. Тогда я набрал домашний, и тот же Веня мне сразу все объяснил. Ну я, конечно, бросил дела и помчался туда. И как раз вовремя, «скорая» еще не прибыла, а Георгию Витальевичу надо было срочно сделать уколы пантопона там, папаверина. И я знал, что Татьяна Васильевна всегда держала все необходимое в домашней аптечке. Вот таким образом...

— А о каком неприятном случае вы упоминали? Ну в клинике?

— Да какой неприятный? Обычный, в общем. Доставили к нам одного. В состоянии абстиненции. А он... Ну, в общем, особый пациент, отдельный разговор и к нашему делу отношения никакого не имеет. Там просто ее авторитет был нужен.

— Туманно вещаете, — недовольно покрутил головой и поморщился Кучкин. — Ладно, пока оставим. А теперь скажите, что вы сами думаете по поводу тех перспектив, которые открылись перед вами в связи со смертью главного врача?

— Да какие перспективы? Только те, что назначат к нам теперь какого-нибудь прохиндея вроде Славки Баранова. И перестанем мы называться клинической больницей для обычного населения, а превратимся в коммерческое заведение для элитных алкашей и наркоманов. Денег станут платить немного больше, это да, а насчет науки... Об этом можно будет забыть навсегда.

— Значит, вам не нравится Баранов? — спросил Кучкин, чувствуя, что, кажется, горячо.

— Почему? И потом, нравится, не нравится — это не критерий. И он не дама, чтобы производить впечатление. Нормальный современный хапуга от медицины. К нему и Татьяна Васильевна, сколько ее помню, так же относилась. Был, говорила, способным студентом, его продвигали, а потом он сам почувствовал свою силу, и поддержка не потребовалась. Вот и все.

— Интересная точка зрения. А как вы относитесь к этому... к Ампилогову, например?

— Ну что вы, Василий Наумович — не чета всяким Барановым, он по-своему святой человек. Бессребреник. Голова!

— А как вы считаете, мог бы этот ваш «голова» решиться занять место Артемовой?

— Ну и вопросики вы формулируете, ей-богу! Да кто ж, по-вашему, откажется, если ему предложат должность главврача? И еще такой клиники, как наша?

— Но вы-то сами... Или лукавите? О своей кандидатуре на этот пост не думали?

— Слушайте, как вас? Валентин Арнольдович, у меня может сложиться ощущение, будто вы меня сватаете на место Татьяны Васильевны! А кто вы такой, чтобы делать подобные предложения? Тут нужен человек уровня того же Ампилогова, вот! Ну, может, лет через пяток, если повезет, и мне можно будет подумать. Да только в нашем мире дорогу всегда переходят прохиндеи.

— А как же Артемова?

— Она из другого поколения. Сейчас оно начинает уступать позиции молодым волкам.

— Вроде вас? — «тонко» пошутил Кучкин.

— Нет, мне в этой стае делать нечего. Я навсегда уже, видимо, останусь лечить людей, вот в чем дело.

— А другие не лечат разве? Это что-то новенькое — слышать такое от врача!

— А другие, ежели желаете знать, господин следователь, делают деньги. На всем! На здоровье. На лекарствах. На дружеском отношении — да, и на этом тоже. А вы не лезьте в медицину, где все равно ни черта не поймете, вы на собственных коллег поглядите! Много вас, действительно защищающих справедливость, а?

— На вашем месте я бы не стал грубить человеку, которого вы совершенно не знаете и который находится здесь не по своей воле, а в связи со служебной необходимостью. И потом, не вам рассуждать о справедливости. Я так думаю.

— Это почему же? Значит, справедливость как прерогативу вы оставляете исключительно за собой? Ничего себе посылочка! И почему бы не мне об этом рассуждать?

— А потому что вы в данном случае один из тех, кого мы подозреваем в подготовке и даже, возможно, в совершении убийства своей начальницы! — резко заявил Кучкин и, увидев выпученные в недоумении глаза Рассельского, добавил: — И это у нас, извольте знать, вовсе не приватная беседа, а натуральный допрос!

— Ах вот как? — Лицо Эдуарда стало наливаться краской. — Тогда извольте и вы узнать, что без официального вызова в прокуратуру и без протокола я больше не отвечу ни на один ваш вопрос. И еще! Ординаторская не место для пустопорожних разговоров. Извольте немедленно покинуть помещение!

Он, этот развоевавшийся петушок, наверняка наговорил бы еще много глупостей, о чем позже, возможно, и пожалел бы, но Валентин Арнольдович, сам вызвавший подобную реакцию, не счел нужным переходить на перебранку. Он спокойно поднялся и сказал:

— Мне и самому не очень нравится такая обстановка. Конечно, в прокуратуре лучше. Там и звукозаписывающая техника имеется, чтобы запечатлеть интонации допрашиваемого. Лично я, знаете ли, молодой человек, стараюсь больше обращать внимание не на слова, а на те интонации, с которыми они произнесены. Вы правы, без протокола какой допрос? Так что имейте в виду: если вы мне понадобитесь, я вам пришлю повестку. А пока прощайте, я просто хотел познакомиться с вами.

Выйдя из клиники на скрипящий под ногами снег и под ослепительное январское солнце, Валентин Арнольдович подумал, что наводка доктора Баранова на этого молодого человека — элементарная пустышка. Ничего тут даже близко к истине не просматривается. Нормальный, по-своему закомплексованный парень, ничуточки не похожий на «бомбиста-террориста», немного вздорный, как любой молодой человек. А на хладнокровного, расчетливого убийцу он просто не тянет — по определению, как теперь говорят.

Но тем не менее придется, никуда теперь не денешься, надо отрабатывать и эту версию, покопаться в его биографии, прошлом, поговорить со знакомыми, соседями, собрать о нем информацию. Но лично заниматься этим делом Валентин Арнольдович не собирался, это можно поручить любому начинающему следователю прокуратуры. Пусть побегает, опыта наберется...

Другой вопрос: а что теперь делать с Ампилоговым? К этому зубру, видимо, на той же козе, что к Рассельскому, не подъедешь. Да и сомневался уже Кучкин, что у старого врача, вышедшего к тому же на пенсию, поднимется вдруг рука на коллегу. Но чтобы избежать и тут ошибок, решил поручить сделать то же самое тому же следователю. А сам, посмотрев домашний адрес доктора медицинских наук, решил подъехать к нему без звонка, вот уж действительно для приватной беседы.

4

Василий Наумович оказался крепким еще, рослым стариком с седой гривой и аккуратной шкиперской бородкой. И жил он в такой же, похоже, старой квартире старинного дома в Пожарском переулке, из окон которого была видна возвышающаяся громада храма Христа Спасителя с его золотыми куполами.

Мебель в квартире тоже была допотопная — в смысле дворянских времен — массивная, резная, тяжелая, потемневшая от времени.

Прихожая в большой квартире, а также большая комната были забраны полками с книгами. И каждая из них видом своего когда-то золоченого, тисненого корешка тоже говорила о прошедшем времени.

Одного взгляда на эти стены, на эти фолианты, на старинные фотографии в рамках и темные гравюры в простенках и вырезах между книжными полками было достаточно, чтобы понять, кто здесь живет и о чем, кстати, думает, если на то пошло. Да и вряд ли этот могучий старик что-нибудь понимал в сегодняшних суесловиях и методах борьбы за вышестоящее кресло. Но тем не менее и его фамилию, причем в первую очередь, назвал доктор Баранов, когда речь у него с Кучкиным только зашла о возможных претендентах на должность Артемовой. Нет, не в качестве прямого конкурента, но все-таки фамилия-то прозвучала. С пиететом, правда, но ведь была озвучена. Как и фамилия недалекого, но весьма амбициозного Рассельского, в беседе с которым Валентин Арнольдович вот как раз тупости и амбиций не углядел. Тогда зачем же эти люди были упомянуты, так сказать, всуе? Сейчас, собственно, этот вопрос и волновал больше всего старшего советника юстиции. И он решил не темнить, а называть вещи своими именами. Да в этой обстановке, в самой атмосфере истинно профессорской квартиры иначе бы его вопросы к хозяину и не прозвучали.

После короткого знакомства, во время которого Василий Наумович удивленно поднимал брови — общаться со следователями ему, видимо, еще на дому не приходилось, — хозяин пригласил гостя пройти в гостиную и предложил сесть в тяжелое кожаное кресло. Сам устроился в таком же напротив.

— Я решился нарушить ваше спокойствие и заглянуть к вам, господин профессор, без предварительного звонка, — изысканно начал Кучкин, — поскольку дело, которое меня привело к вам, связано с гибелью Татьяны Васильевны Артемовой. Надеюсь, это имя вам известно?

— Ну как же, как же, — огорченно ответил Ампилогов, — я прекрасно знал Танечку... Отличная была женщина... гм, человек. Умница, терпением обладала исключительным, да-с... А это в нашей профессии значит очень много... Так в чем вы соизволили предположить мою помощь? Надеюсь, не подозреваете меня в соучастии? Да, так у вас говорят?

Он словно сам напрашивался на неприятные вопросы.

— Видите ли, профессор, из бесед с рядом лиц у следствия сложилось впечатление, что именно вы, причем гораздо лучше других, знаете либо знали окружение Татьяны Васильевны. По одной из версий, которыми располагает следствие, совершить подобное мог кто-то из людей, возможно даже входящих в это окружение, но попытавшихся таким коварным способом оттеснить врача Артемову и занять освободившееся после нее служебное кресло. Что вы могли бы сказать по этому поводу?

Ампилогов долго молчал, механически рассматривая свои книжные полки. Потом изрек:

— Если бы мне сказал об этом несерьезный человек, а в вас я вижу достаточно... э-э... солидного человека, я бы просто указал ему на дверь. Но, понимая, что зря подобные вопросы вы задавать не собираетесь, хочу немного подумать... Я, конечно, не только слышал об этой печальной истории, но и имел честь присутствовать в траурном зале на прощальной церемонии, да-с... Видел лица коллег, искреннюю печаль, скорбь, ну что я вам буду говорить!.. Убить, чтобы занять? Нет, это представляется мне совершенно невозможным, тем более когда идет речь о женщине... А с другой стороны вы подойти не пробовали?

— Это с какой же? — насторожился Кучкин и даже привстал в убаюкивающем кресле.

— В том смысле, что Танечка оказалась, как это часто происходит в нашей современной жизни, случайной жертвой? Причем я передаю вам чужие слова, которые слышал во время похорон. Ну что главной жертвой был избран ее муж — крупный чиновник из Московской мэрии? Разве такая версия, как вы изволили заметить, вам не подходит? А что, ведь она более жизненна, если хотите!

— У нас имеется такая версия, она также в работе.

— Тогда, если позволите, еще вопрос?

— Пожалуйста, я для этого, собственно, и напросился к вам, уважаемый Василий Наумович.

— Вот вы сказали, что беседовали уже с рядом лиц. Не назовете ли мне фамилии?

— А вам зачем? — улыбнулся Кучкин.

— Для уяснения степени достоверности полученной вами информации.

— Ну вот сегодня я беседовал с господином Рассельским — это сотрудник Артемовой, очень переживавший ее безвременный уход из жизни. Имел я неоднократные встречи и с доктором Барановым, — возможно, вы тоже наслышаны о нем. И кстати, оба они о вас отзываются исключительно в превосходной степени.

— Они сами назвали мою фамилию?

— Нет, Рассельский просто ответил на мой вопрос относительно вас.

— А ваш интерес ко мне чем был вызван, позвольте спросить?

Кучкин несколько напряженно рассмеялся и на непонимающий взгляд профессора пояснил:

— Я пришел вас расспрашивать, а получается все наоборот. Но я скажу. Вашу фамилию в разговоре со мной, когда речь зашла о возможных претендентах на пост главного врача и соответственно главного окружного нарколога, назвал мне среди других именно доктор Баранов.

— Я понимаю, мой настойчивый интерес может показаться вам странным, молодой человек, вы уж извините меня, старика, за столь вольное к вам обращение, но мне было бы чрезвычайно любопытно, в каком контексте прозвучала в его устах моя фамилия? Это, надеюсь, не служебная тайна?

— Никакой тайны. Мы говорили о том, кто мог бы оказаться заинтересованным в уходе Артемовой. А лично о вас Барановым было сказано, что вы, разумеется, не можете проявить такую заинтересованность, ибо для этого поста вы не очень, скажем так, уже подходите по возрасту. Зато Рассельский, этот, наоборот, уверен, насколько я его понял, что возраст не помеха, а такая голова, как ваша, может оказаться незаменимой в кабинете главного врача его клиники. Вот и пойми их...

— Стало быть, Баранов... — задумчиво проговорил Василий Наумович. — И с чего это он вдруг? Загадка...

— Может быть, вам немного подскажет информация о том, что спустя четыре дня после гибели Артемовой точно такой же заряд, даже аналогичной мощности и идентичный по исполнению, был заложен в квартире самого доктора Баранова. И служба ФСБ полдня возилась, пока не обезвредила ту бомбу. Вот отсюда и возник интерес к тем лицам, которые могли бы... Нет-нет, не поймите так, будто я собираюсь подозревать вас, Василий Наумович! — воскликнул Кучкин, увидев протестующий жест Ампилогова.

— Не хватало еще... — глухо проговорил старик. — Да, но он-то все же назвал?

— Назвал, — вздохнул Кучкин. — И я даже отчасти рад этому обстоятельству. Оно помогло мне познакомиться с вами. В нашей жизни, к сожалению, уже не увидишь всего этого... — Он обвел обеими руками стены комнаты, но Ампилогов не отреагировал.

— Скажите, Валентин Арнольдович, а как у вас в присутствии, так сказать, называют отвлекающие маневры?

— Созданием ложной версии. Обычно на них уходит масса и служебного, и внеслужебного времени, но мы все равно вынуждены проверять каждый факт, имеющий отношение... вы понимаете? Каждый возможный пустяк.

— Еще как!.. Скажите честно, Валентин Арнольдович, вы не желаете выпить чашку вкусного чая?

— Я бы с удовольствием, но...

— Никаких возражений. Давайте пройдем на кухню, я поставлю на газ чайник, и мы спокойно обсудим новый поворот темы. Он может оказаться неожиданным и чрезвычайно любопытным...

5

Вечером того же дня Валентина Арнольдовича Кучкина, который вернулся в свой кабинет и мысленно раскладывал по полочкам впечатления от бесед с наркологами, его вызвал к себе прокурор межрайонной прокуратуры Иван Иванович Денежкин.

Встретил он начальника следственного отдела так, будто тот по меньшей мере крепко насолил ему, а сам сбежал от ответа и справедливого наказания.

— Слушай, Валентин, доколе мне на тебя будут жаловаться?

Первая мысль у Кучкина была о том, что сотрудник, которому он поручил узнать все про Рассельского и Ампилогова, где-то крупно прокололся. Но он же не мог сделать этого так быстро, задание получил по телефону только в середине дня, когда сам Кучкин ехал от одного фигуранта к другому. Хотя опять же, с другой стороны, от этих молодых можно ожидать чего угодно.

— Если вы о Сережке, Иван Иванович, то я ему специально поручил это дело. Там особых сложностей-то нет, просто беготни многовато. Конечно, понимаю, я мог бы и сам...

— Ты о каком еще Сережке? — нахмурился Денежкин.

— О Христофорове, нашем практиканте. Я подумал...

— Оставь его в покое! — резко бросил прокурор. — Не о нем речь, а о тебе! Ты беседовал с Георгием Витальевичем Алексеевым?

— Так точно, но...

— Тебе было сказано, что надо делать? Отвечай!

— Извините, Иван Иванович, — сообразил вдруг Кучкин, о чем и о ком речь, — но нам на выездах много чего говорят. Даже и врут, бывает. Мы записываем и проверяем. А приказывать нам ни один пострадавший не имеет права! А этот, кстати, не сильно и пострадал. Ему при мне доктор уколы сделал, он и успокоился, и нюни тут же распустил! Стал слезно жаловаться, что это против него покушение замыслили. Хоть бы о жене своей, только что убитой почти на его же глазах, доброе слово сказал, чиновник! Деревянная душа!

— Но-но, ты не очень... — вроде бы смягчился прокурор. — А мне, думаешь, легче? Вон уже с утра трезвонят из разных инстанций! Где прокуратура? Что она там себе думает? Почему не работают? Уже дома взрывают, а они — это мы с тобой, между прочим! — и не чешутся! Ну ответь, легко мне?

— Тяжело.

— То-то... Да не стой ты, садись! Рассказывай, какие имеешь версии?

Кучкин уселся напротив обширного стола прокурора и, припомнив недавний разговор с Ампилоговым, начал рассказ о том, с кем встречался и к каким предварительным выводам пришел. Прокурор слушал внимательно, не перебивал. Но когда речь зашла о самом Баранове, а не о психиатрических выводах по его поводу старика-профессора, с сомнением покачал головой.

— И вы тут же решили, что он способен на такое? — Казалось, прокурор был даже огорчен столь примитивным выводом двоих умных людей.

— У вас другое мнение? — осторожно спросил Кучкин, у которого во время собственного рассказа уже у самого четко сформировалась версия о виновности именно Баранова, и он не собирался пока ее менять — без серьезных фактических соображений против нее.

— Мы говорим с тобой не о мнении, а о понимании поставленных перед нами задач. Совершено преступление. Даже два. Ну почти два. Мы обязаны их быстро и грамотно расследовать. Поэтому не надо с ходу считать себя умнее всех остальных, кто наверняка знает больше нашего, а следует немедленно запустить по следу... кого? Собаку-ищейку! И пусть бежит, вынюхивает, проверяет! Это хоть ты понял? А версию свою собственную разрабатывай. Но учти, успеха не добьешься, пеняй на себя. Ты все понял?

— Я понял вас, Иван Иванович, — смиренно ответил Кучкин.

— Тогда иди и принимай верное решение. Докладывать будешь каждый день. За отсутствие результатов тоже ответишь. Вот видишь, ты сердишься на меня, я же вижу, а я тебе все условия для успешной работы создаю! Несмотря на то что мне из-за тебя холку мылят!..

Валентин Арнольдович, будучи неглупым человеком, что, кстати, отметил и Василий Наумович Ампилогов, хотя ведь всего и поговорили-то с ним часок-другой, действительно сообразил, что если ты имеешь даже сотню рабочих версий, а начальство только одну, в которой безоговорочно уверено, надо работать именно над ней. Или умело делать вид, изображая невероятную озабоченность.

Но что необходимо для создания подобной «озабоченности»? Это только трата времени. И чтобы не отвлекать Сережку Христофорова от разработки своей версии, Валентин Арнольдович решил абсолютно ненужной, с его точки зрения, версией о покушении на заместителя московского мэра заняться сам. То есть просто поднять волну. Для начала.

«А между прочим, — тут же подумал он, — такой ход сейчас может быть очень даже своевременным. Пусть истинный преступник думает, что следствие отправилось-таки по ложному следу, и радуется удаче. А когда ты здорово радуешься, порой даже не замечаешь собственных ошибок... Можно сделать больше! Вполне можно выдать ему эту версию покушения на Алексеева и посмотреть, как он отреагирует и что придумает уже по поводу покушения на самого себя? Какие отыщет аргументы? И вообще, найдутся ли они у него — вот в чем вопрос...»

И еще Кучкин решил, что прокурор Денежкин мудр по-своему, аки старый змий, он же ведь сам и подсказал, словно бы исподволь, такое решение. А шум, вызов на ковер, сверкающие молнии в глазах громовержца — это все как бы камуфляж. Для тех, кто разбирается в настоящем деле.

И что же? А это означает, что надо брать ноги в руки, звонить рассерженному непослушанием заместителю столичного градоначальника и ехать к нему с полной авоськой наводящих на размышление вопросов, а также с повинной головой. Прости, мол, барин, не поняли шутки...

Так оно, в сущности, и вышло. Громовержец иссяк, а его место занял сильно обеспокоенный своей судьбой чиновник высокого ранга, который привык проявлять собственную демократичность сугубо по служебной инструкции.

Но взаимное непонимание проявилось с первых же минут разговора.

Старший советник юстиции толковал о том, что задачей расследования, как это обычно делается во всех аналогичных ситуациях, прежде всего, пока не остыли, как говорится, горячие следы преступления, является необходимость вычислить исполнителя. А уже через него потом можно выйти и на заказчика. Это обычно самый реальный и наиболее плодотворный следственный путь. Работа же в обратном направлении — от заказчика к исполнителю — не всегда оказывается удачной, тому есть множество примеров. И Кучкин собирался уже привести в свое оправдание массу придуманных им примеров, но господин Алексеев оказался много хитрее.

Он заявил, что исполнителем может быть кто угодно, любой бомж с площади трех вокзалов, но вот найти и наказать заказчика — это главное дело, ради этого, собственно, и существует... Что конкретно существует, Георгий Витальевич, весь придавленный к своему креслу руководящими думами, объяснять, естественно, какому-то следователю не стал — тот и сам должен был понять его грандиозную мысль без лишних слов. А не сможет, — значит, придется потребовать другого следователя, умеющего лучше слушать и слышать!

Кучкин всем своим видом показал, что принял на свои плечи высокую ответственность. Но теперь предстояло самое, можно сказать, пикантное. Раз уж заместитель мэра настаивает на своей точке зрения, тогда ему придется — хочет он того или нет — назвать фамилии тех лиц, которых подозревает в откровенной недоброжелательности по отношению к своей персоне, а затем достоверно объяснить причины такого недоверия к ним. То есть, другими словами, раскрыть подноготную, если можно так выразиться, своей трудовой и общественной деятельности. А вот на этот шаг он вряд ли решится. И что тогда?

«А ничего, — со злорадством подумал Кучкин, — не будет искренности в показаниях — причем официально оформленных протоколом, а не просто некими туманными соображениями, высказанными как бы по ходу вольной беседы, — не будет и самого расследования».

С какой, к примеру, напасти примется следователь допрашивать генерального директора крупнейшего стройтреста в стране, либо тем паче министра, только по той причине, что у них натянутые личные отношения с чиновником из мэрии, пусть даже и важным? Как-то не могут усечь этого раз и навсегда наши чиновники, полагаясь на сосредоточенную в собственных руках власть. А надо бы их приучать, если уже не поздно...

Вот в таком ключе и продолжался разговор.

Валентин Арнольдович принялся заполнять протокол допроса потерпевшего — так официально, несмотря на слабый протест Алексеева, назывался сей документ.

— Ну какой же я потерпевший? — поначалу пробовал возмущаться он. — Хотя, с другой стороны, жена погибла, самого чуть инфаркт не хватил... Но может, както иначе все-таки назвать?

— Иначе не получится, — жестко настаивал следователь. — Не по закону.

Наконец Георгий Витальевич согласился, но, прежде чем объявить очередное имя своего откровенного недоброжелателя, готового свести с ним, оказывается, счеты даже бандитским способом, долго сомневался и раскачивался. А потом, надо ж было еще и собственные оценки давать. И тут опять вставала дилемма: протокол — вещь официальная, любой подозреваемый может потребовать у следствия предъявить конкретное обвинение в свой адрес и в случае чего подаст еще встречный иск за клевету! Как бы не нарваться на неприятности! Вот и подбирал Алексеев слова, поправляя себя ежесекундно и требуя вместо одного написать другое.

Валентин Арнольдович, проявляя четкую дисциплину, подчинялся требованиям и капризам «потерпевшего», а господин Алексеев между тем выдыхался. И настал момент, когда он, поморщившись и поглядев на свой роскошный наручный «роллекс», заявил, что его время истекло. Следователю оставалось поблагодарить солидного человека за откровенность и дать подписать ему каждый лист протокола, чтобы закрепить таким образом показания высокого должностного лица.

Это была хорошая минута. Не то чтобы миг торжества справедливости, но все равно определенный момент истины. Будущей истины, до которой еще грести и грести, как на лодке к далекому, на горизонте, острову.

Глава третья
ГРОМ СВЕРХУ

1

— Саня, я все понимаю. Я даже готов согласиться с твоей дочкой Нинкой, которая однажды мне так и заявила, причем открытым текстом и по телефону, отвечая на мой вопрос, о чем думает ее папа. Я уже не помню, по какому поводу, но поставлен был вопрос именно так. И знаешь, что она выдала? И, что меня особо поразило, она почти не размышляла?

— Костя, о чем же речь, к чему такое длинное предисловие?

— Чувствую твое изящное нетерпение. Она ответила: «Дядя Костя, по-моему, папе по фигу». Это ты научил ребенка так формулировать свои мысли?

— Когда это было? — грозно повысил голос Турецкий.

— Увы, давно. Но забыть об этом невозможно.

— Она, к сожалению, не ребенок, а вполне взрослая и самостоятельная девица, которой скоро исполнится пятнадцать лет, не забывай этого. К тому же, видит бог, Костя, наши дети растут скорее, чем мы им того желаем. И тем самым не оставляют нам никаких надежд на продолжение и нашей собственной беспечной молодости. Но ты, полагаю, звонишь не для того, чтобы пофилософствовать по поводу «быстротекущего» времени? Колись скорее, а то меня ждет шеф.

— Вот по этому поводу, наверное, и ждет. Так что приготовься. Лопушок там заготовь заранее, чтобы прикрыть себе эту штуку свою.

— Сказав «а», говори и «бэ», какого размера должен быть лист лопуха, чтобы прикрыть, как ты говоришь, «эту штуку»?

— Ты о взрыве в доме на Бережковской набережной

слышал? Там больше недели назад погибла женщина. А через несколько дней подобная история едва не случилась на противоположной набережной, не помню, как ее. Новодевичья, что ли?

— Саввинская. Слышал. Только это произошло всего несколько дней назад. У тебя, Костя, время бежит слишком быстро. Ну и что? Подобные расследования длятся месяцами, если не годами! А тут несколько дней, подумаешь...

— Я тебе говорил, кто меня теребил уже по этому поводу?

— Костя, не тяни! Уж не хотите ли вы, вместе с генеральным, повесить и эту бузу на меня?

— Смотри, ты догадлив! Это радует.

— Я готов сто раз повторить, Костя, — раздраженно закричал в трубку Турецкий, — что сразу после нашего с тобой разговора я позвонил куда следует, проверил и дал соответствующие руководящие указания. Скажу больше. Там работает, по отзывам межрайонного прокурора, приличный и вполне достойный мужик. Нужна его фамилия — посмотрю, где-то записал. Ну звезд он, может, с неба не хватает, но деловой. Я предложил им подключить народ из городской прокуратуры, но они сказали, что сами справятся. Чего еще? Опять же и муровцы там на подхвате, если надо. Соседи из «конторы» бомбами занимались — картина ясная. Оба дела они соединили в одном производстве. Следствие движется. Так чего тебе еще от меня надо?

— Ну да, — сокрушенно как бы подвел итог разговору Меркулов, — я так и понял, тебе именно по фигу, как заявила твоя дочь. И она права, Саня. Ну а теперь иди к своему главному шефу и получай заслуженное. Потом не забудь только поделиться радостью.

Константин Дмитриевич Меркулов, заместитель генерального прокурора по следствию, с сарказмом фыркнул.

Александр Борисович, опустив трубку на аппарат внутренней связи, потер ладонью лоб и задумался. Если вопрос ставится в такой плоскости, то, что же он, первый помощник генерального прокурора, не так сделал? Откуда эти громы и молнии?

Быстро и привычно «провернув» в мыслях все известное ему по убийству главного врача наркологической больницы, фактически крупнейшего центра по излечению алкашей и наркоманов в Юго-Восточном округе столицы, Турецкий не смог найти причин для волнения начальства. Ну а коли это так, то нечего себе и мозги полоскать. Лопушок на задницу, ишь ты, какие мы умные!.. Но фамилию того следователя все же надо вспомнить... Кучин, что ли? Нет, помсньше, Кучкин!

— Слушаю вас, Владимир Анатольевич! — бодро провозгласил Турецкий, по знаку секретарши вошедший в кабинет генерального прокурора.

На лице он изобразил между тем столь глубокую озабоченность, что можно было подумать, будто он с утра и до поздней ночи не покладая рук трудится в своем кабинете во благо государственной законности. Хотел было подумать — социалистической, как говорили раньше, но от нее уже отказались, а к капиталистической пока так и не подошли. Как подмечено у бывшего вождя? Сегодня — рано, завтра — поздно, значит, глубокой ночью. Или что-то в этом духе.

Но зоркого глаза генпрокурора ему обмануть не удалось.

— Присядьте, Александр Борисович... — озабоченным тоном заговорил генеральный. — А что у нас известно по поводу взрыва в доме заместителя мэра? — Он даже поморщился, настолько неприятным казалось ему то событие.

— В настоящий момент по данному делу и аналогичному ему в доме напротив проводятся следственные мероприятия. Имеются рабочие версии, лично я... — Турецкий сделал «логическую» паузу, — знаком с ними. Отчасти. И считаю...

— Меня не устраивает, Александр Борисович, — строго перебил его генпрокурор, — это ваше «отчасти». И, видимо, не только меня. Должен вам с сожалением сообщить, — он уже говорил тоном, каким обычно начальство делает служебный выговор своему подчиненному, — что создавшееся положение категорически не устраивает также и ряд... э-э-э... из...

Теперь уже Владимир Анатольевич, вероятно, сам раздумывал, как назвать определенно звонивших ему — господами или, по-старому, товарищами? Остановился на привычном.

— Некоторых лиц из президентской администрации, а также из Совета Федерации, ну и конкретно нашего уважаемого мэра. И все недовольны теми темпами, которыми движется расследование. Это во-первых. А во-вторых, нам подсказывают, что, возможно, мы — я имею в виду лично вас и работающих под вашим постоянным контролем сотрудников межрайонной прокуратуры — не учитываем всех обстоятельств дела. Но по поводу последнего, я вам честно выскажу, Александр Борисович, свое мнение: вероятно, не стоит так уж всерьез принимать во внимание высказанные нам замечания. Еще ни одна администрация не указывала Генеральной прокуратуре, где и каким способом собирать доказательства вины либо невиновности того или иного человека. Однако, как я уже заметил, выводы следует сделать незамедлительно. Ваши соображения?

— Насколько я понял вас, Владимир Анатольевич, вам было чрезвычайно неприятно выслушивать «советы» руководящих деятелей. Я вижу в этом и свою вину и готов покаяться. Но дело в том, что мне пришлось исполнять ваше устное поручение — в смысле ознакомиться с материалами следствия, создать свое мнение и при необходимости оказывать содействие местным кадрам, работающим, как у нас выражаются, «на земле». Все это и было осуществлено. Если вы полагаете, что мне это дело придется взять официально под контроль Генеральной прокуратуры, в том числе и под свой собственный... — вздохнул Турецкий, — наверное, потребуется ваше письменное распоряжение. Иначе я могу оказаться в роли частного лица, которое производит давление на следствие. Ну точно так же как это сделали те, кто звонил вам.

Это была, разумеется, дерзость, но смягченная совершенно искренним выражением лица. Да генеральному, вероятно, и самому уже осточертели звонки, поучающие его.

— Если вы полагаете, что для скорейшего расследования это вам необходимо, считайте, что получили такое распоряжение. Еще вопросы?

— Они могут возникнуть относительно кадров.

— Согласуйте с Константином Дмитриевичем, вам в этом смысле дается карт-бланш.

— Тогда последний. Кто конкретно звонил? Это для того, чтобы знать, кого при острой необходимости привлекать в качестве свидетелей, а на чьи слова не стоит обращать внимания.

— Ишь ты какой он! — воскликнул генеральный и укоризненно покачал головой. — А если я, к примеру, скажу, что тот потерпевший обратился лично к мэру, а тот во время недавней своей встречи — к самому президенту, который пообещал последнему дать соответствующее указание помощнику, а тот уже — нам, к кому вы собираетесь апеллировать?

— К мэру, естественно. Наверняка он знает больше, чем высказал президенту. Вот и пусть теперь тоже помогает расследованию. Там же, во врагах у Алексеева, я слышал, чуть ли не половина руководства Белого дома, мешающего ему осуществлять политику в Московском регионе!

— Вы это слышали от него? — язвительно поинтересовался генпрокурор.

— Я с ним вообще не встречался. Это видно из материалов следствия.

— Вот и займитесь следствием вплотную. И постарайтесь, Александр Борисович, — снова поморщился Владимир Анатольевич, — чтобы звонки больше не беспокоили ни меня, ни иные вышестоящие инстанции. Покажите им всем, что дело попало в надежные руки. А письменное распоряжение вы получите немедленно.

Возвращаясь к себе в угловой кабинет, Турецкий раздумывал, почему столь обыденное задание с такой помпой поручено именно ему? Нет, убийство, кого бы оно ни коснулось, всегда особо тяжкое преступление, тут не возразишь. Но есть же помимо окружной еще и городская прокуратура, где имеются прекрасные кадры! Почему нужно, чтобы уже созданной и работающей бригадой руководил обязательно «важняк» из Генеральной? Да еще первый помощник самого?

Мысль, как это часто бывает, перекинулась на посторонний в данном случае объект — на быстро взрослеющую дочь Нинку с ее «папе — по фигу», и тут же настал момент просветления. Ну конечно, как сразу в голову-то не пришло?! Это же знаменитый эпизод из «Ералаша»! Там директор школы, по примеру своего ученика, истово бьется башкой о стену: «Достали! Достали!..» Вот и весь фокус!

Значит, генеральный прокурор решил на какое-то время даже отказаться от услуг своего первого помощника, потому что его уже достали! Вот кому и требовались лопушки, по меткому выражению Кости.

2

Александр Борисович позвонил в межрайонную прокуратуру начальнику следственного отдела Кучкину.

— Слушайте, Валентин Арнольдович, — со смешинкой в голосе начал он, — а ведь вы накаркали, на свою голову!

— Простите, кто это? — сухо спросил Кучкин.

— Турецкий.

— Здравствуйте, Александр Борисович, — сразу сменил тон следователь. — Чем обязан?

— Да это не вы, это я вам обязан. Вы расследуете себе. А на мою голову шишки валятся, почему нет контроля, понимаешь? Как вам это? Лично мне не нравится. Вот и вышло распоряжение соответствующее. Короче, я сейчас перезвоню вашему шефу, чтобы поставить его в известность, а вы забирайте-ка все наработанные материалы и приезжайте ко мне. Впрочем, если хотите, я подскочу к вам.

— Лучше я, — вздохнул Кучкин. — А то у меня здесь проходной двор и постоянно достают звонками!

— Вот и вас достали! — засмеялся Турецкий.

— А чего тут смешного? — обиделся Кучкин.

— Абсолютно ничего. Просто я вспомнил директора школы из «Ералаша», который бился головой о стену! Не помните?

— Ну как же! Почти гимн времени!

— Значит, мы поняли друг друга. Жду...

Пока Валентин Арнольдович ехал на Большую Дмитровку, Турецкий отправился к Меркулову: надо ж было и с Костей «поделиться радостью».

— Судя по твоему сияющему виду, — сразу сказал Константин Дмитриевич, — тебя только что наградили. Чем?

— Их светлость отобрали у меня принесенный с собой лопушок, чтобы прикрыться самим.

— Да ну? Что ж, диспозиция понятна.

— Ну да, достали!

— Очень верная формулировка. И что думаешь делать?

— Во-первых, хотел с тобой посоветоваться, а после — со Славкой Грязновым. Вы оба, я слышал, умные люди...

Меркулов благодарно склонил седую голову.

— ...и замечательно информированные собеседники.

— Короче, чего надо? Чего хочешь?

— От тебя — Володьку Поремского. От Славки — его орлов, парочку хотя бы. Но чтоб под его крылом.

— Разве там своих кадров не хватает? Ты же сам только что уверял, что этот, как его...

— Кучкин.

— Ну да, толковый следователь? Так в чем же дело?

— Раз вы меня самого втравили, Костя, в эту гнусную, я уже носом чувствую, историю, то дайте людей, с которыми я привык и умею работать. А Кучкин этот, который сейчас привезет мне все материалы, может быть сколь угодно и толковым, и растолковым — делу это мешать не будет. Но обычного следователя, тем более из той же межрайонки, я к мэру либо в Белый дом послать не смогу, его просто не примут. А вот Володьку — пусть только попробуют.

— А сам, значит, не хочешь?

— А я, Костя, буду изображать из себя тяжелую артиллерию. Ка-ак вмажу! Вот они и должны бояться, и каждый знать свой шесток! А то ишь ты, Совет Федерации! Иммунитет неприкосновенности! Запоют, когда потребуется, как миленькие!

— Чего это ты развоевался? — усмехнулся Меркулов. — Или готовишься к затяжным боям?

— А вот этого, Костя, я думаю, не случится. И вообще, у меня есть ощущение, ничем, правда, пока не подкрепленное, что в данном конкретном деле нам придется искать не какую-нибудь суперсекретную мафию на уровне правительства, а самую обыкновенную — с того же, к примеру, Черкизовского рынка. Славного представителя мэрии, между прочим, могли также и на испуг взять. Зато покушения на двоих наркологов, причем на одного со смертельным исходом, лично мне указывают куда более низменные адреса. Но посмотрим. Во всяком случае, у следователя, который сейчас подъедет, кажется, точно такое же мнение.

— Но почему ты считаешь, что в данном случае прав он? А не, скажем, заместитель спикера Совета Федерации?

— Вот и ты, Костя, сознался, откуда ветер дует! А потому, что все убийства подобного рода всегда имели в основе своей совершенно конкретные и порой даже весьма примитивные цели. Дележ!

— А разве в той же мэрии не было аналогичных случаев? Ты вспомни! За последние пяток лет! Трое или четверо серьезно пострадали! Или это для тебя уже не аргумент?

— Я согласен, но если бы такая нужда вдруг, к примеру, возникла у меня, то я бы достал именно самого Алексеева, а не его совершенно безвинную супругу, кстати, говорили, очень милую женщину. И ту же самую ситуацию едва не повторили в квартире другого нарколога из того же района. Вот-с! Извольте видеть! Но в последнем случае у меня есть некоторые вопросы, вот он сейчас приедет, мы и разрешим.

— В логике тебе отказать не могу. Что ж, вникай. Поремского обещаю. А с Вячеславом сам договаривайся. Привет ему, кстати, от меня. Мог бы, между прочим, и в гости пригласить, важный больно генерал-то, да у меня и звездочек на погонах поболе будет, — проворчал Костя, но добродушно. — Ступай, не мешай работать!

Кучкин задерживался, и Турецкий стал названивать Грязнову.

Вячеслав Иванович с юмором отнесся к «новому назначению» друга — посочувствовал в том плане, что «демократические процессы в обществе», кажется, достигли наконец своего апогея, если сам помощник генерального прокурора брошен на искоренение бытовой преступности.

Славка, видимо, не знал, да и не догадывался о подноготной этой истории. В Департаменте уголовного розыска МВД страны хватало и своих собственных проблем — иного масштаба. И пока Турецкий, в самых общих чертах пересказывал ему существо дела, Грязнов поощрительно поддакивал, но, когда разговор коснулся его личной помощи, задумался. Однако, понимая, что поддержка друга в любых смыслах — дело обязательное и круглосуточное, как заметил один покойный уже поэт, обещал и свою посильную помощь.

Ну а тут в дверь постучали, Турецкий крикнул: «Войдите!» — и увидел слегка взъерошенного Кучкина. Сказав Славке в трубку, что к нему пришли и разговор переносится на вечер, Александр Борисович отправил ее на место и предложил следователю садиться.

— Ну давайте посмотрим, что у вас?.. Нет, поступим иначе, сначала расскажите, что вы сами думаете по поводу этих покушений, — начал Турецкий.

— У вас есть намерение соединить их в одном производстве? — спросил в свою очередь Кучкин.

— А у вас разве нет?

— Сложный вопрос, — уклончиво ответил следователь.

— Чем же? — удивился Турецкий.

— Видите ли, Александр Борисович, лично я согласен с вашим мнением. И Иван Иванович — тоже, как я понимаю.

— А что, это очень трудно понять?

— Ну как вам сказать...

— Послушайте, Валентин Арнольдович, — слегка раздражаясь, заметил Турецкий, — давайте не будем ходить вокруг да около, а назовем вещи своими именами! Иначе мы можем не сработаться. Я терпеть не могу экивоков!

— Я тоже! — улыбнулся Кучкин, разряжая возникшее напряжение. — Но в этом деле имеется ряд сопутствующих, скажем так, величин, которые способны помешать нам расследовать дело в избранном нами направлении.

— Это вы про Алексеева, что ли? — с уничижительной гримасой спросил Турецкий.

— Вы же наверняка с ним не встречались, а я — только вчера.

— И как впечатление? — насмешливо спросил Александр Борисович. — Страшен?

— Не то слово! — засмеялся Кучкин.

— Что ж, значит, будем пугаться молча. На нас, я имею в виду Генеральную прокуратуру, тоже пытаются произвести впечатление.

— Уж не размерами ли глобальной катастрофы? — неожиданно спросил Кучкин, и Турецкий, внимательно посмотрев ему в глаза, кивнул и ответил:

— А мы с вами все-таки сработаемся, Валентин Арнольдович.

После такого резюме Александр Борисович придвинул к себе папку с материалами и стал внимательно просматривать их, иногда задавая короткие вопросы, на которые следовали столь же лаконичные ответы. Документов набралось уже достаточно. Были среди них протоколы допросов свидетелей и потерпевших, протоколы осмотра мест происшествия, акты судебно-медицинской экспертизы, заключения взрывотехнической экспертизы. И из всей этой груды собранных материалов Турецкого в первую очередь заинтересовали акты экспертизы взрывотехников.

И в первом, и во втором случае были использованы аналогичные заряды — тротиловые шашки со взрывателем натяжного действия. И масса взрывчатки была одинакова — до трехсот граммов, то есть вполне достаточно, чтобы разнести в клочья не только человека, но и все вокруг него. Это говорило прежде всего о том, что в обеих акциях действовал фактически один и тот же подрывник. Правда, в первом случае заряд был установлен в трубе лестничного мусоропровода, а во втором — сразу за металлической входной дверью квартиры.

То есть, другими словами, можно было с уверенностью предположить, что подрывник либо те люди, которые указывали ему, куда ставить заряды, абсолютно четко знали свое дело.

Женщина поднималась по лестнице на свою лестничную площадку. Здесь, при открывании двери, ее и настигла смерть. Значит, убийца прекрасно знал, что все произойдет именно так, а не иначе.

Но в доме есть и другие жильцы, и далеко не все из них, возможно, пользуются лифтом — есть же любители бега, спортсмены, просто мальчишки, покуривающие на лестничных площадках тайком от родителей.

— Вы были в доме на Бережковской набережной? — по ходу чтения спросил Турецкий.

— Был, естественно, и не один раз.

— Там стены на лестнице в каком состоянии? И вообще, она посещаема?

— Все стены, Александр Борисович, исписаны английской похабщиной. Я еще, помню, удивился — такой дом, а живут истинные варвары!

— И окурки, поди, валялись?

— А как же!

Все правильно, значит, по лестнице часто ходят... И тем не менее именно там и была поставлена бомба. А если бы в дверь на девятом этаже вошел другой человек, а не доктор Артемова? Кстати, почему она Артемова, а муж ее — Алексеев? Не захотела сменить фамилию? А сколько лет они состоят в браке? И есть ли дети? Отметил это для себя Турецкий и пошел дальше...

Итак, размышлял он, бомба установлена. Но где гарантия для убийцы, что дверь откроет именно тот человек, который и должен был стать жертвой покушения? Никакой, если убийца — или убийцы — не были абсолютно уверены в том, что ошибки либо случайной накладки не выйдет.

Что говорит в пользу такой постановки вопроса?

Первое. Убийца знал точный распорядок дня Артемовой. А вовсе не Алексеева, который, как он сам признался, никогда на лестницу не выходил и ездил исключительно в лифте, причем в сопровождении охраны. Одновременно возникает вопрос: если это действительно так, то какого черта мину заложили в стороне, а не прямо на пути этого Алексеева? Похоже, что версия с попыткой покушения на уважаемого «мэрского» чиновника притянута за уши. Причем не исключено, им самим же.

Так ведь делают иногда, если хотят создать себе соответствующий имидж либо расправиться с противниками — чужими, так сказать, руками.

Второе. Убийца должен был знать еще и точное время, когда Артемова — именно она, а не кто-нибудь другой — потянет лестничную дверь на себя. Причем абсолютно точно, до минуты. Следовательно, в доме в этот момент кто-то должен был находиться — сам убийца, наводчик, помощник — не важно, но кто-то следил за тем, чтобы не произошла ошибка. Проверено ли это? Судя по отсутствию вопросов на эту тему в протоколах допросов свидетелей, нет. Это серьезная недоработка. Но ничего, пока еще исправимая, хотя время уходит и человеческая память как бы замыливается.

С этим домом покончено. Так, третье. Дом на Саввинской набережной.

Знал его Турецкий. Еще гуляя с маленькой Нинкой, возил ее на саночках в Лужники, благо это рядом с его Фрунзенской набережной, и иногда катал вдоль Москвы-реки. Старый дом, странно, что его до сих пор не снесли. Четыре этажа, мрачные внутренние дворы, отсутствие лифтов — и это практически в центре Москвы! Значит, в нем, на последнем, четвертом этаже, и проживает наш нарколог...

И где же была поставлена мина?

Она, судя по протоколу описания места события, была установлена в квартире, рядом со входной металлической дверью. Что с ней? Так, тип, модель, дата изготовления, стоимость... Все понятно, ставили частные мастера. Два замка — один обычный, английский, второй секретный. Но и тот и другой были легко открыты тем, кто устанавливал заряд, причем с малым допуском натяжения. Либо, что так же вероятно, «убивец» проник в квартиру через окно. И это на четвертом этаже? Но тогда его определенно кто-то видел. Однако свидетели показывают, что никто у них по стенам не лазал, в окна верхнего этажа не проникал и по крыше тоже не бегал. Это хоть проверили, молодцы. Значит, он открыл дверь — подобранными ключами либо отмычкой, имеет соответствующую квалификацию? — затем установил бомбу, взрыватель и сумел протиснуться в оставшуюся тесную щель между дверью и стеной, чтобы своим телом нечаянно не привести в действие взрыватель? Вот это уже больше похоже на правду.

Но тут есть еще кое-какие детали, не отмеченные в протоколе, которые придется прояснить для себя уже на месте действия...

— Заряд был, я вижу, установлен снизу двери?

— Да, прямо за ней. Я сам видел... после уже, когда бомбу обезвредили.

— Со взрывотехником, обезвредившим ее, беседовали?

— В общих словах, тот куда-то торопился. Просто показал, как была закреплена мина и на каком расстоянии от двери. А вас, видимо, щель интересует?

— Как вы догадались? — усмехнулся Турецкий.

— А я сразу задал себе вопрос, каким образом ее могли установить. Через окна квартиры — нет, они были все, кроме одного, закрыты и заклеены на зиму плотным таким скотчем. А то, через которое в квартиру проникли взрывотехники, с помощью машины с подъемной люлькой, пришлось фактически взламывать. То есть они выставили форточку и уже через нее справились со шпингалетами. Дом старый, делали прочно.

— И каков же ваш вывод?

— Тот, кто готовил покушение, был очень худым. Но не мальчиком, тому с таким делом просто не справиться.

— Очень хорошо, вы предвосхитили целый ряд моих вопросов. Итак, вы продолжаете настаивать, вопреки твердому убеждению своего начальства и требованиям верхних инстанций, которые уже не только вам одному плешь проели, что обе эти акции тесно связаны между собой какой-то единой, еще не понятной ни вам, ни им идеей? И что они, то есть ни одна из этих акций к господину Алексееву, который изо всех сил тянет это сомнительное одеяло на себя, ни малейшего отношения не имеет?

Явно пренебрежительный тон, коим это было произнесено, возмутил бы кого угодно, а что говорить о человеке, которого прислали, так сказать, на суд в Генеральную прокуратуру? И Кучкин даже вспыхнул, но сдержал себя и ответил, хмуро отвернувшись от Турецкого, которому он едва ли уже не поверил:

— Да, если вам угодно поставить вопрос в такой плоскости.

— Отлично! Значит, наши мнения полностью совпадают. Остается самая малость — найти им вещественное подтверждение. Собирайтесь!

Следователь был ошарашен таким поворотом дела и вспыхнул, залился краской, но уже по другой причине.

— Ку... куда? — с трудом выговорил он и сглотнул.

— Как — куда? — Турецкий сделал вид, что не понял

его. — К господину... как его? К Баранову, к кому ж еще? Домой. Позвоните ему и вызовите, пожалуйста. И не забудьте, если я это упущу, организовать на месте парочку понятых.

— Мы будем... производить обыск?

— Можно назвать и так... А станет отнекиваться, оправдываться срочными делами, скажите, что вскроем и без него, в присутствии милиции.

— Но ведь это же...

— А ему разве известно? Вы вообще, Валентин Арнольдович, имейте в виду — на будущее, что Государственная дума каждый божий день рассматривает какую-нибудь очередную поправку то к Уголовному, то к Уголовно-процессуальному кодексу... Когда соберут их в кучу и примут — тогда уж, как говорится, другое дело.

— Но это же всем известно! — возразил Кучкин.

— Я тут с приятелем ездил однажды, несколько лет назад, в глухое Подмосковье — он рыбак отчаянный, а я просто так, водочки на природе попить. И вот увидели нас местные жители и стали жаловаться. Батюшка, мол, у них — так-то он хороший, но с чудинкой. Тоже вроде нас заядлый рыбак. Иной раз, говорят, за рыбной ловлей в такой азарт входит, что про службу свою забывает... Ну и самый свежий, как говорится, пример тому. Троица, что ли, у них тогда была... Словом, исчез батюшка — день его нет, другой, а тут и праздник подходит. Послали мальчишек искать. Даже лошадь им дали. Нашли — забрался он со своими удочками черт-те куда на острова. И вот видят бабки, собравшиеся у церкви, как верхом на кобыле — без седла! — скачет батюшка. Бородища развевается, ряса, или что там у него, крыльями во все стороны машет — демон верховой! Примчался, с кобылы спрыгнул и кричит: «Вы чего, мол, дуры старые, головы людям морочите? Какой праздник, когда такой клев?! Завтра будет вам праздник!» Те хором: «Нынче уже, батюшка! Нынче Троицка родительская суббота!» Вот тут он стал в позу, руки в бока, бородища кверху! «Сказал — завтра, значит — завтра! Кто к Богу ближе — я или вы, сороки старые? Он, стало быть, — мне, а уж я — вам!» Повернулся, взлетел на кобылу — и только его и видели. Вот они нам и говорят: «Вы, мол, на такой важной машине, — это у приятеля джип мерседесовский был, — вы б его урезонили малость, озорника-то!» Такое, понимаете, отношение к власти...

Кучкин рассмеялся, представив прямо-таки чудовищную картинку, взятую со страниц фантастических книг.

— Поняли, зачем я это вам рассказал? — строго спросил Турецкий и... не выдержал, сам рассмеялся. — Затем, чтоб вы себе уяснили: это вы с кодексами на «ты»! Кому ж, как не вам, и знать, что в данный момент нужно, а с чем можно погодить! Вперед, коллега!

3

Вячеслав Сергеевич Баранов был чрезвычайно недоволен, что его самым наглым образом оторвали от серьезных и не терпящих отлагательства дел — как минимум государственных! — и заставили мчаться к себе домой, чтобы в очередной раз выслушивать глупости самонадеянных следаков.

Все это он и продемонстрировал на своем ухоженном, не потревоженном никакими сомнениями лице, когда увидел на лестничной площадке, возле двери своей квартиры, знакомого уже следователя из межрайонной прокуратуры, который успел надоесть еще в прошлые встречи иезуитскими вопросами, а рядом с ним высокого, молодого, светловолосого человека. Еще двоих — мужчину и женщину — он знал, они проживали двумя этажами ниже. Был и еще один — совсем молодой, но совершенно лысый парень с видеокамерой в руках. Все они смотрели на Баранова вопросительно, словно чего-то ожидали от него. А что им было нужно, Вячеслав Сергеевич даже и не догадывался. Может, кино хотели ему показать? При свидетелях, так сказать! О чем он тут же и спросил с грубоватой прямолинейностью врача, которому за годы его нервной работы до чертиков надоели бесконечные пациенты с их вечными глупыми жалобами.

Соседи заметно смутились. А парень с видеокамерой поднял ее тубус к глазам, посмотрел, прикинул и обвел объективом, словно сделал панорамную круговую съемку.

Между тем незнакомец подал знак оператору, тот направил на него камеру, и этот человек заговорил в нее:

— Я, помощник генерального прокурора, старший следователь по особо важным делам, государственный советник юстиции третьего класса Александр Борисович Турецкий, находясь по адресу: Москва, Саввинская набережная, дом шестнадцать, на лестничной площадке перед квартирой номер пятнадцать, принадлежащей гражданину Баранову Вячеславу Сергеевичу, — глазок камеры переместился на доктора и запечатлел также и его, — с согласия хозяина квартиры и в присутствии понятых, проживающих в этом же доме, в квартире девять, граждан Коротковых Петра Ивановича и Марии Гавриловны, произвожу следственный эксперимент.

Возникла короткая пауза. У Баранова слегка отвисла от такого поворота дела челюсть, и он с некоторой растерянностью уставился на соседей.

— В чем дело, Вячеслав Сергеевич? — недовольным тоном спросил Турецкий. — У вас имеются возражения относительно проведения необходимых следственных мероприятий?

— Нет... я просто...

— Просто — что? — уже строго настаивал Турецкий. — Вы отказываетесь помогать следствию в раскрытии покушения на вас? Валентин Арнольдович, — обратился он к Кучкину, — отметьте, пожалуйста, в протоколе, что потерпевший категорически отказывается...

— Да нет! Я не отказываюсь! — воскликнул Баранов и провел ладонью по лбу. — Я просто не был готов к этому...

— А теперь готовы? — сухо осведомился Турецкий.

— Теперь — да, — растерянно ответил доктор.

— Тогда продолжаем. Не надо отмечать, — Александр Борисович показал жестом Кучкину. — Итак, сейчас потерпевший Баранов продемонстрирует нам для видеосъемки, как он возвращался в день покушения на него к себе домой и каким образом ему удалось обнаружить заложенную за входной дверью в его квартиру взрывчатку. Сережа, начинай, — сказал он оператору.

Этот Сережа Мордючков, специалист из Экспертно-криминалистического центра, которого Турецкий с Грязновым называли «способным молодым дарованием» и относились к нему по-отечески, но выпивать разрешали в меру, был действительно настоящим профессионалом в своем деле и уже не раз, с подачи Грязнова, помогал Александру Борисовичу, когда требовалась быстрая и тщательная экспертиза на выезде.

Перед выходом из Генеральной прокуратуры Турецкий позвонил Вячеславу Ивановичу и попросил об одолжении. Славка ухмыльнулся и, записав себе адрес, ответил, что Сережа уже в пути.

— Вячеслав Сергеевич, покажите точно, как было дело. Понятых прошу отойти немного в сторону и не мешать действиям господина Баранова.

— Как? — озадаченно задумался доктор. — Да разве сейчас вспомнишь? Во-первых, это когда было, а во-вторых...

— Что — во-вторых? — спросил Турецкий.

— Во-вторых, понимаете ли, — озабоченно начал доктор и стал озираться, словно искал глазами, за что бы зацепиться. — Дело в том, что я возвращался примерно в седьмом часу утра. Да, кажется, так и было. Вы же слышали, я звал всех соседей! — обернулся он к понятым.

— Шум мы слышали, — ответил мужчина, — но значения не придали. А вот когда уже понаехала милиция и велела всем покинуть жилье и выйти на улицу, имея в руках документы и самое необходимое, вот тут — да, поняли, что чего-то случилось. Это было, да, в девятом часу. Светло уже...

— Понятно, — кивнул Турецкий. — И откуда вы возвращались, господин Баранов?

— Это имеет значение? — резче, чем следовало бы, спросил тот, и Александр Борисович немедленно зацепился за эту его интонацию.

— Обязательно. Этот факт может иметь прямое отношение к подготовке преступления, — и в упор уставился на доктора.

— Я возвращался... э-э... с работы.

— Так рано? — удивился Турецкий. — Или, правильнее сказать, так поздно? У вас была тяжелая ночная работа, доктор? Какая, уточните, пожалуйста. Если не ошибаюсь, у вас же диспансер, а не стационар. Выезжали со «скорой»?

— Не понимаю, зачем нужны эти подробности?

— Чтобы установить ваше алиби, Вячеслав Сергеевич. Вы ведь не в одиночестве, надо думать, находились в наркологическом диспансере? Кто еще? Кто мог бы подтвердить ваше присутствие там, на протяжении всей ночи, вплоть до указанного вами времени?

У Баранова на спине вдруг стало влажно и прохладно. Совершенно ведь идиотские вопросы, а ставятся так, что и увильнуть в сторону невозможно! Да и кто был в кабинете? Варька, чтоб ее, сучку! Говорить? Подождать?

— Я работал с секретаршей, которая помогала мне оформлять дела на больных. Варька новичок в нашем деле, — угрюмо хмуря брови, говорил Баранов, — запустила по неопытности дела, вот и пришлось срочно выправлять...

— А вот это понятно, — с иронией подтвердил Турецкий, пряча улыбку. — Значит, Варька... Валентин Арнольдович, вы потом запишите ее полное имя, отчество, фамилию и домашний адрес — алиби так алиби, верно? Продолжаем. Итак, вы явились наконец сюда и... что сделали? Который час был, простите?

— Седьмой. Или чуть больше, я не посмотрел.

— Но откуда вы узнали время?

— Я поставил во дворе машину и там посмотрел на часы.

— Понятно. Тогда вопрос: в это время здесь, на лестничной площадке, было светло? Вот как сейчас? Или еще темно и вам пришлось чем-нибудь светить на дверь? Фонариком там, спичкой. Лампочка у вас тут, смотрю, сиротская, как раньше говорили.

— Я посветил фонариком, — быстро сказал Баранов.

— Он у вас с собой? Покажите.

— Нет, — растерялся Баранов, — он либо дома, либо на службе. Я ведь торопился.

— Вы ведь его постоянно с собой носите, да? — подсказал Турецкий.

— Обычно да, — ухватился за подсказку доктор.

— Отлично. Вы потом нам обязательно предъявите этот ваш фонарик. Заметьте себе этот факт, Валентин Арнольдович. А теперь, Вячеслав Сергеевич, возьмите что-нибудь в руку... авторучка?.. подойдет. И изобразите нам, как вы подходили, как светили себе, как обнаружили и что делали после этого. Начинайте! Сережа! Съемка!

Актер из Баранова был, конечно, не очень. Но он очень старался выглядеть, видимо, так, чтобы демонстрация полностью соответствовала его собственной установке. Он подошел к двери, затем отступил на шаг, затем стал быстро оглядывать дверь, «подсвечивая» себе фонариком, даже присел на корточки, а затем с легким криком отскочил в сторону.

— Вот, — сказал он, задыхаясь. — После этого я стал звонить и стучать в эти двери. — Он обвел рукой соседей.

— Так, — кивнул Турецкий. — Снято, Сережа? — И сделал тому непонятный знак рукой — то ли: «Отойди, не мешай!», то ли, наоборот: «Будь внимательным!» — А теперь вернемся к началу, Вячеслав Сергеевич. Подойдите к двери!.. Так! Осветили, осмотрели? Ответьте, чем была вызвана у вас необходимость оглядывать всю дверь? У вас уже имелись подозрения, что на вас готовится покушение? Почему? Чем это вызвано? Но давайте по порядку. Были подозрения?

— Понимаете ли, — решил играть в дурачка Баранов, — сказать «да» со всей уверенностью не могу. Сказать «нет» — совесть не позволяет. Ведь только что убили Татьяну Васильевну. И этот случай у всех у нас был на слуху. Мало того, мы буквально только что похоронили ее и очень переживали потерю. Она была превосходным человеком, замечательным доктором, умницей, доброй женщиной, моей хорошей знакомой... — Баранов печально опустил голову, отдавая должное памяти безвременно погибшей. — А потом, признаюсь вам честно, я возвращался... ну не совсем в себе. Немного, можно сказать, подшофе.

— Это на машине-то? — с ужасом в глазах воскликнул Турецкий.

— Что поделаешь? — скорбно развел руками Баранов. — Но я и принял-то самую малость... Опять же — раннее утро, машин еще никаких...

— Тем более в компании, — понимающе подмигнул Турецкий.

— Вот видите, вы и сами все понимаете. Но это у меня не традиция, скорее — исключение.

— Поехали дальше, — с выдохом облегчения махнул рукой Турецкий. — Оглядели и...

— Вон там что-то вроде бы блеснуло. — Баранов и сам уже, видимо с облегчением, присел перед дверью и ткнул пальцем в нижний ее угол. — Вот здесь. И я лег на пол... извините, вот так.

Он растянулся на несвежем полу.

— И тогда обнаружили? — подсказал Турецкий.

— Точно! — воскликнул Баранов с явным уже облегчением. — Теперь вспоминаю: все именно так и было!

— Поднимайтесь, камера вас зафиксировала... Далее вы перебудили весь дом, затем вызвали милицию, а потом?

— А потом приехали люди из ФСБ, так мне, во всяком случае, сказали. Они здесь осмотрели и сказали, что придется проникнуть в квартиру через одно из окон. И еще спросили про форточку. Я сказал, в каком окне. Другие были заклеены на зиму.

— Ясно, — вздохнул Турецкий. — А теперь откройте дверь.

Доктор достал связку ключей, выбрал один — длинный и замысловатый. Им открыл секретный замок, вторым ключом повернул английский и отворил дверь.

— Вот здесь была бомба, мне потом показали, — сказал он, тыча пальцем в нижнюю часть дверного косяка.

Турецкий, уже читавший акт экспертизы, кивая, осмотрел место, а потом задумчиво и озабоченно спросил:

— Вы свои ключи никому не давали? Их не могли у вас украсть? А где запасные держите?

— Запасные на службе, в сейфе. А свои я вообще никому не даю. Может, отмычкой открывали, как это теперь делают, а? — поинтересовался Баранов сразу у всех.

— Ну с английским — картина понятная, его еще Остап Бендер открывал ногтем мизинца. А вот секретный? Придется вам денек-другой потерпеть без него. Мы снимем его для проведения экспертизы. Ее ведь не делали? — обернулся он к Кучкину.

И тот с виноватым видом отрицательно покачал головой и потупил взгляд.

— Ничего страшного, а мы сделаем. Сережа, займись!

— А зачем это? — забеспокоился доктор.

— Проверить, нет ли в нем посторонних следов, — ответил Сережа, вынимая из чемоданчика отвертку. — И ключик ваш пожалуйте. — Он протянул руку, и Баранов положил ему на ладонь, отцепив от связки, длинный ключ с замысловатыми бородками.

— Значит, заканчиваем, — сказал Турецкий и обернулся к следователю Кучкину, который вел тем временем протокол следственного эксперимента. — Валентин Арнольдович, будьте добры, покажите протокол понятым, пусть прочитают и распишутся где следует. А также и Вячеславу Сергеевичу. С той же целью, — педантично сообщил Александр Борисович. — И не будем больше отнимать у граждан Коротковых их драгоценное время.

Кучкин сделал таинственное лицо и шепотом напомнил Турецкому:

— У вас проскочил без ответа один вопрос к нему, Александр Борисович. Я заметил. Про его недоброжелателей. А он промолчал.

Турецкий едва заметно кивнул Кучкину и продолжил:

— А вот вас, Вячеслав Сергеевич, я попросил бы немного задержаться, поскольку у меня к вам есть еще несколько мелких, уточняющих, я бы сказал, вопросов...

— Прошу в дом, — радушно предложил Баранов, полагая, что буря промчалась мимо.

4

Но буря и не намечалась. Зато стоял, выражаясь морским языком, такой мертвый штиль, от которого совершенно воротило душу.

Дотошный Турецкий совершенно измотал Баранова

своими бесконечными повторяющимися вопросами о том, кого из своих недоброжелателей тот мог бы подозревать в попытке покушения на себя. Уже давно приучившийся также быть предельно вежливым с пациентами — если они того, естественно, заслуживали, — Вячеслав Сергеевич с трудом переносил столь изощренную пытку. Ему ведь пришлось вспомнить буквально всех своих знакомых и каждому дать соответствующую характеристику. И в результате — это уже как бы помимо воли доктора Баранова — получалось так, будто все до единого известные ему врачи-наркологи, включая и помянутую недавно добрым словом Татьяну Васильевну, оказались злобными завистниками и весьма слабыми специалистами, которым нельзя доверять здоровье людей. Зато сам Вячеслав Сергеевич, со всеми своими уникальными методиками, как никто другой подходил на роль спасителя ну если не всего человечества, то хотя бы московской ее части.

Вот здесь-то, как выяснилось, и гнездилась та причина, по которой и могли организовать на него покушение — со смертельным, естественно, исходом. Ну как с его предшественницей — Татьяной Васильевной Артемовой, которую он все-таки, исправившись, назвал классным специалистом.

Таким образом, версию о том, что первое покушение было устроено не на супругу все-таки, а на ее мужа, на заместителя мэра, этот потерпевший отметал полностью. Ибо и сам оказался в таком же положении. В каком? Так ведь злобная же месть недоброжелателей-коллег! Неужели это еще неясно?

Ясно-то было как раз очень даже хорошо. Баранов как минимум предлагал следствию «перелопатить» всю наркологию Москвы, в поисках заказчика преступления. Хороший план. И отличная возможность полностью отвести от себя всякое подозрение в причастности к преступлению.

Зная, насколько неповоротлива в этом смысле юриспруденция, Вячеслав Сергеевич мог рассчитывать, что следствие будет длиться бесконечно и где-нибудь обязательно найдутся подозрительные следы, ибо сама наркология далеко не безгрешна, и к ней при желании нетрудно предъявить немало серьезных претензий.

— Тут же может быть все что угодно, — с жаром убеждал Турецкого Баранов, изображая ярого поборника справедливости, — от распространения тех же наркотиков до прямых преступлений, продиктованных контактами с мафиозными структурами. Вы только представьте себе!..

Турецкий представлял, конечно...

Но сам Вячеслав Сергеевич ко всем своим же обвинениям, естественно, не имел ни малейшего отношения, его деятельность на посту главного врача наркологического диспансера была всегда чиста и прозрачна. Любой в этом сомневающийся может проверить, он даже сам готов оказать посильную помощь в этом вопросе.

И Турецкий принял предложение как должное. Заметив при этом, что Баранов словно поежился. Ну да, наверняка сообразил наконец, что сам же и напросился, и если прокуратура действительно начнет проверку, то, не исключено, что именно с него, с его наркологического диспансера.

«А ты не лезь в пекло поперек батьки», — вспомнил Александр Борисович любимую присказку друга Вячеслава Ивановича, которую тот унаследовал от своей начальницы Шурочки Романовой. Родной тетки, между прочим, Галки Романовой, которая теперь работала у Славки...

— Ну что ж, вы, помню, сокрушались, что я оторвал вас от неотложных дел? Так я готов отчасти искупить свою вину перед вами, доктор. Здесь у вас мы в общих чертах закончили — пока! — и я предлагаю проехать к вам на работу. Надо же подтвердить ваше алиби! А кроме того, я хочу, чтобы вы более конкретно прояснили лично для меня вопрос о том, как могут врачи-наркологи нарушать данную ими при вступлении в медицинский, так сказать, цех клятву Гиппократа. Надеюсь, вы не станете возражать? — Александр Борисович посмотрел на Баранова таким чистым и невинным взглядом, что тот просто и не смог бы возразить, отделавшись снова своими какими-нибудь очередными проблемами.

И они отправились, причем Турецкий сел в «семерку» к Баранову, а Кучкин со всеми материалами отправился на служебной «Волге» Александра Борисовича, которая должна была доставить следователя к нему на службу, в межрайонную прокуратуру, а затем вернуться за Турецким. Александр Борисович хотел поговорить с доктором с глазу на глаз, постаравшись вызвать его, во что он и сам не особенно верил, на откровенность, а кроме того, оглядеться у него в диспансере и посмотреть, какую еще пользу можно будет извлечь из этого посещения.

Доктор изображал за рулем исключительное внимание к дороге, и Турецкий не отвлекал его разговорами. Наконец они приехали.

В довольно обширной приемной сидели несколько посетителей, но, видимо, не к главному врачу, а к старшей медсестре — на процедуры. Здесь же, в приемной, Александр Борисович просто не мог не заметить несколько простоватую, с неброской, но крепенькой, спортивной фигуркой девушку-секретаршу, приподнявшуюся при их появлении за столом и обратившую на себя его внимание откровенно порочным выражением глаз.

Неторопливо и важно проходя мимо нее вслед за чрезвычайно озабоченным доктором в его кабинет, Турецкий вежливо поздоровался с ней, а потом лукаво и многозначительно подмигнул — втайне, естественно, от Баранова.

Другая определенно отреагировала бы на этот нарочито нахальный выпад оскорбленной миной либо хотя бы чуточку покраснела, а эта, даже не повернув головы, лишь плавным движением выпуклых глаз проводила его от двери до двери и в завершение кончиком языка сладострастно облизнула ярко накрашенные губы. Никакого более выразительного ответа этому необычному посетителю она и придумать не могла бы. И Турецкий сразу сообразил, что шла у них речь именно об этой Варьке, секретарше, с которой всю ту ночь до утра, перед неудавшимся покушением, неустанно «работал» доктор.

И еще он вспомнил из собственных студенческих времен, что для таких вот девиц, особенно студенток начальных курсов медицинских вузов, запретных тем вообще тогда не существовало. Как наверняка и сейчас. Если времена меняются, и главным образом в худшую сторону, то что рассуждать о людях?.. Все-то те девицы знали и все умели, ничего и никого не стесняясь и откровенно бравируя своими знаниями, почерпнутыми не столько в аудиториях, сколько на институтских лестницах и в курилках. Похоже, и эта Варька из таких же. Но если она не первый день работает в этом диспансере у Баранова, то наверняка является носительницей не одного десятка секретов наркологической деятельности своего шефа, и этот факт надо будет обязательно иметь в виду. Хотя сама, вероятно, в темных делишках Баранова не участвует — слишком молода. Ну разве что — по мелочам, а за это ее никто судить пока не собирается. Опять же, чтобы выискивать хитроумные подходы к этой девице, а затем выуживать ее тайные знания, тоже никаких сложностей определенно не предвидится — судя по ее мимике. Просто Александр Борисович подумал, что лично для него такого рода «победа» ровным счетом ничего не принесет, а вот кого-нибудь из молодых, к примеру того же Володьку Поремского, который пока в этом деле нигде не засветился, натравить можно. И в минуту приятного откровения с ним эта Варька — три против одного! — продаст своего шефа с потрохами. А уж ее-то потом всегда можно будет аккуратно вывести из-под следствия, так что и риск для нее невелик. Надо будет это обстоятельство иметь в виду на будущее...

И это было, пожалуй, единственной действительно серьезной находкой за все время посещения Турецким наркологического диспансера. Прежде всего потому, что никаких секретов доктор Баранов, естественно, не выдал, а мелкие нарушения его профессиональной деятельности Александра Борисовича решительно не интересовали. Зато Вячеслав Сергеевич старательно пробовал живописать, как некоторые его коллеги, имена которых он, исключительно из сугубо этических соображений, назвать не может, ибо пока все это только слухи, а возможно, и грязные сплетни, на которые честный врач полагаться не должен, а твердыми фактами он не располагает, — так вот, как они иной раз не столько лечили, сколько, наоборот, сажали своих пациентов на иглу. И рассказал об этом довольно подробно, будто сам сотни раз уже это делал.

Или о том, как в отдельных случаях, якобы купируя абстиненцию, то есть снимая наркотическую зависимость у пациента, врач на самом деле вводит ему — в малых дозах — наркотик либо какой-нибудь легкий заменитель, на короткое время избавляя наркомана от ломки, но привязывая таким образом его к себе надолго, если не навсегда. Разумеется, это преступление, но поймать врача за руку и доказать его вину практически нельзя. Тем более что такие варианты возможны разве что в частных клиниках, а в государственных, как в его диспансере, — никогда, ни боже мой!

Другими словами, получалось так, что подстроить, мягко выражаясь, серьезную пакость как Татьяне Васильевне, так и доктору Баранову мог фактически любой их коллега, заинтересованный в том, чтобы завладеть креслом главного нарколога. Вкупе, разумеется, с постом главного врача ведущей наркологической больницы.

Но опять-таки с Алексеевой еще понятно, она и занимала эти посты. Значит, они кому-то срочно потребовались. А почему тогда Баранов? Оказывается, что он наиболее вероятный претендент на место Татьяны Васильевны. У него и опыт, и большой стаж работы, и масса благодарностей, и постоянное участие в многочисленных, в том числе и зарубежных, симпозиумах по проблемам наркологии, и освоение новейших методик — как отечественных, так и западных. То есть он постоянно держит руку на пульсе современных достижений в области психиатрии вообще и в наркологии в частности, как одной из ее непременных составляющих.

Так вот где «собачка-то порылась», говоря словами Нинки! Либо доктор, увлеченный своими соображениями, сам себя невольно выдал, либо он сделал это совершенно сознательно, как бы намекая лопуху следователю: вот он, мол, я — перед вами, я честно излагаю свои мысли и дальнейшие планы, а вы попытайтесь, со своей стороны, найти в них хоть какой-нибудь криминал! Черта лысого найдете! Ну да, наступление такого рода — тоже способ самозащиты. Тем более при таком алиби, как покушение на убийство, аналогичное совершенному ранее...

А теперь насчет алиби.

Александр Борисович максимально серьезным тоном, на который был способен в данный момент, спросил у доктора, есть ли у него, не важно какое, любое помещение, где он смог бы побеседовать с Варварой? Причем сделать это, как и недавно, в доме Баранова, под протокол.

По всему было видно, что Баранов немедленно узрел в просьбе явный личный интерес следователя. И предложил допросить Варвару в его кабинете, в своем присутствии. Но Турецкий возразил, что это нарушение уголовно-процессуального производства. Свидетель должен быть допрошен при отсутствии посторонних лиц, которые могли бы оказать на него давление. Кажется, доктор оценил-таки значимость проблемы и сказал, что если допрос продлится не очень долго, он может предоставить опять-таки свой кабинет, а сам временно перейти в процедурную. На этом варианте и остановились.

Затем Вячеслав Сергеевич вызвал из приемной Варвару, объяснил ей цель приезда самого помощника генерального прокурора, — на девицу, по ней было видно, эта должность если и произвела впечатление, то скорее в обратном смысле. Так, во всяком случае, сказали ее глаза. После чего, сделав строгое лицо, Баранов вышел.

А Турецкий, достав из своей папки свежий лист протокола допроса свидетеля, принялся заполнять его. Фамилия, имя, отчество, возраст, должность, домашний адрес... Все по анкете. Где учится, на каком курсе. В какой-то момент он даже восхитился собственной прозорливости — все было в точности так, как он и подумал. Но миг восхищения не прошел мимо ее глаз, тут он явно сам дал маху.

Девица заерзала на заскрипевшем стуле, выпрямилась по-спортивному, выпятив небольшую грудь и приоткрыв в ожидании рот, а взгляд ее изобразил настоящее плотское удовольствие, которое находилось от нее буквально на расстоянии протянутой руки. Она только воровато оглянулась на незапертую дверь. И вот этого взгляда Турецкому было достаточно, чтобы немедленно остеречься и изгнать из головы все «крамольные мысли».

— Перейдем к делу, Варвара... э-э... Анатольевна, — откашлявшись, сказал Александр Борисович и нахмурил брови.

— Можете звать меня Варей, так мне привычнее. — Она подвигала плечами и придвинулась на стуле поближе к нему — теперь их разделял только письменный стол, но она, кажется, уже собиралась нырнуть под него.

— Спокойно, Варя, — чувствуя, что у него по-прежнему першит в горле, сказал Турецкий. — Мы с вами делаем серьезное дело. Я должен установить алиби вашего шефа. Действительно ли он пробыл всю ночь, как утверждает, здесь, в кабинете, работая вместе с вами над важными медицинскими документами до самого утра, после чего отправился домой, где и обнаружил... М-м, ну, словом, где он обнаружил бомбу под собственной дверью. Все было так, как он рассказывает?

Она повела плечами и изобразила на лице выражение, которое могло говорить, что, мол, если доктор это сказал, значит, так оно и было. Но это не ответ.

— Тогда расскажите мне, что вы здесь делали, над какими документами работали и сколько на эту вашу работу ушло времени? Вы понимаете, зачем мне это нужно знать?

Она снова молча изобразила согласие, но при этом на лице ее мелькнула недовольная гримаса, будто следователь занимался совершенно не тем, что требовалось в данный момент. Ситуация, понял Турецкий, становилась все более рискованной. Нельзя было исключить, что они — доктор со своей секретаршей — заранее не договорились, а теперь в любой момент могла быть совершена провокация. Или все это глупые страхи испуганной вороны, которая, как известно, куста боится? Да что она, в конце концов, ринется на него, что ли? А если в ответ — по шее?

И вот это изменение в лице Турецкого, видимо, подействовало на нее, девица опустила глаза и протяжно вздохнула:

— Да чего отвечать-то? Неужели не понятно, какие документы он со мной изучал? Был он здесь правда всю ночь. И ушел от меня довольный, если вам именно это надо знать. От меня никто не уходит недовольный, вот!

— Кто у тебя родители, Варя? — строго спросил Турецкий.

А она с вызовом усмехнулась, и лицо ее стало из простоватого и наивного прямо-таки хищным.

— Интересуетесь, где меня достать? Нет, у меня дома нельзя. Но если у вас есть место, я согласна. Вы мне нравитесь. Я люблю таких мужчин — решительных и сильных.

— С чего ты взяла, что я решительный и сильный?

— А увидела, я ж на врача учусь, на психиатра, это нынче модно и денежно.

— Смотри-ка! А здесь что? — Турецкий окинул глазами тесноватый и неприхотливый кабинет.

— А здесь, чтоб иметь на жизнь, на шее у родителей не сидеть и получать удовольствие. Разве мало?

— Если умеешь — хорошо.

— А вы попробуйте! — Она с вызовом высунула между зубов кончик язычка.

— Не хулигань, — погрозил ей шутливо пальцем Турецкий, — а то накажу. Давай рассказывай, я буду за тобой записывать. Только не надо болтать, чем ты тут с ним действительно занималась.

— Значит, соврать? — улыбнулась она.

— Лучше соври. Он вправду пробыл здесь всю ночь и никуда не выходил?

— Правда. Да он бы и не смог.

— Почему?

— Я ж говорю, что от меня не уйти, пока я сама не отпущу. А ты не веришь. Попробуй вот!

— Когда он ушел домой? В котором часу?

— Он уехал на своей лайбе ровно в шесть часов утра, еще темно было, а я вернулась на диван в ординаторскую. Поспать до работы.

— Вы смотрели с ним личные дела ваших пациентов? — Турецкий, сдвинув брови, посмотрел на нее в упор.

— А чем же еще можно всю ночь заниматься? — усмехнулась она. — Конечно, делами пациентов. Я в них вечно что-то не так пишу, а он сердится и исправляет. Но с работы не гонит, слава богу. А ты куда ездишь обычно, когда подворачивается ситуация, а?

— И последний вопрос...

— Жалко.

— Что тебе жалко? — уже грубовато спросил Турецкий.

— Что последний. Раз уж ничего у нас не получится, так хотя бы поговорим, — уже с откровенной насмешкой ответила она. — Трепачи вы все! А как до дела...

— Ты всех ваших пациентов знаешь?

— Ну не всех, многих, а что?

— Есть среди них такие, кто хотели бы... или решились за что-то отомстить доктору?

— Так на это каждый обдолбанный наркоша способен. А вот взрыв устроить, как Артемовой, это вряд ли.

— Почему?

— А ты сам не понимаешь? — Она уже упорно называла его на «ты», но Турецкий не обижался — у нее это получалось очень непосредственно. — Они же, наркоши наши, с техникой не в ладах. Ручонки трясутся.

Александр Борисович вспомнил аргумент Баранова по поводу какого-нибудь обиженного на него пациента и понял, что девица абсолютно права. Тут мог действовать только совершенно трезвый и здоровый профессионал. А раз это так, то нужно искать взрывника не в кругу врагов доктора, а среди его знакомых и приятелей. Такая вот получалась логика.

— Хорошо, — сказал он, — спасибо за подсказку.

— Это по поводу кого? — удивилась она.

— По поводу ваших обдолбанных, как ты выразилась.

Вот прочитай протокол и напиши на этой и обратной стороне, что с твоих слов записано верно. Если что-то не так, поправь.

Она стала читать. Расписалась на одной стороне, перевернула лист, снова прочла и опять расписалась.

— Эй, что это? — нахмурился Турецкий, видя, как она выводит в конце цифры.

— Мой мобильный. На всякий случай. — Она хитро уставилась на него. — Вдруг тебе потребуется что-нибудь срочно уточнить? Так учти, я всегда готова, как юная пионерка.

— Ну ты и хулиганка. — Турецкий улыбнулся, пряча лист в папку.

— Этого ты еще не знаешь! — предупредила она и поднялась. Выпрямилась, потянулась всем телом, предъявив длинные ноги, и добавила: — Если у нас уже все, тогда я пошла?

— Иди, свободна.

Через минуту вернулся Баранов и уже от дверей с вопросительным интересом уставился на гостя. Турецкий сказал:

— Варвара Анатольевна подтвердила ваше алиби, можете не волноваться, к вам по этой части больше вопросов тоже нет. Но я хотел бы вас попросить, Вячеслав Сергеевич, взять лист бумаги и все же перечислить мне как минимум десяток фамилий людей, коих вы можете подозревать во враждебности к вам лично. Ну тех, о которых мы уже говорили у вас дома. Полагаю, поскольку среди наркологов или психиатров вам известны многие, то антипатии круга этих лиц вполне могли распространяться помимо вас также и на покойную теперь Артемову. Не так ли?

— А что? Вполне.

— А среди них могут оказаться не только явные враги, иногда случаются и фальшивые друзья, их нам далеко не всегда удается распознать с ходу. И должности их, пожалуйста. Если помните телефоны — тоже. Следственная работа — это не такая простая штука, уважаемый Вячеслав Сергеевич. А рутинная, нудная и кропотливая работа, так же как и ваша.

— Да-да, в самом деле... Но, я надеюсь, вы не станете сообщать им, будто бы я... Есть же, как я упоминал, этическая сторона!..

— Ни в коем случае, можете на меня полностью положиться, как и в случае с... — Турецкий как бы непроизвольно взглянул на дверь, вслед ушедшей секретарше, — вы понимаете?

Баранов так же непроизвольно кивнул.

— Вот и отлично. Поэтому сделайте одолжение напишите.

И Баранов, хотя по нему было заметно, как он не хотел этого делать, стал писать столбиком фамилии, указывая против каждой должность и телефонный номер — и все по памяти. Она у него была, вероятно, исключительной.

5

Еще в тот же день Турецкий решил съездить к Алексееву — чтобы окончательно расставить для себя все точки над «и».

Заместитель мэра был «безумно» занят, так предупредила секретарша — важная дама, так повторил и его помощник, который даже попытался выведать, с чем прибыл в мэрию первый помощник генерального прокурора, но Александр Борисович был непроницаем. Пришлось срочно прерывать какое-то срочное совещание и запускать его в кабинет.

— Ну наконец-то! — Это была первая фраза, которой мнимый потерпевший — сейчас Турецкий определял его именно так — встретил важное прокурорское лицо.

Самое невероятное, что с ходу понял и оценил Александр Борисович, заключалось в том, что этот руководитель действительно считал себя абсолютно правым в своих подозрениях. Да что там подозрения! Какие еще они могут быть, когда это твердая его уверенность!

Парадокс заключался в том, что однажды на Алексеева уже была совершена попытка покушения, к счастью неудачная. Стреляли метко, но одна из пуль лишь едва задела макушку Георгия Витальевича, обозначив на ней розовую, безволосую дорожку. Которая, кстати, скоро заросла, и все о ней забыли. Так, во всяком случае, утверждали «злые языки». Но Алексеев долго ходил с перевязанной головой, принимая заботливое сочувствие и сострадание от коллег и посетителей.

Вот, вероятно, с тех пор и отложился глубоко в его душе страх перед заказным убийцей. И потому уже саму весть о взрыве, не говоря о его страшных последствиях, Георгий Витальевич немедленно переадресовал на себя, любимого. Жена якобы оказалась совершенно случайной жертвой. Ужасно, обидно, горько, но... было бы гораздо хуже, если бы дело коснулось его. Такую вот видел во всем происшедшем логику Александр Борисович, и она, честно говоря, даже если бы полностью соответствовала действительности, все равно не вызывала в душе ни малейшего сочувствия к овдовевшему Алексееву.

Но если бы все, что он сейчас чувствовал, рискнул бы изложить в этом кабинете, хотя бы и предельно доказательно, разразился бы невероятной силы скандал! И до тех пор, пока следствие не скажет настоящую правду, вот эту ненужную работу придется тем не менее проводить! И в этом тоже своеобразная и по-своему всесильная логика времени...

Александр Борисович решил не оригинальничать. Он кратко известил чиновника, что указанием генерального прокурора на него, госсоветника юстиции третьего класса Турецкого, возложена миссия — досконально разобраться в этом запутанном деле.

— Да ничего тут запутанного! — воскликнул побагровевший Алексеев. — Не понимаю, кому могла прийти в голову эта идиотская мысль, будто здесь какая-то неразбериха?!

— Именно по этой самой причине, — тоном педантичного учителя оборвал заместителя мэра Турецкий. — Я прибыл сюда, оторвав вас, естественно, от важнейших, государственного значения, дел, чтобы выяснить раз и навсегда главный вопрос, а не заставлять прокуратуру, да и руководство столицы, не говоря уже о президентской администрации, питаться пока сплошными необоснованными слухами и домыслами. Итак, — он положил перед собой на стол новый лист протокола допроса потерпевшего, снял колпачок с авторучки, — чем, как вы полагаете, была вызвана эта жестокая попытка убрать вас? Извините, что я вынужден ставить вопрос с такой римской прямотой. О вашей супруге мы пока речь не ведем, хотя я искренне приношу вам глубокие соболезнования.

— Спасибо... А причин сколько угодно, — стал вроде бы успокаиваться Алексеев. — Да хоть начиная с наших строительных проблем! И пусть я к ним не имею прямого отношения, сам этот факт нельзя рассматривать иначе как попытку не просто устранить с дороги одного из ответственных государственных лиц, а желание придать совершенно иное направление всей политике Московского правительства. Это безусловно!

— Но, прошу прощения, такое важное и чрезвычайно опасное дело, как физическое устранение государственного лица, обычно вызывает и достаточно предсказуемые последствия. Это, к сожалению, смерть какого-нибудь бомжа может расследоваться годами, если еще будет по этому факту возбуждено уголовное дело, — Турецкий сознательно произнес слово с ударением на «у», как это делают в прокуратурах, — а по вашему делу нет никаких сомнений, что следствие уже в самое ближайшее время способно выйти на заказчиков. Но с одним непременным условием, Георгий Витальевич! Вы должны прямо при мне, сейчас, продумать и назвать лиц, на которых падает ваше подозрение. А уж раскручивать их, требуя признательных показаний, — это сугубо наше собственное, профессиональное дело. Найдем мы, разумеется, и исполнителей, с этим тоже, я уверен, проблем не возникнет, особенно когда дело на личном контроле у генерального прокурора! Если бы вы только слышали, какой это был гром среди ясного неба! Повторять слова президента, адресованные нашему генеральному, Владимиру Анатольевичу Кудрявцеву, я вам не стану, но, можете мне поверить, я бы не хотел их слышать в свой, скажем, личный адрес. Итак, я вас слушаю.

И произошла осечка.

Алексеев открыл рот, но, видя напряженную готовность Турецкого записывать каждое его слово, подумал и рот все-таки закрыл.

— Вы правы, я действительно должен хорошо подумать, чтобы не оговорить приличных людей. Мне просто собственная совесть не простит тогда такой ошибки...

— Я готов подождать сколько вам будет угодно, Георгий Витальевич, — учтиво заявил Турецкий. — И выслушать вас, когда у вас появится возможность для нашего закрытого для всех остальных краткого разговора. А что касается следов киллера, как теперь модно называть убийц-исполнителей, то у нас уже имеются кое-какие наметки. Я внимательно смотрел все материалы по этому уголовному делу, оно возбуждено, — повторил Турецкий, — по признакам статьи сто пятой Уголовного кодекса Российской Федерации, и, поверьте мне, исходя из собственной многолетней практики, я могу заявить со всей ответственностью, что дело будет раскрыто и преступники строго наказаны.

— Да, — покачал головой Алексеев, — это все, конечно, ужасно и еще раз ужасно... Но я в самом деле должен подумать, Александр Борисович...

О, уже первая победа! Он вспомнил имя-отчество следователя.

— Тогда не стану больше вас задерживать и прошу запомнить — по первому же вашему звонку... Вот моя визитка, здесь есть номер мобильного. Поручите, пожалуйста, своему симпатичному помощнику, мы с ним уже познакомились, и он немедленно известит меня о нашей с вами очередной встрече.

Турецкий встал, откланялся, пожал дружески протянутую ему руку и, четко повернувшись, как человек военный, покинул кабинет.

«Ты у меня теперь долго будешь думать, — злорадно ухмылялся Александр Борисович, покидая здание мэрии. — И заодно перестанешь нам морочить голову своими глупостями».

Когда будут названы фамилии, придется сделать по каждой из них телефонный звонок, а затем по возможности встретиться и переговорить со всеми, на кого только падет «карающий взор» Алексеева. А это все то драгоценное время, которое будет хотя и потеряно, но не совсем бездарно.

Глава четвертая
ВОЕННЫЙ СОВЕТ

1

Меркулов пристыдил-таки Грязнова, и тот назначил съезд гостей.

Собственно, это были вовсе и не гости, а старые товарищи, да к тому же одни, без жен, что больше напоминало не дружескую вечеринку, а военный совет. Ибо у всех в головах роились сходные мысли: что делать с этими наглыми посылами чиновника от мэрии?

То есть что делать конкретно именно с посылами, было ясно: пересылать их подальше, по уже давно известному адресу. Но чисто этические соображения указывали на необходимость делать это по меньшей мере элегантно. Все ведь вокруг играют не только в новую для себя демократию, они еще и пытаются сохранять при этом светское выражение на лицах, так что о подлинной, забытой римской прямоте, стоящей, как известно, дорогого, не может идти и речи. Поэтому и первый, заданный Грязновым вопрос прозвучал именно в этом ключе:

— А что, нельзя популярно объяснить президенту, что на этого типа никто и не собирался покушаться? Зачем тратить драгоценные минуты жизни на расследование явно ложной версии?

— У тебя сразу две логические ошибки, Вячеслав, — спокойно охладил разгоряченного хозяина медлительный сегодня Меркулов. — Первая, прошу заметить, касается адресата. Никто, ни один человек, с кем бы я ни разговаривал, не может ответить с полной уверенностью, что таково было указание президента. Они сами узнали это от мэра, который был накануне у президента.

— Так это его была идея? — не унимался Грязнов, с треском отрывая от курицы-гриль румяную ногу и жестом показывая, чтобы его примеру последовали другие.

— И мэр тоже не имеет к этой идее, как выясняется, никакого отношения.

— Ну так кто же?! — почти возопил Грязнов.

— Обстоятельства, Славка, — ответил за Меркулова Турецкий. — Я верно разбираюсь в ситуации, Костя?

— Абсолютно, — ответил тот. — Но! Прошу учесть, господа юристы, что всякая ложная версия имеет свои несомненные плюсы. И это второе, как, скажем, в данном случае. И тут я полностью согласен с твоим мнением, Саня.

— Как?! — красиво возмутился Грязнов. — У него уже имеется свое мнение, отличное от моего?! Ты когда успел, двурушник?!

— Пока ты раскачивался, — со смехом заявил Турецкий. — Вчера я побывал сразу на двух объектах. Даже на трех, если быть точным. И сделал для нас соответствующие выводы. Косте я их частично изложил сегодня, а тебе собирался сейчас, но, оказывается, у тебя собственный взгляд на события. Нехорошо, генерал, отлынивать от работы и еще делать вид при этом, будто ты единственный носитель истины.

— Это оскорбление! — начал Грязнов, но куриная ножка выглядела так аппетитно, что он переключил свое внимание на нее. — Ты авари... авари... — жуя и чавкая, махнул он обглоданной вмиг куриной костью и прицелился уже на вторую ногу.

Кроме Грязнова, курица больше никого пока не привлекала, друзья налегали на белугу, которая хорошо шла под коньяк.

— Официально делая вид, что мы носами роем землю, работая над этой версией... ложной разумеется, мы тем не менее убиваем одновременно двух зайцев, — заметил Александр Борисович.

— Зайцы? — оторвал взгляд от курицы Грязнов — заядлый рыболов и охотник. — Это интересно!

— Слушай дальше, будет еще интереснее... По предварительному заключению «молодого дарования» Сережи, я говорю про квартиру Баранова на Саввинской набережной, заряд, аналогичный, как уже известно, тому, что рванул на Бережковской набережной, ставил профи. Никакими наркоманами, которые собирались бы замочить доктора, там не пахло. Я имею в виду исполнителя.

— А почему говоришь об одном, а не о нескольких? — спросил Вячеслав.

— Объясняю. Замок в квартиру был открыт, как тоже

сообщил наш Сережа, хитроумной отмычкой, есть следы, царапины на механизме этого секретного замка. И человек тот был весьма хилого телосложения. В пользу такого вывода говорит то обстоятельство, что при открывании или закрывании двери длина растяжки была очень невелика, понимаете? Бомба должна была рвануть сразу, едва пришедший домой Баранов потянул бы дверную ручку на себя, ну... сантиметров на тридцать, не больше.

— Но ведь она же не рванула! — возразил Грязнов.

— Вот именно. И это тоже, по моему убеждению, входило в планы исполнителя. Когда мы проводили следственный эксперимент, Баранову пришлось — что он, кстати, и продемонстрировал нам во второй раз и что также запечатлено видеокамерой — в буквальном смысле растянуться на полу, чтобы заметить тросик натяжения. А в первый раз, демонстрируя, как все было, он просто присел у двери — и сразу «увидел». Зачем присел? Вот вопрос. Почему не лег на пол? А потому, что все уже знал заранее. И где бомба, и где тросик должен «блеснуть». Вот ты, Славка, возвращаясь домой, всякий раз обнюхиваешь свою дверь? И на пузо ложишься на лестничной площадке?

— Не говори глупости! Да и кому я нужен?

— Ну хорошо, тогда на меня несколько раз устраивали покушение. Вернее, попытки были. Я что, тоже ложусь и оглядываю дверь снизу доверху?

— У тебя семья все-таки, — заметил Грязнов.

— Ладно, а у тебя ее нет, ну и что? Отвечаю: липа это, дорогие мои друзья и коллеги.

— Да, но, зная, что бомба уже как бы заранее засвечена, исполнитель вполне мог сам не рисковать и поставить тросик подлиннее? Почему же он этого не сделал? — задумчиво спросил Костя. — Хотя, в общем-то, ответ напрашивается...

— Вот именно. Он уже думал о тех, кто полезет в квартиру через окно, а не войдет через дверь! Будь тросик длинным, дверь можно было бы беспрепятственно открыть и снять заряд, установленный фактически у порога. А тот мужик наверняка знал, как полезут эксперты-взрывотехники через окно и что они там должны будут увидеть. Поэтому я настаиваю: бомбу ставил профи. Скорее всего, из бывших военных. Таких сейчас у нас как собак нерезаных. Но примерный внешний вид, точнее, его телосложение, нам уже известно. Тощий! Вот такого субъекта и надо искать на Бережковской набережной. Не убедил?

— Погоди, а почему не возле дома Баранова? — спросил Грязнов.

— А потому, что там уже практически все опрошены, и никто такого типа не видел. Возможно, что работа была проведена ночью, так как Баранов явился домой только в половине седьмого утра. А ночами люди имеют обыкновение спать. Тем более что в подъезде только старый кодовый замок, который я сам открыл, не зная нужных цифр, — просто по вытертым кнопкам.

— А на Бережковской есть надежда что-то узнать? — спросил теперь Меркулов.

— Там, по-моему, проще. Растяжка вела от мусоропровода к двери на лестницу. Это уже как удалось восстановить криминалистам — по обломкам в основном. Но лестница посещаема. Прежде всего мальчишками, там все стены ими исписаны. А бомбист точно знал, что Артемова всегда ходит только пешком — странность у нее вот такая, каждый день спускаться и подниматься на девятый этаж без лифта. Время возвращения ее известно. Заранее ставить заряд и тем более закреплять растяжку было бы просто самоубийственно. Значит, она была поставлена в последний момент. Надо учитывать и то, что Алексеев уже находился дома. И если б пожелали взорвать его, заряд поставили бы так же, как и Баранову, у квартирной двери — чтоб наверняка. А здесь все было проделано в расчете именно на женщину, тяжело поднимающуюся по лестнице и не обращающую внимания ни на какие мелочи вроде того же блеснувшего тросика. Идея понятна? Больше того, я даже не исключаю, что тот взрывник мог находиться еще где-то в доме, чтобы собственными глазами убедиться в выполнении заказа. Его могли видеть жильцы. Вот на это в первую очередь мы и должны бросить все наши силы. Вы довольны?

— Вполне, — кивнул Вячеслав, за разговором успевший прикончить курицу. — А ты не пробовал, Саня, объяснить все это тому олуху из мэрии?

— Даже не пытался, ибо сей шаг посчитал бессмысленным.

— Хорошо, тогда насчет сил, — продолжил Грязнов. — Он кого имел в виду, Костя, нас с тобой?

— Нет, — без улыбки ответил Меркулов, — скорее всего, твоих ребят, Вячеслав.

— Да-да, Славка, твоих. На первый случай Яковлева с Галкой Романовой, а там посмотрим. Может, кого из бывших муровцев подключим. Опять же агентуру.

— А что, своих уже нет? — сварливым тоном возразил Грязнов.

— Мне асы нужны! — вздохнул Турецкий, перемигнувшись с Меркуловым.

Вячеслав Иванович просиял.

— С этого вам и следовало начинать... И как ты их хочешь использовать? — Он посмотрел на Турецкого.

— Галку пустить по квартирам — для опроса. Там народ проживает важный, не к каждому подступишься, а Галка умеет находить общий язык как с господами, так и с прислугой. А Володю? Для него у меня заготовлена работенка куда более интересная и, мягко выражаясь, пикантная. Одну лукавую девушку надо охмурить. И при этом остаться живым.

— Что, так опасна? — ужаснулся Вячеслав.

— Косте только не говори, — громко сказал Турецкий, прижав к углу своего рта ладонь ребром, будто он сообщает важную тайну. — Я бы сам взялся, да, боюсь, сил не хватит. А там опозориться просто никак нельзя.

Грязнов, естественно, «догадался» и загоготал этаким молодым жеребцом. А Костя помрачнел прямо на глазах.

— Эй, вы чего там затеваете? Молодежь мне развращать?! На самих давно пробы ставить негде, так теперь за молодых взялись? Я с таким трудом вырвал из-под твоего, Саня, влияния беднягу Поремского, так вы теперь другого испортить хотите? Не позволю! Сами, так уж и быть, черт с вами, бездельники, а молодых не дам развратить!

— Костя, да какой же там разврат? — мягко возразил Турецкий с укоризненным видом. — Всего и дела-то — постараться полностью расслабиться и отдаться во власть девушки. Быть с ней вежливым. А потом, когда она, как та пиявка, сама отвалится, аккуратно и нежно расспросить кое о чем. И все дела! Подумаешь! Инструктаж я бы поручил Славке. Девица, кстати, молодая, но, на мой взгляд, достаточно опытная. А что касается, к примеру, меня, то я боюсь, что наложение одного опыта на другой — понимаешь? — Турецкий пошлепал одной ладонью о другую, — может случиться совершенно непредвиденное. Девица быстро со мной соскучится и станет неразговорчивой.

Турецкий сам едва сдерживался, а Грязнов гоготал уже без перерыва. Костя посмотрел на него — стареющего льва, когда-то огненно-рыжего, от чего остались лишь пегие клочья вокруг настоящей генеральской лысины, и тоже заулыбался, чувствуя, что это был их очередной розыгрыш.

— Ну если только так, — сказал наконец снисходительно, чем вызвал новый приступ хохота — теперь уже у обоих «бездельников».

Отсмеявшись и вытерев слезы с глаз, Вячеслав спросил:

— А ты еще что-то про агентуру поминал, Саня? Это в каком смысле?

— Тут сложнее... — посерьезнел Турецкий. — У меня ощущение, что дела Баранова не совсем чистые. Нарколог, наркотики, понимаешь, масса всяких соблазнов, да та же девица в приемной, готовая на все... Там наверняка имеются зацепки, которые надо вычислить.

— Это у тебя ощущение или уверенность? — перебил его Меркулов.

— Уверенность, Костя, появится тогда, когда наша девушка откроет наконец рот. Вот в этом я убежден. Но она должна сделать это добровольно. Потому я и хочу ей всемерно помочь в этом вопросе. Вплоть до обещания жениться.

— Ничего себе запросы! — воскликнул Грязнов.

— Это только первый шаг, Славка. А второй последует после того, как наш агент, в смысле твой, сумеет вычленить из общей массы знакомых Баранова, всякого рода сволоты и наркоманов, вьющихся вокруг него, нужного нам человека. Я — вот тут уже почти — уверен, что киллера надо искать где-то рядом с ним или с его знакомыми. Неплохо бы, вообще говоря, установить и слежку за ним...

— Да, и прослушивание телефонов и мобильной связи, — в тон ему добавил Меркулов, — а ты сам не наглеешь, Саня? Откуда ты возьмешь соответствующие санкции? Лично я тебе их обеспечить не смогу.

— Но, Костя, — с фальшивым пафосом воскликнул Турецкий, — ты же сам только что обсуждал с нами президентскую тему! Уж если ты не совсем, извини, в курсе, то что могут на это ответить какие-то там судьи, от которых будет зависеть решение о прослушке? Да они в пыль разобьются, чтобы помочь органам выполнить строгий наказ президента! Ведь мы ж не о бомже, в самом деле, речь ведем, а о самом заместителе московского мэра!

— А что, Костя, Саня абсолютно прав, — поддержал Вячеслав.

— Ну хорошо, а чем вы оправдаете свой интерес к Баранову, расследуя дело вокруг Алексеева? — спросил Меркулов.

— А кого будут волновать такие тонкости следственных мероприятий? — сварливо ответил Турецкий. — Костя, ты меня иногда ну так удивляешь... прямо до изумления!

— Не хами! — отрезал Меркулов. — Там, где есть логика, там она есть, — уже примирительным тоном продолжил он. — Я разве возражаю? Я выясняю для себя, насколько вы сами уверены в своей правоте.

— Ну да, — Турецкий пробурчал, цитируя старинную реплику Карла Маркса, — «ваша правота по отношению к моей правоте столь бесправна, что я вправе...». Ты это имел в виду?

— Примерно! — с вызовом ответил Костя. — И ты не вправе, понял? Поэтому поступим так. Я попробую коечто провентилировать. Насчет скоропалительных мер — не обещаю. Но отдельные вещи сделаю. Вы поднимайте свои кадры и начинайте облаву со всех направлений, на раскачку времени больше нет.

— Так мы и не... — попытался возразить Турецкий, но Меркулов остановил его решительным взмахом руки:

— Скажите своим, чтобы они ни на миг не забывали об отвлекающем моменте — то есть постоянном присутствии если не в самом доме на Бережковской набережной, то рядом с ним. И это должны видеть жильцы и проникнуться, ясно?

— Так точно, ваше высокопревосходительство, — взял под воображаемый козырек Турецкий.

— Ну а раз так, то военный совет закончен. Можете

проводить меня. Но не напивайтесь после моего отъезда до состояния полной бессознательности!

— Костя, не обижай! Ты когда-нибудь такое видел?

— Вот и говорю, что боюсь увидеть...

2

Рабочая версия была подробно изложена собравшемуся уже назавтра наличному составу участников следственной группы. Собственно, для них и было предназначено совещание в кабинете заместителя директора департамента Грязнова. В своей комнатенке Турецкий не стал собирать народ. Люди могли бы просто не поместиться. Да и потом, в Генеральной прокуратуре столько посторонних лиц, явившихся к первому помощнику генерального прокурора, наверняка вызвали бы нездоровый интерес, который был никому решительно не нужен. Тут ведь как! Чем тише, тем ближе к истине.

Помимо грязновских оперативников и Поремского на совете присутствовали еще начальник следственного отдела межрайонки Кучкин, которого Александр Борисович твердо приписал к своей группе, а также «молодое дарование» Сережа Мордючков, которое уже умудрилось с утра «отметиться» пивком. Немного «вчерашний» Вячеслав Иванович, сидевший, естественно, на председательском месте, хищно поводил крупным своим носом в направлении эксперта-криминалиста и завистливо вздыхал. Турецкий, наблюдая, внутренне рыдал от смеха — сам он чувствовал себя, особенно после обещания Кости, уже на улице, у автомобиля, добиться санкции на установления прослушки, — в общем, нормально. Даже Ирина, супруга, не могла дома не оценить его старательных потуг появиться дома после дружеской попойки пусть и навеселе, но в абсолютно пристойном виде, что и было отмечено максимально благожелательным и обещающим поцелуем.

Подробное, с остановками, попутными разъяснениями, ответами на возникающие по ходу дела вопросы, изложение основной версии, а также и второй, используемой ими в качестве прикрытия, не заняло долгого времени.

Затем, когда общее любопытство было утолено, каждый из участников следственно-оперативной группы получил свое персональное задание. Не обошлось и без курьеза — это когда коснулись задания Володи Яковлева.

Слово для обозначения основных его задач, а также вариантов подхода к намечаемому объекту, было предоставлено Турецкому как человеку, ближе всех остальных знакомому с темой. А уж он постарался немного отвлечь молодых коллег от мрачноватых предчувствий — иного ощущения долгая и кропотливая, рутинная работа, которой им предстояло вплотную заняться, и не могла вызвать у них. А тут отвлеклись немного, посмеялись, накидали молодому капитану милиции дружеских советов, после чего разбежались — каждый по своему заданию.

Александр Борисович, как человек пунктуальный в делах, которые требовали обычно особого внимания, попросил Яковлева немного задержаться. Он хотел высказать еще ряд уже чисто личных соображений, о чем не мог, естественно, говорить вслух в присутствии Гали Романовой.

Вячеслав Иванович посмеивался, Володя краснел, как застенчивая девица, — само задание подобного рода ему еще не поручали, хотя в оперативной работе, он прекрасно знал, случается всякое, а уж подобное задание всегда представляется скорее приятным, нежели наоборот. Но тут, правда, как посмотреть — с каких позиций и какими глазами...

А Турецкий предложил Яковлеву следующий вариант действий.

Итак, шеф — это, разумеется, он, Александр Борисович Турецкий, возвратившийся из диспансера в рабочий офис, — всем своим видом и тем более восторженными репликами объяснил узкому коллективу, что случайно познакомился с девушкой такого высокого класса, что просто потерял душевное равновесие. И разговаривает он теперь, общаясь к сотрудницам и называя их по ошибке Варварами, Варьками, даже Варежками, таким проникновенным и ласковым голосом, что стало уже заметно всем окружающим — залетел шеф. И вот теперь он, Володя Яковлев, отчасти как доверенное лицо своего шефа, получив задание проверить кое-какие факты, касающиеся деятельности наркологического диспансера, решил выяснить для себя наконец, в кого это с такой неожиданной силой втюрился Турецкий. И потому он здесь. В смысле на телефонной трубке ее мобильника, номер которого самым наглым образом списал с одного рабочего документа у Александра Борисовича.

Задача? Немедленно познакомиться с воображаемой дамой его сердца, и желательно как можно ближе. Лучше совсем вплотную.

Юный, цветущий вид капитана, его краснощекое, особенно с улицы, лицо, говорящее о прекрасном здоровье и не растраченных еще физических силах, должны были определенно привлечь внимание Варвары, с утра до вечера болтающейся между врачами, пропахшими лекарствами, и наркоманами с алкоголиками, тоже провонявшими известно чем.

Кстати, неплохо бы и самому слегка освежиться перед первым свиданием туалетной водой — подороже и поприятнее. И почаще потом менять свой запах — многие женщины это по-своему ценят. Последнее было уже из собственного опыта Александра Борисовича — по молодости, разумеется.

Куда с ней деваться? Да куда угодно, хоть и на отцовскую дачу в Фирсановке, — не раз, случалось, бывали там прежде Грязнов с Турецким на шашлычках, это еще когда отец Володи пахал в МУРе, в заместителях у Славки. Дом хороший, зимний, это они оба помнили, так что и для приятного свидания имеются все условия.

Можно использовать и второй вариант. Пусть Вячеслав отстегнет на короткое время — а долго этот роман длиться и так не будет — одну из своих старых конспиративных квартир. Сохранил, поди, кое-что для служебных-то нужд.

Короче говоря, под флагом зависти к Турецкому, который загорелся минутным сладострастием, и ничем иным — поскольку об этом многим сотрудникам уже известно, — Володя собрался быстро и решительно перебежать шефу дорожку. В любви никакие договоры и условности не существуют! Другими словами, вот он тут: в одной руке цветы, в другой — хороший коньячок, в кармане шелестят купюры, выделенные на оперативные нужды, но в данном случае предназначенные для утоления неожиданных желаний, и звякают ключи от хаты, где никто любовников не побеспокоит. Причем конспиративная квартира может быть даже лучше, поскольку она хранит аромат неожиданности, а также причастности к служебным тайнам.

Это первый шаг.

Второй надо сделать только после того, как девушка действительно сочтет себя полностью удовлетворенной и даже частично чем-то обязанной за такой стремительный подарок любви. Этот следующий шаг обозначит мягкий и ненавязчивый переход к той теме, которая уже была, как бы между делом, заявлена Володей заранее. То есть проблемы наркологии. Что должно интересовать? Контингент пациентов. Нет ли среди них таких людей, которые бы смертельно завидовали Вячеславу Сергеевичу?

Кстати, о нем следует говорить только с повышенным пиететом — как о личности значительной, неординарной, перспективной и соответственно требующей особой к себе заботы и внимания. Кроме возможных «злодеев» неплохо было бы услышать и о друзьях доктора. Или о близких ему людях. Или о товарищах, собутыльниках, женщинах, с которыми он встречается, являясь холостяком, так что ничего зазорного в этом нет. Володя тоже ведь холостой, хорошо понимает его. Как и девушку Варю, которая также стремится урвать от жизни, пока молодая, как можно больше удовольствий и наслаждений. Это тоже нужно подчеркивать, ибо возведение даже обыкновенной похоти в ранг высоких материй, причисление ее к области возвышенных чувств, непременно будет способствовать самоутверждению данного объекта и, как говорил один сатирик, возвышать его (ее) над самим собой, любимым (любимой).

Попутно было бы неплохо выяснить, кто посещал доктора в последнее время, с кем он встречался на работе, к кому ездил в гости или просто на встречи. Особо это касается тех лиц, которые являлись во внерабочее время, из-за которых доктору приходилось задерживаться после окончания рабочего дня. Словом, необходимо изучить все его окружение. Но сделать это надо так, чтобы сам он ни о чем не догадывался, даже не помыслил, что его пасут. Или, не дай бог, прослушивают телефонные разговоры. Это табу.

И если девица согласится принять участие в такой вот игре, которая для нее самой, с одной стороны, покажется действительно шутливой и абсолютно неопасной забавой, а с другой — явится неоценимым подспорьем в расследовании, можно будет считать, что дело выгорит. И тут чем больше искренности и юношеского наива, тем лучше. Ведь она наверняка полагает себя опытной сердцеедкой, если не сказать большего.

Вячеслав Иванович, также внимательно слушавший поучения Александра Борисовича, лишь ухмылялся и покачивал головой.

— С такой глубокой и детальной психологической разработкой, Саня, я бы плюнул на свое кресло да сам пустился во все тяжкие! А что? Никакого же риска!

— Так за чем же дело? — усмехнулся Яковлев, так и сверкавший глазами.

— За тем, что задание поручено тебе, а, к сожалению, не мне, — вздохнул Грязнов. — Мне бы такого учителя в моей оперативной молодости, Володя, я бы далеко пошел!

— Да вы и так вроде...

— А был бы еще выше. Ну, надеюсь, у тебя нет существенных возражений? Просьб никаких?

— Только одна, — вдруг, смутившись, сказал Яковлев.

— Валяй какая? — Грязнов с Турецким незаметно перемигнулись.

— Чтобы это... ну чтоб мое задание, вот как сейчас, больше не обсуждалось. Я имею в виду при Гале, ладно?

Старшие товарищи снова переглянулись и почти одновременно уверенно заявили:

— Да ты чего, Володь?..

— Как тебе в голову такое могло прийти!.. Это ж важнейшее оперативное поручение!..

— Это как разведчик в глубоком тылу врага! Ну как Штирлиц!..

— Нет, Саня, Штирлицу было проще, к нему даже жену на свидание привозили, ты вспомни. А тут придется все самому. Все до последней мелочи. И каждый шаг свой при этом контролировать.

— Да ладно вам, ей-богу! — совсем уже засмущался Яковлев.

— Ты как с высоким начальством-то разговариваешь? — шутливо рассердился Грязнов, но, продолжая улыбаться, добавил: — Ладно, тайну сохраним. Удачи тебе. А ключик все-таки возьми.

Он открыл ящик письменного стола, пошарил там и

вытащил обыкновенный ключ от английского замка, прикрепленный к визитной карточке.

— Тут и адрес. С собой не таскай, но запомни твердо. Постарайся быть постоянно на связи. Свободен, привет родителю...

3

Галя Романова, которой досталась самая нудная и неблагодарная оперативная работа, но которая требовала особой тщательности и чисто женского обаяния, умения разговорить незнакомого собеседника, отправилась на Бережковскую набережную.

Задание осложнялось еще и тем, что со дня взрыва, унесшего жизнь женщины и разрушившего несколько лестничных пролетов со всеми службами — мусоропроводом, лифтами, выбитыми в доме стеклами, — дыры удалось отчасти залатать — люди-то продолжали жить, ходить на работу, выгуливать собак, водить детей в школу. Никто ж их не выселял. Объявили, что взрыв был четко направленного действия, то есть организован специалистом, поэтому так мало пострадавших. В противном случае жертв было бы несравненно больше.

И вот теперь, по прошествии двух недель, мало кто хотел вспоминать то, что случилось.

Прежнюю консьержку, допустившую проникновение в дом террориста, сразу уволили, а ее место заняла пожилая женщина, как сказали Гале в ЖЭКе. И теперь очередная стражница сидела все в той же застекленной конторке и внимательно читала объявления в толстой цветной газете. Если бы Галя сама ее не окликнула, она бы и не обратила внимания на пришедшую женщину. Вечная и неразрешимая проблема...

Оказалось, что в том же ЖЭКе даже не знали, где проживала прежняя консьержка. Пришлось искать ее с помощью новой стражницы. И вот тут уже очередная «работница охраны» проявила «бдительность». Она назвала адрес своей предшественницы только после того, как сама внимательно ознакомилась со служебным удостоверением Романовой. А квартира прежней сторожихи по фамилии Еропкина находилась в этом доме, этом же подъезде на втором этаже. Галя смотрела протоколы опросов — Еропкина ничего не видела, ничего не слышала, ничего не знает. Она еще и глуховатая, оказывается, была.

На дверной звонок откликнулся писклявый старушечий голос:

— Иван Захарыча нету еще, приходите позже.

— А он мне не нужен, — отозвалась Романова. — Мне надо срочно поговорить с Ксенией Никифоровной Еропкиной. Где она?

— Она — это я буду, — отозвался голос. — А кто ко мне? Я без хозяина никого не пущу! Не велено!

— Я из милиции. Откройте дверь, и я предъявлю вам свое удостоверение.

За дверью воцарилось молчание, затем послышалось:

— Ладноть, только я на цепочку.

В образовавшуюся щель сверкнул любопытный глаз. Посмотрел, прочитал, и... цепочка упала. Дверь открылась. На пороге стояла невысокая пожилая женщина в платке и пытливо разглядывала Галю.

— А зачем я вам понадобилася?

— Я должна задать вам несколько вопросов относительно того взрыва, который произошел в вашем доме две недели назад.

— Эва! — всплеснула руками женщина. — Я уж и забыла!

— Придется вспомнить, — жестко заявила Галя, ставя ногу и не давая закрыть дверь.

— Да что ж это такое?! — вдруг истошным голосом завопила бабка.

На ее крик из глубины квартиры появился солидный дядечка в полосатой рыжей пижаме и домашних шлепанцах. Он сурово взглянул на Романову и приказным, командирским тоном закричал:

— Кто такая? Что надо в моем доме?

Вероятно, это и был Иван Захарыч, которого «не было дома».

Галя спокойно объяснила и предъявила удостоверение, которое тот буквально вырвал из ее рук. Но, прочитав, задумался. Потом сказал, возвращая удостоверение:

— Я не знаю, что вы можете еще узнать у этой... — Он даже не соизволил назвать бабку по имени-отчеству. — Ее, насколько мне известно, уже допрашивали, она все сказала, что знала. Ну сколько это может продолжаться? — стал он заводиться.

Но и Галя тоже была не лыком шита — вся в свою бравую тетушку, генерала милиции, частенько говорили ей об этом те, кто знал Александру Ивановну, Шурочку...

Чуточку взволнованным голосом она объяснила, что показания, данные гражданкой Еропкиной Ксенией Никифоровной, были сняты с нее формально и по этой причине не могут удовлетворить следствие. Вот и вынуждена она теперь терять драгоценное служебное время на повторение вопросов.

Но Иван Захарыч был неумолим, можно подумать, что он обладал особой какой-то властью над прочими смертными. Он заявил, что никакого нового допроса не допустит и по этому поводу готов немедленно звонить в ту организацию, которая прислала Галю.

— Сделайте одолжение, — немедленно и охотно согласилась Галя. — Только вам придется сделать не один, а два звонка, но вы не волнуйтесь, я продиктую оба телефона. Первый — это помощник генерального прокурора России Турецкий, а второй заместитель директора Департамента уголовного розыска МВД России генерал Грязнов. Будете записывать номера или так запомните?

Громогласный хозяин еще немного подумал и заявил:

— Ну хорошо, в конце концов, чтобы не отвлекать подобными мелочами занятых людей, вы можете задать ей, — он обернулся к бабке, — свои вопросы. Это устроит?

— Так точно, — ответила Галя и добавила: — Если вы считаете женщину несовершеннолетней либо неспособной отвечать за свои слова и действия, можете лично присутствовать при допросе.

— Мне это совершенно ни к чему, — ответил хозяин уже вполне нормальным тоном. — Можете вместе с бабой Ксюшей пройти на кухню. Только это... — он брезгливо взглянул на ноги Романовой, — пальто снимите и сапоги, вон есть тапочки...

Галя сняла верхнюю одежду, сапоги — вполне хорошие еще, во всяком случае надраенные до блеска, и прошла за бабкой на кухню. Там села на поданный ей стул, разложила на столе листы протокола и задала первый вопрос:

— Вот в прежнем протоколе сказано, что вы, находясь в служебной конторке, не слышали взрыва. Объясните, чем вы в тот момент занимались, если не слышали, когда все жильцы показали, что взрыв был такой силы, что даже дом качнуло?

— Вздремнула, наверное, — честно призналась та. — Ходють цельный день без конца туда-сюда. Вот глаза от ихних хождений сами и смыкаются. А что качнуло, не то чтобы не слышала, а только потом сообразила, когда народ-то побежал да милиция понаехала. Да, стало быть, качнуло, было такое. Я тоже говорила, да, может, они не записали.

— Кто — они?

— Да там молодой такой был вроде тебя, девонька.

— Кого из посторонних, не проживающих в вашем

доме, вы видели незадолго до взрыва входящими в ваш дом?

— Дак это... Я их и не пускала.

— Значит, вы можете утверждать, что ни одного незнакомого человека не пустили в дом?

— Ну... могу, а чего?

— А таковые были?

— Дак я, считай, всех знаю, которые ходють! Из ЖЭКа которые, сантехник, электрик, этот еще... забыла. Телефонный мастер, он на девятый приходил, к Ляксеевым же, да!

— В какое время?

— А днем, точно, вспомнила, был такой. Сказал, что Ляксеев и вызвал.

— А где в это время был сам Алексеев? — спросила Галя, вдруг почувствовав, что, кажется, становится «горячо».

— Так он и был дома уже. Приехал, значить.

— А у вас не принято звонить жильцу, проверять, был ли вызов?

— Дак то ж Ляксеев! — со значением произнесла фамилию бабка. — Чего ж его-то проверять? Он сердитый.

— Как выглядел тот телефонист? Можете вспомнить и описать максимально подробно?

— Максимально-то нет, милая, ты чего, куда мне. А так обыкновенный. Нос, два уха... Худой больно и старый. Я еще удивилась, чего это он работает, не на пенсии? А он с чемоданчиком прошел к лифту и уехал наверх.

— А когда ушел?

— А вот как уходил, не видала, милая. Может, в квартире у Ляксеева работал?

— Хорошо, этот факт я проверю. Но вы точно этого телефонного мастера прежде не видели?

— Да уж чего я, совсем, что ль, милая? — возмутилась было бабка. — Говорю, не видела!

— А вам известно, что, возможно, этот ваш неизвестный мастер приходил, чтобы убить Алексеева? Взорвать его!

— Да ты чего?! Скажешь такое! Может, еще думаешь, я его нарочно пустила?

— Вы говорите глупость! — раздался властный голос из коридора. Видно, хозяин подслушивал разговор и вот не выдержал. — Это чушь! Можете так и заявить своему начальству! — добавил он, выходя в кухню. — Убита была Татьяна Васильевна, супруга его, а не он сам!

— Да что ты говоришь такое, Иван Захарыч?! Да как же оно можно, Татьяну-то Васильевну — за что? Ай, господи, грех какой! — всполошилась бабка, будто впервые услыхала об этом.

А может, она и в самом деле того? С выкрутасами в мозгах?

— Почему вы так уверены? — повернулась к хозяину Галя. — А вот сам Алексеев категорически утверждает обратное! И мы работаем именно над этой его версией! — запальчиво произнесла она.

«Пусть все в доме знают об этом, — подумала Галя. — Еще встретить парочку таких вот Захарычей, и весь дом будет в курсе дела. А значит, и Алексеев наконец успокоится, узнав, что вышло по его требованию...»

И еще она подумала, что Александр Борисович, видимо, был прав, указав на худощавого исполнителя. Надо бы только узнать о нем побольше. Возможно, кто-то еще видел его в доме, так что надо бы составить фоторобот преступника.

Хозяин пробурчал под нос что-то сердитое и покинул кухню.

Нарываться самой на свирепого Алексеева Гале совсем не хотелось, она была готова предоставить эту радость любому из своих начальников. Да, впрочем, его и дома наверняка не было — рано еще.

Она поблагодарила Ксению Никифоровну, дала ей расписаться на листе протокола и ушла. Решила пройтись по всем этажам, может быть, кто-то еще видел пожилого телефониста. А потом надо будет зайти на районную телефонную станцию и узнать про мастера, не исключено, что там ни о каких вызовах в квартиру Алексеева не слышали и этот человек как раз и может оказаться тем самым исполнителем-взрывником...

Отчасти Гале Романовой повезло, отчасти — нет.

Большинство из тех немногих жильцов, которые находились не на работе, не видели худощавого, пожилого мастера с телефонной станции с чемоданчиком. В основном расспрашивать приходилось стариков-пенсионеров. И вот среди них нашлись двое таких, что действительно смогли что-то сказать.

Один пожилой мужчина с десятого этажа вспомнил, что, когда он выносил из квартиры целлофановые пакеты с хламом, чтобы опустить их в мусоропровод, он услышал, как резко и противно заскрежетала крышка закрываемого, видимо, этажом ниже мусоропровода, хотя гула от падения брошенного в него мусора не было слышно.

А второй, его же возраста мужчина, отдыхал у входа в подъезд на лавочке и видел, как из арки появился пожилой человек в куртке, на спине которой было написано белыми буквами полукругом: «Телефонная служба». И был у него еще потертый чемоданчик в руке. Сейчас подобные редко кто уже носит. Коричневый такой, небольшой чемоданчик с металлическими наугольниками. Запомнилось, что мелькнула мысль: смотри-ка, старый уже, а все вынужден работать. Вот она жизнь наша нынешняя — неблагородная, нет, никакого уважения к возрасту. А этот, видно, серьезно болен — до того худ, прямо до истощения. Но вот лицо его жилец почему-то не запомнил. Такое оно и было — простое, морщинистое, незапоминающееся. Разве что глубокие складки у носа и сам нос — висячей грушей. Похож на вышедшего из запоя алкоголика. Но шел прямо, не горбился, и движения были уверенные. Такой вот парадокс, понимаешь...

Записав номер телефона и фамилию жильца, Галя вежливо предупредила старика, что его помощь может понадобиться следственным органам при составлении фоторобота этого человека, который подозревается в совершении преступления. Дед начал немедленно отказываться, говоря, что он нетранспортабельный, что рисовать не умеет, да и рассказчик из него никудышный, но Галя похвалила его за наблюдательность и ушла поскорее. Все-таки это была удача.

Дожидаться возвращения с работы Георгия Витальевича Алексеева она не стала, на это мог бездарно уйти весь день. Проще было тому же Александру Борисовичу либо Вячеславу Ивановичу позвонить важному чиновнику на службу и прояснить вопрос с телефонистом.

Сама же Романова отправилась в районный телефонный узел.

Но там, как скоро выяснилось, не работал телефонист, которого, со слов свидетелей, описала Галя. Впрочем, она в этом и не сомневалась.

4

Вячеслав Иванович долго копался в своей старой записной книжке. И так ее листал, и этак. Ворчал что-то под нос, наконец ткнул пальцем:

— Вот! Я же говорил? — удовлетворенно сказал самому себе.

Кому он и что говорил, понять было невозможно, поскольку в кабинете он находился один.

Еще какое-то время ушло на телефонные переговоры, выяснения, какие номера пришли на смену старым, и вот после очередного набора цифр, которые Грязнов тщательно вписал, вместо забеленных замазкой старых, абонент отозвался:

— Брискин у телефона, вам кого?

— Тебя, Исай Матвеевич, именно тебя мне и надо, — радостно ответил Грязнов. — Как жив-здоров? Сто лет тебя не видел! Грязнов побеспокоил, помнишь такого?

— Век бы тебя не помнить, Вячеслав Иванович, — с ходу ответил Брискин, — да куда от вас от всех денешься! С чем звонишь-то? Ты учти, отошел я от дел, никого давно не встречал, кто жив еще, а кто уже нет, не знаю. Да и знать не желаю, вот так!

— А мне всех и не надо, Исай, мне только некоторых. Ты лучше вот что скажи, на гитаре своей играешь? Все косишь под Розенбаума?

— Есть такой грешок, — обрадовался перемене темы бывший патологоанатом, которого в свое время Вячеслав Иванович взял на наркоте, но по мелочи, и решил не привлекать, а оставить у себя в загашнике — до будущих времен.

Он, этот лысый, чем-то отдаленно напоминавший известного питерского певца — тоже из медицинских работников, — носил кличку Розенбаум — за лысину и, естественно, за хриплый, блатной голос. Ну и за гитару еще, на которой постоянно бренчал. И чего-то у него даже получалось.

— Мне бы тут посоветоваться с тобой, Исай, надо. По старым твоим связям. Где тебе было бы удобно, так чтоб мы оба не особо светились, а чуток посидели, как в добрые прошлые времена?

— Ну домой я тебя не зову, нечего тебе тут делать. А вот посидеть... Ну давай у метро «Щелковская». Пивной бар найдешь? Спросишь Розенбаума, меня там всякая собака знает.

— Уж больно место шумное ты выбрал, а потише где нельзя? — недовольно ответил Грязнов.

— Так в шуме самая и тишина. Я обычно в правом дальнем углу столик занимаю. Вот и подходи. А ежли чего, можно и в кабинет перейти, к Васе, — друган у меня в официантах, он устроит. Но там подороже, за обслугу.

— Понял. Ну подгребай туда к шести, что ли. И я подойду. Крайний в правом углу, да? Найду...

Говорят же, кто с наркотиками связался, тот с ними уже до смерти не развяжется. А Розенбаум — не певец, конечно, а патологоанатом — давно сидел на мягких наркотиках, типа «кислоты» — таблеток «экстези», «голландских марок». Покуривал «план» и прочую возбуждающую дрянь. Похоже, организм его был изначально здоров и не хотел поддаваться издевательствам над собой. Вот к крепкому спиртному патологоанатом был всегда равнодушен, хотя имел спирт под рукой, но больше предпочитал пивко, и в немалых количествах, хотя и оно не шло ему на пользу — как был ходячей каланчой, так и не смог раздобреть телом. Разве что теперь, в старости, когда организму небось надоело терпеть насилие над собой.

Для посещения бара Вячеслав Иванович и оделся соответственно — снял форму, надел гражданское, кепочку взгромоздил на лысину и стал похож на обыкновенного посетителя пивной. А уезжая на служебной машине в район метро «Щелковская», подумал, что, вообще-то, мысль о кружечке пивка сидела в голове еще с утра, когда он унюхал кисловатый запашок от входившего криминалиста Сережи, и остро позавидовал тому. Видать, тут что-то фрейдистское, как сказал бы Саня. Думал, думал — и вот на тебе!

Он остановился в отдалении и пешочком прошел пару кварталов до бара. Посмотрел на часы — было еще без четверти шесть.

Бар уже наполнился посетителями. Но Грязнов сразу прошел к дальнему правому столику и, увидев, что он занят молодыми людьми, ни один из которых ничем решительно не напоминал Розенбаума, остановил первого попавшегося ему на глаза официанта и спросил, где найти Васю. Тот, не оборачиваясь, показал рукой в сторону темного коридора. Грязнов пошел туда, и единственный официант, который шел ему навстречу с большим подносом, уставленным закусками, оказался искомым Васей.

— Тут мой знакомый Розенбаум, ну Исай Матвеич, сказал про тебя, Вася, что ты можешь организовать кабинетик. Как насчет этого? Я не поскуплюсь.

— Сделаем, — коротко изрек Вася и кивком пригласил следовать за собой.

Занеся в очередной кабинет поднос, он вышел и опять кивком позвал дальше. Своим ключом открыл следующую дверь и гостеприимным жестом пригласил войти.

— Что прикажете?

— Пивка подносик, Вася, и легкой закусочки — на твой выбор. А когда появится Розенбаум, позови его, пусть подойдет сюда, лады?

— Будет сделано-с! — четко ответил Вася и удалился, прикрыв за собой дверь.

В комнатенке, освещенной настольной лампой, без окна, больше похожей на кладовку, стояло еще два стула. Понятно, для приватных встреч — именно то, что и надо. Но Грязнов обошел всю комнату, огляделся внимательно и подумал, что здесь, должно быть, чисто. Однако проверить не мешало, но не сейчас — позже.

И когда Вася принес на подносе шесть кружек пива с обильными шапками пены над каждой, а с ними большое блюдо, заполненное раками, крупными креветками, нарезанным сыром типа «Рокфор» и прочими вкусными мелочами, Грязнов не преминул тихо спросить:

— У нас тут разговор — не для чужих ушей, понимаешь? Так здесь у тебя все чисто? Проверять не придется? — И Вячеслав Иванович строго посмотрел на него.

— Можете не сомневаться, как для себя, — вышколенным тоном ответил Вася и слегка поклонился. — А им я передам-с.

«Им — это наверняка означало Розенбаума. Смотри-ка, пользуется еще старик, ишь ты!..» И Вячеслав Иванович сел за стол — было уже совсем невтерпеж.

Розенбаум подошел к третьей кружке.

Вошел в комнату как к себе домой. Походя сунул Грязнову жилистую руку с длинными узловатыми пальцами и тут же взял кружку, которую опорожнил в два глотка. Отодвинул пустую, придвинул новую и стал присматриваться к ракам, переворачивая их и подергивая пальцем шейки — это он проверял, живыми их варил повар или уже снулыми. Выбрал наконец самого крупного и с хрустом разломил панцирь, после чего стал плоским ногтем соскабливать с внутренней стороны розовый жир и обсасывать палец. Делал он это хоть и не очень «вкусно», зато профессионально. От большого рака остались лишь рожки да ножки.

И вот отгреб от себя по столу высосанные лапки и прочие несъедобные части, вытер бумажной салфеткой пальцы и уставился на Вячеслава Ивановича.

— Какие вопросы? — без имени, без отчества, как к постороннему.

— Тут у тебя как? — спросил в свою очередь Грязнов, обводя рукой стены.

— Нормально. Кто тебе нужен?

— Я хочу, чтобы ты выслушал меня очень внимательно, Исай, и хорошо подумал, прежде чем отвечать. Есть такой коллега у тебя, бывшего. Нарколог Баранов, главврач диспансера в соседнем округе, слыхал?

Исай утвердительно кивнул.

— Это хорошо. Окружение его тебе известно?

Исай помолчал и неопределенно пожал плечами. Спросил:

— Дело ему шьешь?

— Ему пока нет, а ты что, заботишься о нем? Помогает с этим? — Грязнов потыкал пальцем себе во внутренний сгиб локтя.

— Ты же знаешь, я не по этой части. Я больше травкой балуюсь. Как в Голландии, где совсем не запрещена наша дорогая отечественная Марь Хуановна, сечешь? Там люди живут!

— А у нас кто? — улыбнулся Грязнов, уже зная ответ.

— А у нас волки позорные!

— Так уж! Тебя разве кто трогает?

— Я другое дело. Я специалист, свое знаю... Так кто тебя из окружения-то интересует? На кого глаз положил?

— Да ты пей, пей. И закусывай. Я вот еще кусочек сыра съем и все остальное тебе оставлю, для кого заказывал-то?.. И вообще, хочу дать тебе подзаработать. Или ты тут бесплатно устроился? За харчи?

— По-разному, — словно бы засмущался Исай. — Через часок выйду туда, — он кивнул на дверь, — поиграю им маленько... Так кто конкретно, говори.

— Если б я сам знал, Исай... Ты вот сообрази. Если б я решил кого напугать до смерти, понимаешь меня? И отыскал бомбиста, который смог бы организовать... громкий шум по твоей бывшей части, ну связанной с моргом, я бы к кому обратился за помощью? А после, чтоб отвести от себя подозрение, повторил бы то же самое у себя дома, но только уже без шума. Как на такое дело смотришь?

— Ты, что ль, про исполкомовский дом? На «Киевской»?

— Слышал уже, значит?

— А кто не слышал? На лепилу намекаешь?

— Чего это ты так его, коллега твой все-таки в прошлом!

— Хрен он мне, а не коллега. Кликан у него такой среди наркошей. Так что, ему тоже подсунули?

— Нашли, говорят, да только не сработало.

— А-а, ты вот о чем? — Исай задумался, стал обеими ладонями, прямо-таки со скрипом, тереть свой лысый череп. Наконец прекратил это дело. — Тут недавно один коньки отбросил... Точней, нырнул. И не вынырнул больше. Темный тип, Додиком звали. Вообще-то, он Давид. Грицман фамилия. Наш человек. На тачке угодил прямиком в Яузу. Говорят, был уже вусмерть обдолбанный. Он вроде в друганах ходил у лепилы. Но я за это не отвечаю.

— А почему считаешь, что темный тип?

— Так говорят, — туманно ответил Исай и снова принялся за очередного рака, которого он предварил все тем же приемом — кружкой в два глотка. Ну и глóтка у человека! Но с другой стороны, понял Грязнов, при халяве иначе и нельзя, можешь не успеть. А кто не успел, — известно, тот опоздал...

А про этого Додика надо будет посмотреть в оперативных сводках, наверняка факт утопления на автотранспортном средстве зафиксирован в милицейском протоколе.

— Лепилу-то ты сам знаешь? — спросил Вячеслав Иванович. — Или только по слухам?

Исай снова неопределенно пожал плечами, усиленно занимаясь раком. Мешать ему, отвлекать — было делом бесполезным.

— Я с ними не кантуюсь, — соизволил наконец ответить Исай.

— С чего это? — пренебрежительно заметил Грязнов. — Гордый, что ли, стал?

— Не-е... Я предпочитаю со своими ребятами...

— Да откуда у тебя свои-то, всю жизнь был волком-одиночкой, — возразил Грязнов.

— Был, да сплыл... Я теперь с «гиппократами» дружу.

— Чего-то новенькое?

— Да не, частная клиника. Иногда приглашают... помочь.

— И в чем же помощь?

— Разное... Нет, что-то я не по делу разболтался. А чего тебе надо от «гиппократов»? Они крепкие парни... Хи-хи! — мелко засмеялся он.

И тут Вячеслав Иванович заметил, что Исая, кажется, понесло. То есть повело куда-то в сторону. Так, будто он уже принял где-то основательно, а сейчас лакирнул по привычке пивком и поплыл. О каких-то «гиппократах» понес. Кто такие? Зачем? Бандиты, что ли?.. Но не перебивал.

— Там очень крутые... да еще покруче будут, один Борька-Боксер троих будет стоить... А про Шкафа и говорить нечего! Никитка ого-го! — продолжал развивать свою мысль Исай, поглядывая на Грязнова уже мутноватыми глазами. — А они с лепилой того... давно уже... — Он скрестил пальцы и, сжав, потряс ими, показывая, возможно, крепость отношений лепилы и неведомых «гиппократов», но тут же сосредоточился на другом — внимание его отвлекла очередная кружка пива, которую он и опрокинул в себя уже испытанным способом.

Даже то немногое, что Грязнову удалось вытащить из впадающего в странный кайф Исая, требовало определенного раздумья. Да и вообще, пора было заканчивать пиршество.

Вячеслав Иванович поднялся, сказал, что ему надо уходить, но что он готов вскоре встретиться снова и тоже посидеть, и спросил, сколько, на взгляд Исая, это застолье будет стоить. Тот был еще, кажется, в себе, посмотрел, поднял голову, что-то прикидывая, и изрек:

— Штука.

Тысяча рублей? Жирновато за такие сведения, но ладно, главное — теперь Розенбаум на связи. Вячеслав Иванович положил на стол голубую новенькую купюру с серебряной полоской, по-приятельски похлопал Исая по плечу и вышел из кабинета.

Он почти не обратил внимания на пристальный, неприятный какой-то взгляд Васи-официанта, который его обслуживал. А чего обращать, если Исай сказал, что они приятели? Но ведь все до поры... И потом, почему у официанта обязан быть приятный взгляд? Это ведь желаемое, а не действительное... И забылось.

Поскольку от «Щелковской» до его дома на Енисейской улице было относительно недалеко, Грязнов велел шоферу отвезти себя домой, где и отпустил машину.

Уже из дома он позвонил на мобильник Турецкому. Тот оказался еще на работе.

— Саня, если найдется свободная минутка, заскочи ко мне на Енисейскую. Я тут пивком побаловался и кое-что накопал. Давай обсудим. Не бойся, это не продолжение дружеского банкета, а, скорее, окончание военного совета.

— Если так, — ответил Турецкий, — тогда жди. Мы с Поремским подскочим. Тоже имеются кое-какие соображения.

— Очень хорошо! Вот он-то и будет нам нужен! А я все думал, кому бы поручить?..

5

Пока гости ехали на военный совет, Вячеслав Иванович успел сделать несколько телефонных звонков по службе.

Ему подтвердили, что в прошлую пятницу на Яузе, в районе Курского вокзала, произошло ДТП со смертельным исходом. Автомобиль «Ауди-100» девяносто девятого года выпуска, значит, — уже не новый. Продиктовали и госномер автосредства, который ничего не сказал Грязнову. Водитель, судя по найденным при нем документам,

Грицман Дмитрий Яковлевич, семидесятого года рождения... проживал по адресу... и так далее. Проводилось опознание тела, присутствовала жена покойного, Грицман Ева Абрамовна, проживавшая по тому же адресу... Окончательный диагноз — механическая асфиксия. Судебно-медицинская экспертиза показала, что в крови погибшего в результате автомобильной аварии и утопления транспортного средства вместе с водителем в воде имелась крупная доза сильнодействующего наркотического вещества. На то же указывали и многочисленные следы уколов — «дорожки» на венах обеих рук. Так что можно сделать вывод, что само утопление человека, потреблявшего тяжелые наркотики, произошло в результате отключения его сознания, когда он ехал в машине.

Короче говоря, заснул за рулем и нырнул, сбив ограждения на набережной и так уже и не проснувшись. После вскрытия тело было передано родным и близким покойного, который и был похоронен на Троекуровском кладбище.

«Вот за этот факт надо бы зацепиться Володе, — подумал Грязнов о Яковлеве, брошенном на охмуреж секретарши Баранова. — Надо срочно ему сообщить...»

Мобильник Яковлева отозвался сразу.

— Ты чем сейчас занят? — строго спросил Грязнов.

— Собираюсь на свидание, — явно улыбаясь, ответил Володя. — Мне назначено на восемь. Вроде поедем к какой-то подруге.

— А как прошел первый контакт?

— А вот он теперь и состоится, пока только по телефону. Но девушка оказалась решительная, сказала, что согласна познакомиться... А на Сан Борисыча она, оказывается, успела уже обидеться. Видимо, за то, что он не воспользовался ее предложением. В общем, если погибну, считайте меня этим... коммунистом.

— Запомни такой факт...

И Грязнов подробно пересказал Володе все то, что только что услышал от служб ДОБДД и судмедэксперта, занимавшегося вскрытием.

— Не знает ли она его? Видела ли? Когда? Постарайся все выяснить и про прошлую пятницу, а также про все, что было накануне или за несколько дней до этого. Бомбу-то у него нашли еще до того во вторник. Имей это в виду. Галке не звонил?

— Звонил. Похоже, она нашла бомбиста, словом, все, как мы и думали. Но концов его нет.

— Почему?

— Там странная история. Галка выяснила, что на узел звонили и те обещали прислать мастера. В квартире действительно не работала связь. Это они сразу проверили. Но мастер пришел только к вечеру, когда уже было не до него. Там, говорят, такое творилось! Какие телефоны?! Там дом рушился. Вот и все.

— Интересный случай, — задумчиво произнес Грязнов. — А ты продумай для себя и такой вариант. Покойник — приятель нашего Баранова. Возможно, тот, как доктор, и держал своего дружка на игле. И, может, именно таким изощренным способом постарался избавиться от свидетеля, когда тот выполнил свою задачу, понимаешь?

— Не больно хитро? — усомнился Яковлев.

— А наркоманы — народ изобретательный. Сами вряд ли возьмутся, а вот организовать исполнение могут в лучшем виде. Так что нам, видимо, придется хорошенько прощупать теперь и его, этого покойника, окружение. Там у него вдова, говорят, осталась, надо попробовать.

— Что?! Опять я? Да побойтесь бога! — закричал Владимир.

Грязнов захохотал:

— Я не в том смысле! Хотя... кто его знает, что это за вдова такая?.. Ладно, пока действуй, а там посмотрим...

Тут и подъехали Турецкий с Поремским. В дверь позвонили, и Грязнов отправился открывать.

Чувствуя себя полностью «поправленным», Вячеслав Иванович, как гостеприимный хозяин, предложил и своим гостям, если есть желание, немного того, вместе со свежезаваренным чайком. Но Поремский поблагодарил и решительно отказался, а Турецкому после этого уже ничего не оставалось, как сосредоточиться на деле. К чему он тут же и приступил, заставив Грязнова подробно пересказать все обстоятельства его встречи с агентом. Особенно его заинтересовали данные о Додике. Ну и, разумеется, о возможной находке Гали Романовой.

— А что, похоже, сдвинулось, Славка, с мертвой точки?

— Да, похоже на то. Если бы еще эта Ева Абрамовна что-то знала, — добавил Грязнов задумчиво.

— Кто такая? — нахмурился Турецкий.

— А я разве не сказал? Вдова Додика, о коем рассказывал вам битый час.

— Ах ну да, — закивал Турецкий. — Адрес есть? Давай сюда. Давненько что-то я оперативкой не занимался! Ты как считаешь? Сколько ей может быть лет?

— Додик был семидесятого, вряд ли она старше.

— Ну вот и посмотрим, — ухмыльнулся Турецкий.

— Я-то думал Владимира твоего попросить, — кивнул Вячеслав Иванович на Поремского, слушавшего их с улыбкой.

— Мне кажется, что я это сделаю быстрее, — как отрезал Турецкий, и они перешли к следующей теме.

Вопрос стоял серьезный — как помочь Гале Романовой. Все понимали, что бросать девушку на поиск конкретного исполнителя очень опасно, даже несмотря на то что она оперативник хоть и с небольшим, но все-таки стажем, однако на прошлых делах ей, случалось, не хватало выдержки, именно когда уже обозначался след. Вот отыскать в куче соломы почти незаметную иголку она могла. Тут терпения и смекалки ей хватало. Но когда цель поиска уже обозначалась, Галя могла забыть обо всем и ринуться напропалую. Тут и подстерегала ее опасность.

Но и помогать ей следовало так, чтобы эта помощь для нее самой не выглядела этаким благодеянием — обидчивая девушка, вполне способна неправильно понять заботу о ней же. И налепить одну ошибку на другую. А потом беги выручай ее! Сколько уж раз бывало подобное...

И двух мнений быть не может, что если бомбист действительно профи, он без всяких размышлений уберет Галю с дороги. Он лишь исполнитель, а думают за него другие.

— У нее, кстати, просьба была, — заметил Грязнов. — Она Яковлеву ее передала, а сама отключилась. Не выходит на связь, я уже начинаю беспокоиться.

— А что за просьба? — спросил Турецкий.

— Надо позвонить Алексееву домой и выяснить у него, вызывал ли он к себе в тот злополучный четверг мастера с телефонной станции, и, если да, то приходил ли он и как выглядел?

— Ну так звони, чего ждем?

— Я думал, тебе это удобнее, ты же знаком с ним.

— Давай аппарат, — решительно ответил Александр Борисович.

Алексеев был дома и звонку Турецкого не удивился. Даже не спросил, как идет расследование. А когда Турецкий поинтересовался, почему не спрашивает, тот ответил:

— Да тут у нас уже весь дом говорит... Не знаю, правильно ли мы с вами поступили, Александр Борисович. Впрочем, ладно, что сделано, того назад не воротишь... Так что вы хотели?

И Турецкий рассказал про телефониста. Алексеев помолчал, а потом спросил:

— Это имеет какое-нибудь значение?

— Имеет, и серьезное. Я вам позже объясню. Мы подозреваем, что он поможет нам выйти на убийцу.

— Вон как? Даже так? Что ж, попробую вспомнить...

Он действительно велел вызвать мастера, поскольку городской телефон, когда Алексеев приехал домой, не работал. Просто молчал, будто где-то перерубили кабель. Подобное уже бывало, вокруг несколько лет назад кипела стройка, и с телефонами было одно мучение. К тому же тогда еще далеко не в каждой семье имелись мобильники. Это сейчас только что в футбол ими во дворе малышня не играет...

Звонил, естественно, не сам. Велел это сделать Вене, личному шоферу. Тот позвонил со своего сотового и вызвал. Обещали прислать еще до вечера, поскольку узнали, кому требуется. Но позже произошел взрыв, потом приехала милиция и врачи, а потом вообще стало уже не до городского телефона. Они, кстати, после взрыва чуть ли не во всем доме перестали работать.

Турецкий отметил для себя водителя Вениамина Каменского, чтобы позже связаться и с ним. Ни одного факта ведь нельзя оставлять непроверенным, хотя с общей картиной этого происшествия у него уже в голове прояснялось. И он поделился своими соображениями со Славкой и Володей.

Дело, скорее всего, было проделано совершенно элементарно. Явившийся в дом якобы по вызову Алексеева телефонный мастер мог попросту сам отключить на щите связь. Потом он, возможно, дождался приезда Алексеева и установил взрывное устройство. После чего мог подняться, к примеру, на верхний этаж и оттуда проникнуть в чердачное помещение, где и дождаться взрыва. Чтобы потом спуститься к подъезду вместе с паниковавшей публикой, убедившись предварительно, что задание им выполнено.

— Примитивно, ребята, просто! — воскликнул Турецкий. — А когда наконец явился подлинный телефонный мастер, в его услугах в доме уже никто не нуждался. Было не до него. Вот и весь расклад. Здорово придумано!

— Что-то больно легко у нас все получается... — пробормотал недовольным тоном Грязнов. — Не нравится мне это дело, Саня.

— А кому нравится? Тут вся штука в том, что они оставляют следы, будучи при этом уверенными в своем, скажем так, алиби. Но преступления без следа не бывает, для этого должен быть не один, а поголовно все настоящими профессионалами. Однако в нашей современной жизни этого быть не может по одной простой причине — сейчас время не профи, а обнаглевших дилетантов. И так во всем! Вот и результат.

— Согласен. Но как же нам тогда нащупать твоего бомбиста?

— Он может неожиданно всплыть в окружении того Додика. Странный парадокс, смотри: человек утонул, а свидетели выплывают вместе с ним! Как тебе?

— Я думаю, по твоей философии рюмка плачет, — ответил Грязнов.

— Ну что ж, раз так, наливай! И давай сюда домашний телефон Додика. Его, кстати, уже похоронили, не знаешь?

— Наверняка, неделя, считай, прошла.

— Отлично!

— Чего ж тут отличного, Александр Борисович, я тебя не понял? — вмешался молчавший доселе Поремский.

— А тем, что на похоронах обычно бывают провожающие. Не отрицаешь?

— Не отрицаю, иначе гроб некому нести.

— Правильно. А еще многие стараются при этом запечатлеть свой лик на память для потомков. Мол, он-то уже того, а мы еще ого-го! Фотографы-то, поди, были, куда от них сегодня денешься? Особенно если провожали «верные друзья»?

— Согласен.

— Вот и посмотрим на их скорбные лица... Алло? Ева Абрамовна? Извините, не могу вам сказать «добрый вечер». Какой уж он добрый!.. Да-да, я знаю... Примите мои самые искренние соболезнования... Простите, я, кажется, не представился... — Турецкий зажал ладонью микрофон трубки и сказал громким шепотом: — Ребята, просто охренеть, какой голос! — И продолжил в трубку: — Я первый помощник Генерального прокурора России Турецкий, а зовут меня Александр Борисович, и я готов предвосхитить ваш вопрос и объяснить, какое отношение имеет Генеральная прокуратура к безвременной и трагической гибели вашего супруга...

Он снова зажал микрофон ладонью.

— Сейчас она вытрет слезы и продолжит слушать... Дело в том... — В голосе Турецкого вдруг появились такие глубокие и взволнованные нотки, что Грязнов с Поремским изумленно переглянулись. — Дело в том, — повторил Турецкий, — что гибель вашего супруга рассматривается нами в контексте целого ряда преступлений, совершенных в последнее время одной опасной мафиозной группой. И этот факт стал немедленно предметом рассмотрения следственных органов. Вот в этой связи, прекрасно понимая при этом ваше нелегкое душевное состояние... да, мне известно, что вы его недавно похоронили... но я, как руководитель следственно-оперативной группы, просто вынужден вас побеспокоить. Надо задать несколько вопросов, которые, могу искренне обещать, не будут вам в тягость... Как, разве уже поздно? — искренне удивился Турецкий. — А мы у себя еще пашем вовсю! Нет, но, если вы продиктуете мне адрес, по которому находитесь, я постараюсь быть у вас ну, скажем, в течение ближайшего получаса... Где это? Ах ну да, на «Семеновской», разумеется, это же фактически рядом. Но мне необходимы все ваши дверные коды, чтобы еще раз не беспокоить напрасно... Записываю! Благодарю, еду!

Турецкий положил трубку, подумал, оглядел товарищей несколько отсутствующим уже взором и сказал:

— Пожелайте мне удачи. Иду на растерзание, так мне почему-то кажется...

— А может, не стоит? Может, запустим вперед молодежь? — подначил Грязнов.

— Старый конь борозды не испортит.

— Но и глубоко не вспашет...

— А поглядим. Голос вдовы, во всяком случае, волнует. А потом ее приятно удивило, я чувствую, что разговаривал с ней сам помощник генерального. Ну как послать после этого к ней обыкновенного «важняка»? А никак! Раньше надо было думать!

И Турецкий вышел, сопровождаемый нахальным смехом Вячеслава Ивановича и Владимира Дмитриевича.

Глава пятая

ОХМУРЕЖ

1

Подруга обманула, не появилась в условленное время. И настал момент уже, когда Варвара, истомленная не таким уж долгим, впрочем, ожиданием, была готова, кажется, ознаменовать самым недвусмысленным образом их знакомство прямо здесь же, на лестнице, не отходя от запертой двери.

Некоторые рукотворные действия девушки, которая еще в машине — в «Жигулях» шестой модели, которые были выделены Яковлеву по указанию Грязнова из гаража МВД, — успели убедить ее, что у капитана милиции, правда одетого в гражданскую одежду, все в порядке с его мужскими достоинствами. И ей попросту не терпелось. И тогда Володя предложил ей свой вариант.

Ключ от конспиративной квартиры в Северном Бутове у него давно «томился» в кармане, и, если бы не упрямство девушки, пожелавшей отметить их первое знакомство почему-то в гостях у подруги, все давно бы уже получилось самым распрекрасным образом. И главное — можно было бы перейти к тому главному делу, ради которого Яковлев и решился на это знакомство.

Словом, желание поломало заранее выстроенные планы, и через полчаса парочка входила в однокомнатную квартиру на первом этаже с окном на зимний лес. Занавески и плотные шторы были немедленно задернуты, зажжен ночник у изголовья разложенного широкого дивана, случайная простыня найдена в платяном шкафу, а больше ничего и не потребовалось. Даже рюмки для общего настроя...

Время, отмечаемое лишь утомленными стонами да прерывистыми вздохами, летело незаметно. Но его опять же было достаточно, и Володя прилагал все усилия к тому, чтобы Варвара, потребовавшая, чтобы он звал ее только Варькой — так, мол, она больше возбуждается, — поскорее выбилась из сил. Но, увы, девушка была неутомимой...

Только под утро она стала зевать, собираясь, видимо, отдохнуть перед уходом на работу. Володя представил себе на миг, как она будет сегодня весь день зевать у себя за столом в диспансере, проклиная бесконечных посетителей, а после рваться домой, под крылышко строгих родителей, так и не сумевших справиться со своей упрямой дочерью, и, по-своему искренне, даже жалел ее. Но служба требовала полной ясности. И он неожиданно «вспомнил».

— У меня сегодня тоже будет длинный и тяжелейший

день, — заметил он, как бы намекая, что и сам не возражал бы немного вздремнуть. Но — дело! Проклятое дело!

И стало видно, что он сильно расстроился.

Благодарная девица, каким бы черствым ни было ее сердце — в отличие от всего остального, — не могла не спросить, чем он озабочен. И спросила, как тут же подумал Володя, на свою голову. А он, словно воспользовавшись удобным случаем, стал ей рассказывать о своих оперативных заботах, суть которых сводилась к тому, что он обязан в буквальном смысле отследить знакомых, друзей и недругов доктора Баранова, чтобы суметь сделать вывод, кто из них может быть причастен к покушению на него.

Поворот темы для девицы был неожиданным, и она заинтересовалась подробностями — опять-таки на собственную голову. И вскоре, совершенно потеряв сон, под неуловимым нажимом Володи стала обозначать обширный круг знакомств своего шефа. Яковлев старательно запоминал — было бы большой ошибкой вытащить сейчас из кармана брюк, валявшихся на другом конце комнаты, как, впрочем, и платье его дамы, блокнот с авторучкой и производить записи. Нет, память, исключительно память!

Ну еще, чтобы быть до конца уже честным, то маленькая коробочка японского диктофона, которую вручил ему на всякий случай Вячеслав Иванович Грязнов, напутствуя перед важной операцией, тоже присутствовала и работала совершенно неслышно, фиксируя каждое сказанное слово.

И вот теперь Яковлев аккуратно подвел Варьку к тому понедельнику, который стал днем похорон доктора Артемовой, где, естественно, присутствовал и доктор Баранов. Этот день она помнила — еще бы, в первый раз Вячеслав Сергеевич провел с нею всю ночь и так старался! Девушка была отчасти совестливая и не стала называть вещи своими именами новому любовнику, но сладость, с которой она вспоминала ту ночь, была явной. Так что еще произошло тогда?

А, ну как же! Она еще не легла в ординаторской, куда услал ее доктор, когда к нему приехал симпатичный такой парень, которого Вячеслав Сергеевич называл Додиком, на большой черной машине с четырьмя кольцами на радиаторе.

— «Ауди», — подсказал Яковлев.

— Наверное, — согласилась она. И продолжала.

У них — у Додика с доктором — был громкий разговор в кабинете, даже они вроде бы ссорились немного. Но потом наверняка помирились, а доктор сделал Додику какой-то укол. Собственно, какой, можно и не сомневаться — определенно связанный с наркотиками. Потому что скоро голос того Додика стал много громче, он не говорил, а почти кричал. И речь у них шла о каком-то МЧС. Кто это такой, Варька не знала. А после Додик уехал, Варька сама видела в окно, как он садился в свою черную машину, которая стояла на стоянке рядом с «семеркой» Баранова.

Эту ночь Вячеслав Сергеевич, всю напролет, вот как сейчас они с Володей, провел с ней. И только где-то в шесть утра сказал, что ему надо быстренько съездить домой, чтобы переодеться и взять некоторые документы.

И еще одну фразу она запомнила, но, не разобравшись сквозь сон в ее смысле, переспрашивать так и не стала. Доктор сказал, что она самое дорогое его алиби. Но больше в тот день — это был, совершенно правильно, уже вторник — она Баранова не видела.

Сначала над ней подшучивала старшая медсестра Ольга: что ты натворила с доктором? Ольга знает свое дело, она давно уже с Вячеславом Сергеевичем спит, поэтому ее все и побаиваются в диспансере — ее слово для всех закон. А потом, у нее рука легкая, лучше любой медсестры уколы делает. Она Варьку, кстати, сама и оставила в тот вечер на дежурстве, когда Баранов куда-то умчался после чьего-то телефонного звонка. Варька видела, как он садился в чужую, тоже черную машину, которую по телевизору называют «бумером». На ней же и вернулся вскоре, но какой-то злой или вздернутый, — чтобы встретиться с тем Додиком. Ну а уж позже он и показал ей, где раки зимуют...

Девушка была проста, как дождевая капля — прозрачная и неожиданная.

Словом, уже к обеду, дозвонившись до Вячеслава Сергеевича, Ольга выяснила, что у него под дверью обнаружился такой же, видимо, заряд, как и в доме покойной Артемовой... А через два или три дня, уже ближе к вечеру, Баранов вернулся из прокуратуры, куда его вызывал следователь, очень расстроенный, даже не поздоровался, а позвякал в кабинете какой-то склянкой и снова убежал вниз. Варька посмотрела — на стоянке, возле «семерки» доктора пристроился прежний черный «ауди». Доктор сел к водителю, но вскоре вышел, а машина уехала.

— Это было в котором часу? — насторожился Яковлев. — Припомни поточнее, это очень важно!

— Я ж говорю, во второй половине дня. В полвторого я обедала в кафе напротив, а вскоре прибыл и Вячеслав Сергеевич. Наверное, три-полчетвертого. Темнеть уже начинало.

— И он, вернувшись, ничего не говорил?

— Нет, просидел в кабинете до конца дня, а потом поехал к себе домой.

И, как Варька на него тогда ни смотрела, не отреагировал. Сказал только, что длинный день, мол, закончился, поезжай домой отдыхать.

— А другие, неизвестные тебе, знакомые его приезжали?

— Так у нас же клиентура обширная! Целый день приезжают-уезжают... Всех и не упомнишь. А фамилии их, внесенные в личные карточки, являясь секретными, хранятся под замком. И лазает туда кроме доктора только Ольга, ей разрешено.

— А этот Додик, как ты его назвала, он-то почему запомнился?

— Так ведь я ж говорю: Вячеслав Сергеевич, обычно спокойный и рассудительный, рядом с ним словно сильно нервничал. А потом успокоился. Через два или три дня. Стал, как обычно, педантичный и уверенный в себе.

Ишь какие девушка-то слова знала! Но пришло и ее время — за разговором так и не удалось отдохнуть перед новым рабочим днем. А вечером еще в институт. Однако Володя Яковлев с характерным для молодости равнодушием подумал, что для Варьки подобные испытания наверняка не в новинку, сдюжит и это. Особой какой-то душевной благодарности он к ней тоже не испытывал — доставили друг другу приятное физическое удовольствие, и ладно. Удастся, можно повторить, не удастся, нетрудно ограничиться и уже случившимся, молодость действительно безответственна в этом отношении...

Но вот сведения о Додике и всем остальном, с ним связанном, были чрезвычайно интересны, и в этой истории следовало покопаться поглубже и поподробнее.

Запись была сделана, Володя отключил диктофон, незаметно вытащил его из-под изголовья и предложил одеваться, поскольку конспиративную квартиру, о своем пребывании в которой девушка должна молчать, чтобы не нажить себе крупных неприятностей, даже адрес ее забыть, следовало покинуть еще до того, как жильцы дома отправятся на работу. Значит, либо уходить немедленно, либо только после одиннадцати, когда никто на них не обратит внимания.

Благоразумная девушка задумалась: уж слишком много соблазнов предлагали оставшиеся четыре с половиной часа, но именно благоразумие взяло верх. И она решительно принялась одеваться, на ходу набивая рот бутербродами со всякой вкуснятиной, до которой так и не дошло дело в течение ночи.

Оставался невыясненным последний вопрос. Зачем нужна была подруга Танька, из-за которой пришлось потерять почти половину драгоценного вечера?

Все и тут оказалось до смешного простым.

Варька предложила вариант встречи втроем, та ухватилась за эту идею, но... возможно, что-то случилось, и планы подруги резко изменились. Так что если есть большое желание встретиться снова, а не ограничиться хитро построенным допросом — а Варька-то оказалась куда умнее и наблюдательнее, чем он предполагал! — то можно как-нибудь на днях устроить новую встречу. Втроем оно куда интересней! И забавней! Ну в самом деле, а почему бы и нет? Ох уж эти студентки-вечерницы! Ох медички!..

2

Александр Борисович с видимым интересом рассматривал большие цветные фотографии, сделанные во время траурной церемонии в ритуальном зале Троекуровского кладбища. Два дня назад только похоронили, а — гляди ты! — уже сделали снимки, да какие! Прямо хоть на обложку глянцевого журнала!..

Ева Абрамовна, черноволосая, томная тридцатилетняя женщина крепкого и щедрого от природы телосложения в свою очередь внимательно рассматривала, словно изучала, своего гостя, сидящего боком у накрытого к вечернему чаю стола, с закинутой ногой на ногу. Из-под распахнутого его пиджака взгляд женщины ухватил коричневую кожаную кобуру с торчащим из нее блестящим торцом рукоятки пистолета. И строгий, нахмуренный взгляд Турецкого, и эта вызывающе торчащая рукоятка, без всяких сомнений, указывали на то, что мужчина бывает грозен. Даже очень грозен, когда появляется где-то затаившаяся до поры опасность. Грозен и надежен — вот так, пожалуй, было бы правильнее всего. А если мужчина к тому же и сам высок, строен, широкоплеч и светловолос, как молодой викинг, где уж там устоять обиженному женскому сердцу, приблизившемуся к бальзаковскому рубежу?

И Ева Абрамовна, наблюдая за гостем, испытывала самое неподдельное волнение. Не только потому, что не исполнилось еще и девяти дней, после того как муж оставил ее навсегда, и даже не потому, что в ней вдруг могли проснуться какие-то свойственные всем женщинам слабости. Нет, она просто чувствовала, что ее тянет к этому более старшему, чем она, мужчине, как влечет всякую, обделенную женским счастьем бабу к сильному мужику, до которого так легко, казалось бы, дотянуться рукой.

Ну дотянулась, а дальше что? Кричать: «Какой ты подлец? Куда ты смотришь? Кому может быть интересно то, что ты с таким усердием рассматриваешь?» Но ведь ему действительно было интересно. И он положил один из снимков на стол, придвинулся ко вдове вместе со стулом, посмотрев при этом слишком близким и выразительным взглядом, после чего снова закинул ногу на ногу и вкрадчивым тоном спросил:

— А вот этот мужчина, любезная Ева Абрамовна, вам знаком?

«Любезная» прерывисто и словно украдкой вздохнула, что не ускользнуло, однако, от слуха Турецкого, наклонилась ниже к снимку и, следя за пальцем гостя, неопределенно пожала плечами.

— Если вас эта странная личность интересует, Александр Борисович, то я бы могла, пожалуй, вспомнить... А сейчас — нет, что-то мелькает, но весьма неопределенное. Что-то я, кажется, слышала от мужа, да... Он где-то служит, в каком-то высоком учреждении. Или служил... Он определенно военный, это заметно по его поведению. Непререкаемому, что ли? Но вы сами видите, какой-то... как бы сказать... Да никакой! — нашлась она наконец. — Безумно худой, словно больной подросток. Неприятный такой, словно раздевающий человека, взгляд. Речь негромкая, шепелявая. Явно он с определенным комплексом...

— Господи, да когда ж вы успели все это заметить? — Турецкий с восхищением уставился на женщину и чуть откинулся на стуле, так как решил, что подобный вопрос, произнесенный восторженным тоном, слишком смелый с его стороны шаг.

Но она поняла иначе и тут же, словно машинально, сама придвинулась к нему поближе.

— Я вспомнила, он... был у нас... у Давки. Даже дважды.

— Какое странное имя! — удивился Турецкий. — Я слышал, вашего мужа называли Додиком, тоже, честно скажу вам, не очень звучит. Но Давка?

— Давка — от Давида, он любил, когда я называла его так. И терпеть не мог эту собачью кличку — Додик. Он даже поэтому имя в паспорте сменил, когда получал новый. Стал зачем-то Дмитрием. Стать-то стал, — со вздохом продолжила она, — но послушной собачкой так и умер. Все кто мог ездили на нем, только что не верхом! А Давка был талантливый человек, на многое был способен... Но, я вам так скажу, Александр Борисович, если чего Бог не дал, то уж извините... Он слишком любил удовольствия. Вы знаете, все, кроме... кроме одного. А каково это чувствовать супруге? И далеко еще не старой, как вы заметили, возможно...

— Бедная, — сочувственно прошептал Турецкий, и шепот его явно глубоко проник в ее безвременно опустевшее сердце. — Как глубоко я вам сочувствую... Если бы вы знали... Увидев вас, я с искренней завистью немедленно подумал, что Давид, вероятно, был безумно счастлив с вами при жизни! И что же я слышу? Ай-я-яй, какое горе! И что же он — совсем, совсем? Ни-ни? А может, он, извините, с мальчиками? Так иногда бывает! — Тон Турецкого был настолько проникновенным, прочувствованным, что ни одна женщина, обделенная мужской лаской, не устояла бы.

— Ах, какие там девочки, какие мальчики! Он просто был неспособен. Раньше что-то еще мог, как-то — понимаете? — но полагал, что если взбодрит себя наркотиками, то сразу станет более сильным мужчиной. А потом наркотики остались, а все остальное исчезло полностью. Даже поцелуи перед сном стали пресными и чужими...

— Он принимал наркотики? А где же он их брал? Или их ему заменяли какие-нибудь лекарства?

— Ах, знаете, Александр Борисович, свинья грязь найдет. Был у него приятель, врач-нарколог, тот постоянно выручал. Но, я думаю, и хорошо пользовался ответными какими-то услугами моего мужа...

— А тот, худой? Вот этот, Ева Абрамовна? — Турецкий ткнул пальцем в снимок.

— Вы про Ваню? — вспомнила имя вдова и тут же добавила: — Только вы сделайте мне приятное одолжение, зовите меня просто Евой, я люблю свое имя.

— С удовольствием! — горячо подтвердил Турецкий. — А он что?

— Нет, Ваня, по-моему, не пользовался. Он вообще не в меру говорлив, но не пил и не курил. Я ж говорю, с комплексами. Видно, какая-то давняя болезнь не позволяла. Смотрите, как выглядит — совсем старик, а ведь ему, Давка говорил, нет и сорока. Но он противный — чисто по-человечески.

— А в чем же, если не секрет?

— Ах, да какой теперь секрет! Раньше, когда Давка был

жив, я молчала. А сейчас? С вами?.. Понимаете, этот Ваня из той породы мелких людей, которые желают непременно иметь крупных женщин — вот вроде меня. Есть такая малорослая и тщедушная поросль, которая мнит себя Наполеонами. А всего-то и хватает их на то, чтобы оседлать кобылу да скакать до полного бесчувствия, без всякого удовольствия и жалости к ней, понимаете? Загнать, что называется, и в хвост и в гриву! — И она с откровенным вопросом взглянула Александру Борисовичу в глаза, словно призывая его разделить вместе с нею ее глубокое огорчение и только представить себе то, что она с таким вдохновением сейчас описала.

— Я этого не понимаю, — горячо возразил Турецкий. — И что, этот плюгавый тип посмел обратить на вас свое внимание?! — уничижительным тоном спросил он.

Старательно пряча усмешку, он подумал, что насчет гривы она определенно прихвастнула — какая у нее грива, наоборот, очаровательная и, кажется, модная нынче короткая стрижка, зато насчет хвоста? А вот что круп действительно в большом порядке и скачка может в самом деле представить великое удовольствие — это факт. Не так уж, видно, и глуп этот Ваня.

— Ну как же, так я ему и позволила! Терпеть не могу бесчувственных болтунов... Уж лучше бы пил, ей-богу!.. Но ручонки тянул, это было — фу! — Ее даже передернуло от неприятного воспоминания. — А мне нравятся мужчины как раз вашего типа, Александр Борисович...

— Да ну? — «изумился» Турецкий. — Мне чрезвычайно приятно слышать это именно от вас. Оказывается, наши ощущения взаимны.

Ева скромно потупила взгляд.

— А этого доктора вашего, я имею в виду приятеля Давида, здесь на снимках нет?

— Вы знаете, удивительно, но он не явился. Народу было много, некоторые из них, честно скажу вам, очень странные. Такие, знаете ли, как настоящие бандиты!

— Так, может, они ими и были? — чуть улыбнулся Турецкий, чтобы разрядить немного траурное настроение.

— У Давки?! На похоронах?! Да вы что, Александр Борисович?!

— Саша.

— Что — Саша? — нахмурилась было она.

— Я вас — Ева, вы меня — Саша, разве будет неправильно?

— Вы так странно сделали это предложение, что я не сразу поняла, — с застенчивой кокетливостью ответила женщина и тоже улыбнулась.

И лицо ее стало приятным, исчезли напряженные морщинки на лбу, растворилась некоторая угрюмость в глазах. Заалели щеки, будто Турецкий отвесил ей невесть какой комплимент.

— А почему вы так отреагировали на провожавших во время похоронной процессии? — вернул ее к теме Александр Борисович.

— Я в этом просто уверена. Он был слабовольный человек, но сделать кому что-то плохое вряд ли смог бы. Поэтому...

— Вы к нему очень хорошо относитесь.

— Увы, теперь уже только относилась!

— Я про память. А она не умирает, как известно. Но с годами понемногу тускнеет, стирается. Пройдет и это ваше горе. Детей у вас нет?

— Увы!

— Так заведете! — радостно воскликнул Турецкий. — Одиночество, Ева, очень неприятная, даже вредная штука! Поверьте, я кое-что понимаю в этом. И потом, ваш возраст, Ева! Вы женщина в самом соку! Кому же и заводить детей, как не вам? Это я уже староват для вас, — скромно потупился он.

— Зато у вас вид вполне благополучный, — чуточку сварливо возразила она.

— Значит, я умею хорошо притворяться, — усмехнулся он.

— Вы? Да вы же прямо на ладони, Саша! — оживилась она. — Хотите, я скажу, о чем вы все время напряженно думаете? Занимаетесь своим следовательским делом, смотрите снимки, расспрашиваете, а сами неотрывно думаете... сказать?

— Подождите, — жестом остановил он ее. — Я, кажется, догадываюсь, о чем вы сейчас скажете. Да, сознаюсь, вы абсолютно правы. Я только об этом и думаю с той минуты, как вошел в вашу квартиру. Ну что теперь поделаешь, раз так случилось? Но ведь я также ни единым словом не выдал своих желаний, верно?

— А глаза? — засмеялась она. И вдруг оборвала смех, сделала строгое лицо. — Скоро девять дней... Я хочу, чтобы душа его, если она еще о чем-то волнуется, успокоилась. А через сорок дней он вообще может... помахать ручкой... Но на девять дней соберутся некоторые его бывшие друзья, из этих, — она кивнула на разбросанные по столу фотографии, — и я должна полностью соответствовать — и внешне, и вообще, вы меня понимаете?

Турецкий внимательно посмотрел на потолок, подумал и сказал:

— Это в субботу?

— Вот именно.

— Фотограф будет тот же?

— Я могу пригласить, если надо. Он, мне сказали, из «Ритуала». Неплохо все вышли, правда? Но только дорого берет.

— Вообще-то я могу организовать вам профессионала, и совершенно бесплатно, но лучше, если это будет все-таки ваш человек, который у остальных ваших гостей на поминках не вызовет подозрений. А позже вы мне назовете его фамилию и укажете, где конкретно он работает, хорошо?

— Как скажете, Саша. Так вот, после этого противного застолья, от которого, к сожалению, нельзя отказаться из-за мерзкого старинного обычая, я буду готова снова встретиться с вами. Если у вас не остынет желание... встретиться.

— Скажу вам тоже честно, — он приблизил губы к ее ушку и прошептал: — Эти два дня превратятся для меня в пытку, — и тихонько чмокнул в ушко.

— Ах какой вы! — сдавленно воскликнула она и буквально вся залилась краской — и лицо, и шея, и обнаженные руки...

По идее, сейчас следовало быстро и ловко подхватить ее на руки, но обычаи... но элементарная порядочность — не торопить женщину, пока она еще не готова, но... Их могут возникнуть в самое неподходящее время тысячи — этих «но». И с ними приходится считаться... Жаль, ее заботы о внешности, конечно, чепуха, уж он-то бы сейчас ей внешность не испортил — напротив, наверняка расцвела бы. Но, возможно, именно этого она и опасалась? Яркого своего цветения, которое не может пройти незамеченным... Ох эти женщины!

В конце концов, решил Александр Борисович, мы живем в цивилизованном обществе и вынуждены следовать его условностям. И он, вместо демонстрации страстного порыва, лишь провел концами пальцев по ее словно раскаленной руке. Ева в очередной раз тихонько ахнула и беспомощно закатила глаза.

Турецкий тут же поднес к ее губам чашку с остывшим чаем и принудил сделать маленький глоток, который немедленно вернул ей сознание.

— Давай действительно подождем, — просто сказал он, перейдя на «ты». — Уж наше-то наслаждение от нас не убежит... А пока расскажи мне об остальных людях на снимках. Я все-таки, как ты, Ева, изволила уже заметить, в первую очередь следователь, а не обалдевший от красивой женщины случайный гость. Вернее, совсем не случайный. И я всерьез собираюсь найти того мерзавца, который убил твоего мужа.

— Но он же утонул...

— После того как его, не исключаю, профессионально подвигли на это. Я могу появиться у тебя либо в субботу поздно вечером — если гости к тому времени разойдутся, либо в воскресенье с утра. Что тебе предпочтительнее?

— Мне... — она посмотрела на него прозрачными глазами, — желательно, чтобы ты вообще не уходил. Но... я понимаю, что жизнь есть жизнь. И у каждого свои дела и заботы. — Она вдруг упала лицом ему на грудь, ее сотрясли короткие рыдания, а потом она сдавленно произнесла, не отрывая от него лица: — Если бы ты знал, как... Господи, как я безумно устала от всех от них!.. И как я их всех терпеть не могу!..

— Вообще-то я могу тоже явиться на поминки — к сбору, так сказать, гостей и одним своим присутствием избавить тебя от нежелательных приставал. Что скажешь? — Он с интересом посмотрел на нее.

— Это было бы очень хорошо, я даже сама подумала, но... Никто не поймет.

— Нет, понять-то они все поймут сразу, но необходимо ли тебе такое понимание, вот вопрос?

— Я думаю, все-таки не стоит.

— Но про фотографа ты не забудь.

— А может, ты действительно пришлешь своего? И мне будет полегче...

— Хорошо, — ответил Турецкий и подумал о Сереже Мордючкове.

Тот и снять сумеет все что нужно, и напьется в охотку, чтобы отвести от себя любые подозрения. Главное — строго его предупредить, чтобы он до конца держал марку и не растерял по нечаянности морального облика собственного лица, как он сам однажды о себе выразился. Зато утром он сможет «болеть» сколько ему будет угодно.

Александр Борисович взял с собой групповую фотографию, на которой был наиболее отчетливо виден этот неизвестный ему пока Ваня. Подумал, что надо будет его отпечатать отдельно, и было бы совсем неплохо, если бы кто-нибудь из Галиных стариков с Бережковской набережной опознал его.

А взамен унесенной фотографии Еве была вручена визитка со всеми контактными телефонами Турецкого — для экстренной связи.

Расставались на два дня, будто заговорщики, уходящие на последнее свое дело, которое может оказаться для них трагическим. Они так стиснули друг друга в невольном объятии, что у женщины занялся дух. Она даже и не ойкнула, а бессильно обвисла на его руках. И если бы не стойкость Александра Борисовича, Ева Абрамовна наверняка бесстрашно нарушила бы самой себе данное слово и отдалась порыву страсти прямо здесь, посреди просторной прихожей. Но, к их взаимному благоразумию, этого не произошло. Иначе как бы они потом глядели друг другу в глаза, верно?

«Или ничего? Уж какое-нибудь объяснение нашли бы своей пылкой несдержанности? — подумал Турецкий и продолжил мысленно: — Обязательно отыскали бы, без всякого сомнения. А впрочем, долго искать тоже не пришлось бы — какие могут быть стеснения и неудобства там, где тебя прямо-таки одолевает вожделение?»

Тем более что и два дня были обозначены ими скорее фигурально, как точка отсчета, ибо они оба теперь прекрасно понимали, что при острой следственной необходимости встреча могла произойти, да хоть прямо завтра же — это уж куда и как повернет дело.

«Очень способная и милая женщина, — весело думал об оставленной им вдове Александр Борисович, спускаясь по лестнице к подъезду. — А ведь идея с Сережей очень неплохая!»

3

Грязнов решил сам съездить на Бережковскую набережную и вместе с Галей походить по квартирам и, вообще, хорошенько осмотреться на месте. Он конечно же доверял своим оперативникам, но предпочитал в особо сложных делах полагаться также и на личные впечатления.

С оставленной Турецким фотографии был отдельно переснят и увеличен фигурант, выступавший под именем Ваня. Ни бывшей должности его, ни места работы, ни фамилии, ни адреса в распоряжении следствия не имелось. Как не было и реальной возможности произвести, к примеру, обыск в доме и на службе у доктора Баранова — какие основания? Да никто не подпишет санкции!

Эту фотографию следователь Кучкин, по указанию Александра Борисовича, отвез к Баранову, который уже не раз встречался с Валентином Арнольдовичем, и предъявил ему. Но визит ничего не дал — озабоченный своими проблемами, Вячеслав Сергеевич категорически отрицал, что знает этого человека. Ни разу его в жизни не видел и слышит имя Иван в первый раз. Если он и врал, то очень правдиво. А больше вопросов к нему пока у следствия не возникло. Все-таки до сих пор он проходил в деле как потерпевший, а не как подозреваемый!

Что же касалось Дмитрия Яковлевича Грицмана, тут доктор Баранов был вполне искренен. Да, конечно, знал, и даже довольно неплохо. И супругу его видел не раз — милая женщина. Известно ему было и то обстоятельство, что Додик — так его все называли между собой — грешил наркотиками. Легкими, правда, до серьезных ломок дело не доходило. Правильнее сказать так — баловался, легкий кайф ловил. Но иногда действительно, когда, видимо, перебарщивал, случались с ним и неприятные инциденты. Приходилось помогать, именно по-дружески, подобно домашнему врачу, снимать абстиненцию. Но это было всего два или три раза за все время. Так что и говорить-то, по большому счету, особенно не о чем.

На вопрос, почему тогда, по его мнению, в крови погибшего, как утверждает судебно-медицинская экспертиза, оказалась слишком большая доза тяжелого наркотика — героина, явно расстроенный таким оборотом дела доктор с огорчением развел руками. Наверное, Додик, неважно себя чувствуя, допустил по неопытности передозировку, после чего и потерял над собой контроль. Мог заснуть, находясь за рулем, мог просто отключиться на краткий миг, которого с избытком хватило для ужасной трагедии... Это, кстати, и объясняет в какой-то степени причину гибели человека.

Валентин Арнольдович едва сдержал себя: этот напыщенный индюк, наверняка же и являющийся убийцей, еще дает советы следствию! Да какие! Ничего, значит, не боится, слишком уверен в себе...

— Он у вас не был в день своей смерти? Или накануне? — делая невинное лицо, спросил Кучкин.

Баранов подумал, внимательно посмотрел на него и медленно, отрицательно помотал головой:

— Не помню, кажется, нет. Дел было много... А если и приезжал, — раздумчиво продолжал доктор, — то разве что посочувствовать в связи с покушением. Неудавшимся, естественно. Многие, оказывается, знали об этом факте. Кто звонил, кто заскакивал на минутку в диспансер, чтобы просто дружески пожать руку. Возможно, и Додик заезжал.

А когда настырный следователь спросил Баранова, почему тот не был на похоронах своего хорошего знакомого, ведь к Артемовой-то он приезжал, и даже на поминальном банкете зафиксирован, Вячеслав Сергеевич объяснил это тем, что ему просто не сообщили о дне похорон Грицмана. Он же ничего не знал! Ну конечно, в газетах же и по телевизору не сообщали — кто для них какой-то Додик Грицман? — а никто из родных или знакомых покойного не позвонил.

Кучкин возразил, что, по показаниям вдовы Грицмана, она лично обзванивала всех знакомых мужа, звонила и доктору, и он якобы обещал прийти, но не явился.

— Видимо, несчастная женщина что-то путает, — тут уже категоричным тоном и без всякого смущения заявил Баранов, — да ее можно понять — такое потрясение! И как после этого ей еще думать о каких-то там посторонних людях?! Не будьте наивным, Валентин Арнольдович. Впрочем, — еще немного подумав, поправил себя Баранов, — возможно, вдова говорила с его секретаршей либо с тем, кто ее мог подменить на какое-то время. Ну а та по какой-то причине забыла или не захотела передать. Все-таки его звали подряд на вторые похороны, могла разволноваться. Но втык по этому поводу я ей сделаю, — пообещал Вячеслав Сергеевич, легко уйдя от дальнейших объяснений...

И вопрос с самим Додиком тоже оставался пока открытым. Расшифровка магнитофонной записи беседы старшего оперуполномоченного Владимира Яковлева с Варварой Анатольевной Нестеренко (в миру, как известно, Варькой), не являлась протоколом официального допроса. А чтобы простая беседа стала таковым, с девицей следовало еще работать и работать. Ведь испугается, откажется — и все! И любые ее «разговоры» псу под хвост, в корзину для ненужных бумаг. Каждый адвокат моментально уберет это препятствие. А записная книжка Додика, побывавшая в воде, размокла, буквы, написанные модным еще недавно чернильным «паркером», расплылись и дешифровке у экспертов-криминалистов поддавались с гигантским трудом. Да и конца этой работе не предвиделось.

Другое дело мобильник. В его «записной книжке» находилось с два десятка телефонных номеров, расставленных не под именами, как делают многие, а под цифрами — 1, 2, 3 и так далее. Сам Додик знал, кто стоит за этими цифрами, не стало это секретом и для криминалистов, установивших по справочной службе фамилии абонентов этих телефонных номеров. Но среди двух десятков человек не было ни доктора Баранова, ни неизвестного Ивана. Скорее всего, Додик записывал только те номера, которыми приходилось пользоваться редко, а необходимые постоянно держал в собственной памяти. Кроме всего прочего, у него мог быть не один мобильник, а несколько, и где теперь они, знал только сам покойный.

Вот с таким багажом в загашнике Грязнов и отправился на место преступления.

Вячеслав Иванович поехал, разумеется, в форме, чтобы у строптивого хозяина квартиры, в которой проживала свидетельница Еропкина, не возникло и мысли о каком-то возражении.

Сердитого Ивана Захаровича на этот раз дома не оказалось, а Еропкину они с Галей встретили во дворе. Она возвращалась от мусорных бачков, где вытряхивала мешок от пылесоса. Увидев Галю, заулыбалась как старой знакомой. А Вячеслав Иванович в генеральской форме прямо-таки произвел на нее серьезное впечатление, он оказался, по ее пониманию, куда важнее Ивана Захаровича. Потому она и возражать не стала, а сразу пригласила гостей на кухню.

А вот с опознанием по фотографии произошла существенная накладка.

Есть, знал об этом Грязнов, такие люди, у которых нарушены какие-то зрительные, что ли, центры в мозгах, и потому они совершенно не воспринимают плоскостное изображение человека. То есть сам-то предмет они прекрасно видят, но сопоставить с тем, что им о нем известно, не могут. Кстати, не такая уж редкая болезнь. Но Вячеслав Иванович никак не думал, что ему придется столкнуться с этим явлением в данный момент.

Ксения Никифоровна видела, что на фото изображено, точнее, запечатлено лицо человека. Вот она с ходу и предположила, что это... Иван Захарович.

Галя помнила внешность этого полного, крупного, лысеющего человека и непонимающе удивилась — с какой это стати бабка решилась разыгрывать их с Грязновым?

— Посмотрите внимательнее, пожалуйста, — сдерживая себя, но уже догадываясь о сути дела, мягко предложил Вячеслав Иванович. — Не появлялся ли этот человек, который назвался мастером с телефонного узла, в вашем подъезде, когда произошел взрыв?

Еропкина смотрела на фото долго и с удивлением. Потом перевернула, оглядела пустую обратную сторону и, наконец, изрекла:

— Так это ж не Путин ли? Президент-то наш?

Галя чуть не подавилась, попыталась откашляться. Но Грязнов строго посмотрел на нее и продолжил нелепый диалог с бабкой:

— А что, разве Путин работает на телефонной станции и забегает к вам иногда? — серьезно спросил он.

— Не-ет, — протянула Еропкина и сама засомневалась. — А тогда чего вы мне его показываете? Я тоже думаю... Но его же всегда по телевизору показывают, а вы говорите...

Какая связь?! Какая логика?! И вообще, что она думала, Галю теперь не интересовало, ее буквально колотило от сдерживаемого с трудом хохота. Но Грязнов был неумолимо серьезен.

— А вы мне можете сказать с уверенностью, здесь изображена женщина или это все-таки мужчина?

— А-а-а! — догадалась бабка. — Ну конечно! Я же сразу узнала! Это Лиля из седьмой квартиры. А я-то, старая, все думаю, на кого похожа? А она тут как тут! Лиля это, фамилии вот не знаю, на втором этаже они проживают. Собака у них большая, догом называется, как же!

Она была так рада, что сумела помочь важным людям из милиции, что, кажется, готова была уже мчаться во двор, где собирались старики из дома, чтобы поделиться с ними поразительной новостью.

Но Грязнов «остудил» ее, пригрозив суровым наказанием, если она кому-нибудь расскажет о том, что видела. И вообще, их визит к ней должен оставаться в глубокой тайне. Вот с Иваном Захаровичем она, пожалуй, может поделиться своими знаниями, а больше ни с кем другим.

Настращав бабку, Грязнов тяжело поднялся и отправился к выходу. И только на лестнице, когда захлопнулась за ними дверь, смог дать выход своему веселью. И объяснил наконец ничего не понимающей Галине, в чем дело.

Неудача... Но был еще один свидетель — старик, который видел «телефониста» во дворе возле своего подъезда. Этот Кожухов, так Галя записала его фамилию, проживал на третьем этаже. Вот к нему и отправились.

Кожухов, только взглянул, сразу признал «телефониста».

— Да он это! — безапелляционным тоном сказал он. — Я еще на чемоданчик его внимание обратил. Старый был чемоданчик, с наугольниками. Теперь таких днем с огнем не сыщешь... Так это он, значит... убивец? — спросил уже с некоторым страхом.

— Вы можете потихоньку пригласить парочку своих соседей? — спросил Грязнов. — Нам надо произвести официальное опознание в присутствии понятых. Пойдите вот с Галей, она им все объяснит...

Затем, когда покончили благополучно и с этим делом, Грязнов предложил подняться на верхний этаж, чтобы осмотреть выход в чердачное помещение. Но оказалось, что и смотреть-то особо нечего. Этот люк уже вскрывался пожарными, которые проверяли, не горит ли чердак. Дым-то валил такой, что боялись за весь дом. До сих пор повсюду видны следы щедрого пролива. А на чердаке натоптали так, что если бы там и оставались чьи-то следы, то их давно общими усилиями уничтожили.

Но, возвращаясь к машине, дожидавшейся Грязнова со спутницей за аркой ворот, Вячеслав Иванович обратил внимание на группу стариков, верховодила среди которых недавно оставленная ими Ксения Никифоровна Еропкина. Она о чем-то оживленно рассказывала, отчаянно при этом жестикулируя.

— Нет, ты только посмотри на этот цирк? — ухмыльнулся Грязнов.

— Сейчас она сообщает им, что сюда приезжал Владимир Владимирович Путин, который вдруг ни с того ни с сего оказался соседкой Лилей из седьмой квартиры! — Галя залилась хохотом.

Но одно дело было все-таки сделано, «телефонист» Ваня опознан, что и зафиксировано подписями понятых.

— Ты потом выбери минутку и снова пройди по квартирам, может, еще кто-то случайно запомнил этого Ваню, — сказал Грязнов. Один свидетель — хорошо, но этого мало. А бабка твоя, ты сама видишь... А потом поезжай туда, — Грязнов указал рукой за реку, — к дому Баранова, и там тоже предъяви, возможно, тоже повезет, в чем сомневаюсь.

— Почему, Вячеслав Иванович?

— А бомбу этот Ваня ставил наверняка поздно ночью, чтобы никого не потревожить. И имел для этого все основания, вплоть до дверной отмычки. Следы-то от нее остались, криминалисты нашли. О чем это говорит? Во-первых, о том, что исполнитель туго знает свое дело и на какую-то случайность не рассчитывает. И во-вторых, он достаточно известный человек одному из организаторов как убийства, так и его имитации в квартире Баранова. Условно пока мы назвали этим исполнителем Ивана, фамилия которого нам еще неизвестна, но в МЧС, в кадры, сделан официальный и секретный, естественно, запрос по поводу возможного кандидата в фигуранты. Отвечать они пока не торопятся, но все равно никуда от нас не денутся. Секретные у них, понимаешь, материалы! Как же! Это тебе понятно?

— Это понятно.

— Ну а раз понятно, действуй дальше, а я поехал, у меня другие дела еще имеются. Тебя подбросить по дороге?

— Нет, я пока здесь немного побуду. А потом подойду к тем старикам. Не все же из них ненормальные...

4

Время все-таки улетало с сумасшедшей скоростью.

Уже к вечеру того же дня Турецкого достал звонок на мобильный телефон. Продлилась непонятная пауза, пока он несколько раз повторил в трубку, что слушает. Наконец догадался представиться, хотя это было совершенно лишнее — кто ж еще, кроме него, мог ответить?

Послышался томный, но явно страдающий голос Евы:

— Мне плохо, Саша...

Тон был такой жалобный, что Турецкий не подумал ни о каком обмане. Да и время рабочее еще не закончилось, а в приемной к нему сидели пара очередных просителей, прорывавшихся к генеральному прокурору —

все-таки должностных обязанностей никто с Александра Борисовича не снимал. Поэтому он и спросил строгим голосом:

— Что случилось... — и нашел нейтральное, — дорогая?

— Мне только что позвонил неизвестный и властным голосом приказал немедленно прекратить всякие... отношения с помощником генерального прокурора, то есть с тобой, Саша.

— Ты не узнала голос?

— Нет, конечно, — слегка даже рассердилась женщина. — Я поэтому и звоню. А так... разве бы я стала тебя отвлекать от государственной службы? Я же понимаю...

— Больше ничего не сказал? Никаких предупреждений, предложений или угроз не было?

— Еще сказал, чтоб я готовилась к какому-то базару. Только я не поняла, это как? Девять дней, сказал он, надо отметить, как у людей, а потом они сами скажут, что мне дальше делать. И чтоб я заткнулась... И никому о разговоре не говорила... — Послышалось что-то похожее на сдерживаемые рыдания. — Я не понимаю, это рассматривать как угрозу? И чего я теперь должна... сидеть дома и ждать, когда меня взорвут, отравят или утопят в той же Яузе?

Кажется, назревала истерика.

«А характерец-то у мадам сварливый, — подумал Турецкий. — Как бы с ней не вляпаться в историю, а то ведь потом и не развяжешься...»

— Мне надо подумать и прикинуть, — сказал он, — подожди немного... Ну, во-первых, раз тебе так страшно, давай больше не будем встречаться, ты это им в следующий раз и скажи. Был, мол, а я его отшила, как вы велели.

— Никогда! — решительно возразила она. — Я просто боюсь сейчас оставаться одна дома. Ты не мог бы где-нибудь спрятать меня — на время, до поминок хотя бы? Мне все равно где, лишь бы не слышать телефонных звонков.

А тут уже Турецкому почудилась некая скрытая опасность, исходящая от женщины, кажется слишком уверенной в своих чарах.

Но что человеку, с другой стороны, доводы разума, когда перед глазами его уже возникла восхитительная картинка, на которой — если глядеть со стороны — полноватая такая, фигуристая, с крепким телом и великолепными, крутыми бедрами баба, обнимает тебя, прижимается и виснет на тебе, словно ее от неистового желания больше не держат ноги? И сладкие губы прилипают к твоим губам, а? Какие, к черту, после этого доводы?! А тебе уже давно не тридцать, а хорошо за сорок, и скоро, ты это прекрасно знаешь, «сладости» кончатся, как кончается все хорошее в жизни...

Так что, догонять? Ловить? Или положиться на случай?

А если вот он и есть — тот самый случай? Почему нет?

Как когда-то сказала ему Клавдия Сергеевна, вечная и верная секретарша Кости Меркулова, которая и по сей день вздыхает по нему, понимая всю тщету своих мечтаний? А она сказала: «Страсть не знает границ, Сашенька!» Это она имела в виду, разумеется, границы дозволенного, и ничего другого. И что, кому стало потом плохо от этого?.. Да, таким макаром можно, в сущности, все в жизни оправдать... Ну если не все, то многое, отчего не приходит зло к человеку...

Вон столько разных, но на единую тему мыслей промелькнуло в голове Турецкого, пока он медлил в поисках наиболее верного ответа. И он нашелся, разумеется, — куда деваться, слаб человек, ох слаб!..

— Тебя волнуют... нет, страшат, только ближайшие два-три дня? Или вообще вся дальнейшая жизнь?

— И то и другое, — решительно заявила она. — Я уверена, что они меня начнут преследовать!

— За что тебя преследовать? — философски изрек Турецкий и сообразил, что взял неверную интонацию — надо проявить больше заботы. — И кто такие — они?

— Откуда я знаю?! Может, завистники Давки... его недоброжелатели...

— Ну безопасность я тебе... вернее, мы, как служба, призванная к тому, думаю, сумеем обеспечить. И сегодня, и завтра, и на какое-то время в будущем. Но тебе придется хорошенько подумать, как жить дальше. А чтоб ты не волновалась, я, пожалуй, заберу тебя сегодня и устрою в безопасном месте, согласна?

— Я там буду прятаться одна? — весьма практично спросила она.

— Почему обязательно прятаться? Решим.

— Тогда я согласна.

— Хорошо, я тут закончу дела и подъеду. Дверь никому не открывай, наоборот, закрой на все засовы, которые я там у тебя видел. А я позвоню по мобильнику прямо с лестничной площадки. Возьми с собой документы, ценности там, необходимые вещи, потому что появишься ты у себя дома теперь только в субботу, на девятинах.

— А где я буду все это время?

— Ева, не задавай глупых вопросов. Такие вещи по телефону не обсуждают. Клади пока трубку и жди, буду в течение часа.

Прежде чем принять последних посетителей, Турецкий позвонил Грязнову и рассказал ему о Еве.

Нет, то, что женщину следовало обезопасить, тут не было никаких сомнений. Но вот где? На конспиративной квартире в Северном Бутове? Можно бы, Володька вернул ключ, до вольный. Но там же нет ничего для жизни.

— Это можно обеспечить, — предположил Турецкий.

— А кто ее будет охранять? — осведомился Грязнов.

— Ну я, еще кого-нибудь найдем... А потом, я не думаю, что она сейчас нуждается в охране. Если это какой-то наезд, то они сами должны быть заинтересованы, чтоб с ней все было в порядке.

— И не боишься?

— Чего?

— Не чего, а кого? Если она такая решительная, то может не остановиться на достигнутом, и тогда ее поведение будет непредсказуемо, Саня. А у тебя семья.

— Это хорошо, что ты вовремя напомнил, — съязвил Турецкий.

— Я чисто по-дружески. Впрочем, на одну ночку могу и у себя приютить. Тут уж она точно будет в безопасности. А потом переправим ее в Бутово и охранника приставим.

— С этим вариантом я, пожалуй, готов согласиться. И врать ничего не надо, а я у тебя останусь, верно?

— Ну да, а Грязнову вечно расплачиваться за подвиги друга. Ладно, приезжайте, черт с вами, я хоть посмотрю, что это за краля такая...

Ева умела очаровывать людей — мужчин, надо понимать. Не прошло и получаса, как в ее руках уже все горело, жарилось, парилось и шкварчало.

Она была, оказывается, неплохой хозяйкой и умела готовить. Грязнов понаблюдал с легкой ревностью за ее быстрыми и ловкими движениями и, вздохнув, оставил кухню. В столовой было уже все накрыто к ужину, Александр Борисович потягивал из бокала легкое красное вино, присланное Грязнову в бочонке из Ставрополя, где тот не раз бывал, покуривал, пуская дым в форточку, и улыбался своим мыслям.

Ева, когда он явился, была готова следовать за ним хоть на край света. Она сидела в прихожей на стуле, а у ног ее была внушительная, набитая сумка. Здесь, показала она, только самое необходимое, что нужно женщине в любом незнакомом ей месте. У Турецкого было на этот счет кардинально противоположное мнение, но он дипломатично промолчал, чтобы не начинать уже основательное знакомство с банальной свары.

Поднял тяжелую сумку, вторую ручку которой Ева захотела ухватить сама, чтобы ему было полегче, но он не позволил.

Усадив ее на заднем сиденье машины — чтоб не мешала, он поехал, постоянно оглядываясь и наблюдая за автомобилями, едущими сзади. Уже темнело, поэтому и наблюдение было вести непросто. Но он знал, что надо делать в подобных ситуациях. Внезапно меняя скорость и перестраиваясь из ряда в ряд в неплотных еще автомобильных потоках, Турецкий в кутерьме бесчисленных переулков возле Преображенской площади лихо оторвался от возможного преследователя и по Щелковскому шоссе вырвался на МКАД, после чего у начала Осташковского шоссе сделал петлю и нырнул на Енисейскую улицу. И еще через десять минут успешно зарулил во двор грязновского дома, где вышедший по телефонному сигналу Вячеслав Иванович открыл пустую ракушку, и Турецкий загнал в нее свой синий «пежо».

Знакомство на улице с женщиной, одетой по-зимнему, обычно не бывает долгим, но больше всего Грязнова удивила все-таки объемистая сумка, которую Турецкий не без труда извлек из багажника. Слава подошел к Сане и негромко сказал:

— Она с ума не сошла? Это что, переезд вместе со всем домашним хозяйством? Дама меняет гарнизон? Я на это, честно говоря, не рассчитывал. А ты-то куда смотрел?

— Чудак, а куда смотрит мужик, когда видит красивую бабу?

— Ты так остроумно ставишь вопрос?

— Я его никак не ставлю. Если ты полагаешь, что я ее собираюсь у тебя поселить, то давай лучше сразу отвезу ее в Бутово. Просто куплю чего-нибудь пожрать по дороге.

— Ты меня не понял, Саня, — внушительно сказал Грязнов, — я никому в гостеприимстве не отказываю, это мой принцип. Поэтому не обижай. Но стоит ли овчинка, как говорится, выделки? Она умеет что-нибудь, вообще? Готовить, к примеру?

— А вот и проверим. Я до сего дня в ее доме не питался. Даже чаю путем попить не удалось сегодня. Вот и поглядим...

Без тяжелой шубы, в элегантном брючном костюме почти в обтяжку, Ева — при ее-то формах — сразу вызвала пристальный интерес у Грязнова, поскольку это был, как говаривал мультяшный ослик Иа, его любимый размер. Ну и вместе с интересом, естественно, проснулась и некоторая ревность к другу Сане, который и тут ухитрился перебежать дорожку и прийти к финишу первым. Ну в самом деле, чего бы именно ему, Грязнову, не отправиться выяснять подноготную Давида Грицмана к нему домой? Вот и обошел бы на повороте. Но это все так, пустые и шутливые байки на тему знакомства с приятной женщиной. А Ева, слыша их дружескую, легкую пикировку и почти физически ощущая на себе заинтересованные взгляды то одного, то другого, словно купалась в них, как обнаженная пловчиха в залитом слепящими прожекторами бассейне. И ее, похоже, одолевала в свою очередь известная мысль курицы, удиравшей от петуха, — «Не слишком ли быстро я бегу?».

Понимая, что застольный разговор в любом случае коснется важной для них темы, которая беспокоила «свежеиспеченную» вдову больше всех остальных, Александр Борисович решил не затягивать и начал первым.

Он изложил примерную версию, по которой Давид Грицман оказался жертвой доктора Баранова. Как это все было проделано, они уже обсуждали сегодня, и повторения не потребовались. Но по-прежнему оставался загадкой главный вопрос: за что? Чем мог так сильно насолить Давид своему приятелю, что тот решился на фактическое убийство? Другими словами, все подвел как бы к дорожно-транспортному происшествию, из которого живыми люди, как правило, не выходят.

Что могла рассказать им, поддавшись желанию быть с новыми друзьями до конца откровенной, но по-прежнему настороженная и словно ожидающая подвоха, Ева? Что ей было известно вообще о деятельности своего мужа? То, что он баловался наркотиками? Да, это ясно, теперь не только ей одной. А на что он жил? На что содержал богатую квартиру, жену и дорогую машину? Где он трудился? За что получал деньги? Где брал их на те же наркотики? Уж об этом-то она могла если не знать твердо, то хотя бы догадываться.

И теперь оба мужчины с ожиданием смотрели на нее.

А что, если он был удачливым бизнесменом? С широкими связями. Да, и среди его многочисленных знакомых — иначе не собралось бы на похороны столько народа — имелись, вероятно, и криминальные связи. А у кого их сегодня нет? Смешно говорить об этом прокурору и генералу милиции, но ведь оно так?

И Саня со Славой подтвердили, что нынче в России действительно так. Криминал давно уже слился с бизнесом. И поэтому, может быть, именно в бизнесе Давида и следует искать причину его гибели? И нечего вокруг, что называется, огород городить?

Это сложный вопрос. Разумеется, Давид мог иметь врагов, желавших ему любых бед, вплоть до смерти. Но желать и сделать — не одно и то же. К тому же все отмечали его легкий, незлобивый характер, его умение ладить с другими людьми и находить с ними компромиссы. На него, например, за все годы не было ни одного покушения — это о чем-то говорит? Потом, он никогда не рвался в лидеры, ему вполне хватало того, что он имел. Но теперь, после его смерти и ввиду того что у него не осталось никого из наследников, кроме супруги, которая в бизнесе ни черта не смыслит, с ним придется расстаться.

А это все-таки несколько приличных бутиков модной одежды и обуви. И охотников на них найдется, видимо, немало. Недаром вот уже кого-то сильно беспокоит знакомство вдовы с помощником генерального прокурора. И уже пошли какие-то угрозы. А если узнают еще и о Грязнове, то вообще пиши пропало, сживут со свету. Поэтому Ева так признательна им обоим за то, что они приняли горячее участие в ее судьбе, и надеется, что они со своим опытом подскажут ей ее дальнейшие шаги, чтобы вдове совсем не остаться, как говорится, на бобах.

А что, весьма трезвая мысль! Об этом, кстати, тоже следовало подумать, коли уж они приняли на свои плечи такую благородную ношу. Но это не сейчас, это потом, позже, когда решится главный вопрос.

— Какой?

Вопрос Евы вызвал у обоих некоторое замешательство. Кажется, эта прекрасная дама, которая умела вкусно готовить, участвовать без жеманного кокетства в мужской компании и не стесняться острых выражений, решила, что мир действительно крутится исключительно вокруг ее очаровательного стана. Как — какой? Возбуждено же уголовное дело! Совершены убийства! Вот и надо в первую очередь найти и наказать виновных!

— А что, нельзя это делать все вместе? И чтоб искать, и мне помогать?

Друзья переглянулись и невольно вздохнули. «Девушка» в самом деле годилась только для одного дела, увы...

Грязнов через какое-то время вышел на кухню покурить. В комнатах он предпочитал дышать чистым воздухом. А через несколько минут — с той же целью — туда вышел и Турецкий. Они посмотрели друг на друга и усмехнулись.

— Похотливая пустышка, — печально заметил Грязнов. — Я думаю, тебе хватит ума не вешать на наши шеи еще и дело об утоплении этого Додика?

— Зачем, пусть расследуют те, кто пожелает его возбудить, все равно они ни к чему не придут. Зато по нашей линии вполне может наступить полная ясность. Это когда мы окончательно раскрутим Баранова. Лишний обвинительный эпизод в его деле. Вот тогда и поможем коллегам. А специально заниматься Додиком ни я не буду, ни кому другому не посоветую. Да там, по-моему, и не собираются, вообще, возбуждать его. Все же предельно понятно. Наркота, авария, сам виновный в ней погиб. Впрочем, что я тебе рассказываю? Ты же сам мне об этом и говорил.

— Ну говорил... Но речь-то не о нем сейчас, а о ней.

— А ты чего от нее хотел? Цитат из философов? Но до них мы еще не дошли. И вряд ли дойдем — с такими темпами. Я вот теперь про девятины эти думаю. Как она их организует, чтоб и нам, ну кому-нибудь, поприсутствовать незаметно.

— Элементарно. Пусть соберет народ не у себя дома, а в каком-нибудь кабаке. Этих забегаловок сейчас на каждом шагу. Бабки небось есть, и самой не возиться. А заказать можно по телефону.

— А что, толковая идея. Надо ей предложить...

— Вот и забирай ее, Саня, и отправляйся-ка ты с ней в дальнюю комнату. Только предупреди ее, чтоб не громко орала, мне только воплей ваших и не хватает, — сердито закончил Грязнов.

— С чего ты взял, что она орать станет? Да в чужом доме?

— А я этот бабский тип знаю. Весь мир вокруг моей задницы, — пробурчал Слава.

Турецкий весело ухмыльнулся:

— Так, может, мне вообще увезти ее подальше? Чтоб ты спал спокойно?

— Делай что говорят. Действительно, а чего я себе представлял? Глупости...

— Но ключик ты мне все-таки дай.

5

Ева сразу поняла, что ей наконец-то повезло, когда она только увидела Сашу Турецкого, а затем поймала на себе его оценивающий взгляд мужчины, обнаружившего вдруг вожделенную цель. К сожалению, он не мог быть холостым — обручальное кольцо на безымянном пальце правой руки сидело давно и плотно. А при более близком рассмотрении оказалось уже основательно потертым и, видимо, вообще не снималось с пальца. Так свободные мужики не носят. Как не носят и те, кто захотел бы развестись, чтобы попытаться создать новую семью. Да, собственно, и сам Турецкий — это Ева сумела понять — был не столько романтиком, очарованным неожиданно явившимся видением, сколько опытным практиком, который прекрасно знает, что должно последовать за чем и когда чему настает время. С таким не пропадешь, даже имея его просто в любовниках.

Вот поэтому, не ставя перед собой неопределенных отдаленных целей, Ева решила обойтись для начала малым — внушить ему беспокойство о себе. О своей несчастной судьбе, которая на самом деле была далеко не несчастной, а с неожиданным уходом давно уже нелюбимого супруга еще и полной возможных теперь, вполне реальных удовольствий. Если бы не одно «но».

Она не сказала всей правды о телефонном звонке. Она все-таки знала, кто звонит. Это был полковник милиции Петя Огородников, который, особенно в последнее время, преследовал ее своими звонками. Не устояла однажды Ева перед смазливым полковником и позже сама была не рада. Этот полковник, как и другой Давкин приятель — Ваня, который также, было дело, достал ее своей настойчивостью, — оба они оказались в постели настоящими извергами. И дело было даже не в том, что они вытворяли с ней все, что считали для себя нужным, изощрялись во всех своих буйных фантазиях, они, как неожиданно выяснилось, были знакомы и между собой. И однажды явились оба и устроили ей такое, о чем Ева вспоминала с содроганием и ужасом. А уходя, строго посоветовали ей молчать, если она не хочет крупных неприятностей своему мужу, который, оказывается, давно сидел у них на крючке. Что это за крючок, она не знала, но догадывалась, что, скорее всего, наркотики, к которым Давка, к сожалению, крепко уже пристрастился и не обращал на свою жену никакого внимания. Так что здесь была как бы и месть ему с ее стороны, и большая ошибка, которая могла привести ее к еще худшим последствиям.

И с речью «незнакомца» она тоже слукавила. Правда, разговор про «базар» был. Но, касаясь ее знакомства с Турецким, Огородников сказал просто и цинично: «Если хочешь ему дать, не стесняйся. Только смотри, чтоб у тебя по ошибке, не дай тебе Бог, не вылетело мое имя или Ванькино, поняла?! Одно имя — и тебе хана».

А насчет «базара» он сказал, чтобы она собрала поминки на девятый день и пригласила только нескольких человек. Он потом назовет ей фамилии и номера телефонов, по которым следует позвонить. Но это были совершенно незнакомые ей люди. И она заявила, что не желает приглашать чужих. Вот тогда он и сказал эту фразу: «Готовься к серьезному базару, где мы сами решим, что тебе дальше делать и чем заниматься». Естественно, она поняла эту угрозу как обещание отнять у нее те магазины, которые принадлежали Давке. А на что же она станет жить? На те несчастные пятьдесят, или чуть больше, тысяч «зеленых», что лежали в домашнем сейфе? На ее жалкие драгоценности, приобретенные в лучшие годы, когда Давка еще не баловался наркотой?

Но Огородникова эта ее проблема, оказывается, совершенно не интересовала. Он грубым, издевательским тоном предложил ей открыть под его личной «крышей» бордель и самой там же поработать. У нее это должно здорово получиться, опыт по этой части уже имеется... Полковник, сволочь, захохотал и предложил повторить тот вариант — втроем! Но на этот раз пригласить не Ваню с его «убийственным орудием», а Турецкого, он, как говорят, большой любитель по этой части. После чего Огородников, даже не попрощавшись, отключился.

Ну как было обо всем этом рассказать Саше? Как вообще в глаза ему смотреть, когда в них одно восхищение и никакой похоти? Нет, ну насчет последнего, конечно, перебор, было же отчетливо видно, о чем он думает, глядя на нее. И она бы не возражала, веря в то, что эта их связь не принесет ей ни боли, ни отчаяния, ни стыда от содеянного.

Поэтому, когда он вернулся вечером с кухни, где они курили с генералом Грязновым, то первым делом схватил ее за руку, хитро сощурился и под большим якобы секретом прошептал ей в ухо:

— Давай удерем? Туда! — Он махнул рукой в коридор, где были — она видела — еще комнаты. — Я больше не могу терпеть.

— И я тоже. — Она радостно закивала. — А Слава не обидится, что мы так?

— А ты кричать от страсти не будешь?

— Я подушку закушу зубами, — сияя глазами, заявила она, поднимаясь.

— Тогда не будет...

Никакая подушка ей не понадобилась. Саша поймал губами ее губы и уже не отпускал. А она с самого начала как обхватила его и требовательными руками и сильными ногами, так тоже не отпустила до самого утра. И никакого разнообразия им не потребовалось, все совершалось как между первородными Адамом и Евой, если верить юному греховоднику Пушкину, у которого «увенчанный супруг жену ласкал с утра до темной ночи», а эти — всего-то с ночи до утра, вот и вся разница.

Так и не сомкнув глаз, они тихо поднялись еще в темноте — только начинался шестой час утра.

Поскольку сумка была не разобрана, то и на сборы ушло не более пяти минут, тем более что Саша предупредил ее:

— Там помоешься, все удобства.

Ева собрала и сунула в сумку свои простыни, предусмотрительно захваченные из дому. Они по-воровски, на цыпочках, пробрались в переднюю и покинули квартиру, почти без шума защелкнув за собой дверь.

Дорога до кольцевой автострады, а затем по ней до старой Варшавки и, наконец, до Северного Бутова заняла не более получаса.

Здесь еще тоже по-зимнему царил всеобщий сон. Редкие огни вспыхивали в окнах домов. Снег хрустел под ногами. Дышалось легко, и от свежего воздуха их слегка пошатывало. Впрочем, могли быть и другие причины, все-таки физически напряженная, бессонная ночь.

Но едва они вошли в квартиру и Ева осмотрелась, как она тут же безапелляционно заявила, что на работу ему еще рано, спать ложиться, к сожалению, поздно, а вот отметить свое прибытие сюда — в самый раз. И вопросительно уставилась на Сашу. Тот посмотрел на нее, улыбнулся и крепко обнял, прижав к себе:

— Что ж, я не против.

— Скажите на милость! — воскликнула она. — Он не возражает! Нахал! Зачем же я так долго старалась?

— Ты молодец, — медленно опуская ее на по-прежнему разобранный диван, сказал он. — Только не забывай, ты старалась не одна. Но кричать и здесь не надо, а то теперь могут услышать соседи, я тебе глубоко сочувствую...

Ева снова выкладывалась полностью, без остатка, но в мыслях у нее появилось что-то тревожное. Какое-то недовольство собой, что ли. Что-то она делала не так. Но что?

И в момент очередной передышки наконец поняла. Она не все рассказала ему, вот в чем дело. Нет, про то, что с ней вытворяли полковник вместе с отставным майором, она и под пыткой говорить бы не стала. Другое мучило. Она не сможет долго скрывать имя звонившего. И если промолчать об этом, то будет похоже на предательство. А Еве очень не хотелось, после всего случившегося в эту ночь, доставлять Саше неприятности.

Она только намекнула на это обстоятельство, как он вмиг насторожился, задал один неопасный, наводящий вопрос, другой, и Ева увидела вдруг, что стоит перед дилеммой — либо рассказать ему всю правду, либо немедленно одеться, забрать сумку и покинуть эту квартиру, чтобы больше никогда уже не встречаться с людьми, предоставившими ей очень даже неплохое убежище и массу иных, куда более важных, услуг.

Оказывается, она, уходя из дому, не забыла кинуть в ту же сумку бутылку неплохого коньяку, банку кофе и пачку соленого печенья. Поэтому легкий завтрак был готов через несколько минут — пока закипала вода и откупоривалась бутылка. Одну рюмку — исключительно с устатку, а также для более откровенного разговора — Турецкий мог себе позволить. Впереди минимум два часа свободного времени.

Итак, о чем же шла речь? Он уставился на нее чуть насмешливым взглядом, в котором между тем не содержалось укоризны: вот, мол, обманула! Ничего такого, один интерес. И Ева рассказала все. Ну почти все — опять-таки за исключением своих интимных связей с Огородниковым и Ваней с такой дурацкой, но очень подходящей ему по смыслу фамилией, кажется, Жеребцов. Где-то слышала, но точно не помнит. Но он именно такой — дикий, неотесанный и наглый.

Рассказала и о предложении Огородникова, чем ей заняться. Но вот о приглашении Турецкого поучаствовать в совместном представлении, не сказала. Упомянула только, что среди приглашенных в предполагаемый бордель вполне, по мысли полковника, может быть и Турецкий, как большой любитель грязных женщин. Это она так перевела для себя грубость Огородникова.

Саша слушал, прихлебывая крепкий кофе, покачивал головой. Информация меняла дело, причем основательно. Жаль, что этого момента они не успели вчера обсудить со Славкой. Уж полковника-то милиции Огородникова Грязнов наверняка знал. Интересна была бы его реакция. Ну что ж, раз пока нет — значит, нет. Не будить же его, и так наслушался, поди, приглушенных вздохов, как они ни старались вести себя потише...

— Так что мне теперь делать, — потерянно спросила полуобнаженная женщина, словно забывшая о своем внешнем виде.

— Во-первых, как наверняка посоветовал бы Славка, не брать в голову. Во-вторых, делать все так, как мы договорились...

— Когда? — удивилась она.

И Турецкий вспомнил, что разговор-то у них был вдвоем со Славкой, а передать его Еве он просто не успел — сильно занят был. И теперь он посвятил ее в Славкино предложение насчет проведения поминок в каком-нибудь кафе или недорогом ресторанчике — с минимумом необходимых закусок и питья. Пусть знают, что вдове шиковать не на что, а то уже губы, поди, раскатали!

Ева возразила, что по требованию Огородникова она должна собрать только тех, на кого он ей укажет. И обязательно у себя дома, где и намечается, видимо, тот «базар».

— Перебьется, — небрежно отмахнулся Турецкий. — Скажешь ему, что хозяйка положения в данном случае ты. Что тебе уже звонило множество знакомых, что все собираются прийти, чтобы помянуть безвременно ушедшего, что, наконец, тебе нет дела до каких-то его собственных махинаций. Надо — пусть приезжают в ресторан. Какой, я тебе назову позже, но сегодня же, а до той поры не звони полковнику, пусть помучается... Далее, за твоей квартирой мы устанавливаем наблюдение с фиксацией каждого приходящего. А там посмотрим. Думаю, что то же самое мы сумеем сделать и в отношении Огородникова с Жеребцовым, причем последнего еще предстоит найти. Зря ты не назвала его фамилию раньше, мы бы не потеряли столько времени, — с укором заметил он.

Ева потупилась. Разве могла она сказать ему об этом раньше? Да кто знает, как бы сложилось все дальнейшее? И уж, во всяком случае, такой помощи и такой восхитительной ночи ей вряд ли стоило бы тогда ожидать вообще. Но как это объяснить? Вот и промолчала, принимая вину.

— Значит, все же ресторан? — уточнила она. — Но ведь это дороже, чем дома.

Нет, хозяйственность проснулась в ней, не жадность, а нежелание тратить лишние деньги.

— Дороже, скажу тебе, ненамного, если не то же самое, и ты не станешь выпендриваться с разносолами. А главное — в ресторане мы сможем организовать и наблюдение, и охрану — без опасности быть засеченными раньше времени. В квартире это сделать сложнее... хотя... Если попросить кое-кого об одолжении. Нет, все равно, чужие будут заметны даже среди разнородных гостей. Да у тебя и не так много места для приема гостей.

— Ну почему? На поминках после кладбища собралось человек шестьдесят — во всех комнатах столы поставили, а я этими делами вообще не интересовалась, не до того было, сам понимаешь. Огородников же и организовал. Но он посидел немного и исчез, даже не попрощался.

— А Жеребцов этот был?

— Ты что, уже ревнуешь? — с непонятной радостью вскинулась она. — Был. И даже уходить домой не хотел, его Валерка выпроводил.

— Боже мой! Еще один?

— Да брось ты! Это охранник Игоря. А Игорь — «облепиховый» директор. Мы так зовем его, потому что его салон называется «Облепиха». Все очень просто. Не ревнуй, не надо, я ведь до сих пор еще не могу прийти в себя.

— Не врешь? — улыбнулся Турецкий. — А мне только что показалось...

— Но так это же ты! Есть разница?

— Между кем и кем?

— Слушай, — рассердилась она, — ты меня совсем запутал! Давай так, допивай свой кофе — и пошли на диван. Или уматывай на работу... Саша, — продолжила жалобно, — а мне выходить отсюда нельзя? И звонить тоже?

— Как говорят моряки-подводники, полное радиомолчание! До моего приезда. Ключ я тебе тоже не оставлю. Но для связи только со мной дам мобильник. Если кому позвонишь, я тут же узнаю, приеду и голову оторву. Либо выгоню — вот как есть — на улицу и откажу в гостеприимстве, поняла?

— Поняла, — вздохнула она и потерла ладонями виски.

— Лежи весь день, можешь ванну принять, смотри телевизор и мечтай!

— О чем, господи? — вздохнула она.

— О том, чтобы эта твоя история поскорее закончилась.

— Это понятно. Ну пойдем, а то тебе действительно скоро уезжать.

И в квартире еще на какое-то время воцарилась чуткая тишина, нарушаемая лишь глубокими вздохами. И за оставшийся час с небольшим лишь одна волнующая фраза была произнесена более-менее разборчиво — как вырвавшийся полустон:

— Ах какой ты все-таки!..

Глава шестая
ОПЕРАЦИЯ «ПОМИНКИ»

1

Они согласились с ее условиями ввиду ее неуступчивости.

Правда, разговору Евы с полковником Огородниковым предшествовала серьезная и быстрая подготовка. И она не обошлась, конечно, без непосредственного участия Грязнова. Вячеслав Иванович сказал ей, что лично займется устройством предстоящих поминок, чтобы в их процессе не произошло нелепых неожиданностей.

Генерал приехал в небольшой, но очень уютный ресторан «Днестровские плавни», имевший несколько залов для посетителей. Хозяином этого заведения был известный ему Эмин Ротару, выходец из Молдавии, из Калараша, славившегося в прежние времена замечательной розовой, земляничного вкуса «Лидией» — не красной, нет, а именно розовой, из уникального винограда, росшего на горных склонах вокруг этого славного городка.

Этот Ротару год с небольшим назад проходил по одному уголовному делу, в котором были замешаны его земляки, но — свидетелем. А мог бы вполне оказаться и среди обвиняемых. Эмин имел предварительную беседу с генералом, после чего выразил острое желание сотрудничать со следствием, и должен, по идее, век быть благодарным за то, что избежал наказания. Вот ему Грязнов и объяснил — в пределах разумного, естественно, — какая у него в этом ресторане нужда. Ротару уяснил для себя все и в конце рабочего дня, то есть фактически уже под утро, когда служащие разошлись по домам, принял у себя двоих сотрудников частного охранного предприятия «Глория», которым руководил племянник Грязнова — Денис. Эти сотрудники — Агеев и Щербак — быстро установили в самом большом зале необходимую технику, а после Ротару предложил им поработать на ожидаемом мероприятии в качестве охранников. Мужики они оба были некрупные, внимания к себе особого не привлекали, но за порядок могли отвечать на все сто процентов. Хозяин внес их фамилии в список своих сотрудников охраны. И потом, ну как было отказать генералу, который попросил о таком небольшом одолжении? Секретном, разумеется, тем более что оно в свою очередь должно было быть оплачено устроителями траурного, в общем, мероприятия.

Сам же Вячеслав Иванович и оформил заказ, посоветовавшись с Эмином, — так чтоб вышло и красиво, и не очень дорого. Гостей ведь ожидалось, считай, до сотни.

Выполняя указание Турецкого и Грязнова, Ева Абрамовна всю пятницу провисела на телефоне, обзванивая и приглашая гостей. А днем в субботу на машине «Жигули» шестой модели с молодым, розовощеким водителем она съездила к себе домой, переоделась во все темное, как и подобало вдове, внимательно осмотрела квартиру, с сомнением покачивая головой, потрогала кое-какие предметы, оказавшиеся не на своих привычных местах, затем снова села в машину и исчезла в неизвестном направлении. Если бы ее кто-то хотел догнать или просто вычислить адрес, по которому она умчалась, сделать это было бы невозможно — водитель оказался мастером своего дела.

Вечером она стояла у входа в банкетный зал, скромно потупив глаза, рядом с выставленной на столике большой фотографией покойного супруга, перетянутой по углу снизу черной ленточкой, и принимала соболезнования прибывающих на поминальный вечер гостей. Неподалеку от нее суетился обыкновенный, как все фотографы, невысокий лысый парень с траурной повязкой на рукаве. На груди его болтался обведенный черной рамкой бейджик с фамилией, именем и отчеством его обладателя, названием фирмы «Ритуал» и двумя телефонными номерами. В его руках была фотокамера, и блиц вспыхивал, казалось, без остановки.

В дверях ресторана стояли двое среднего возраста мужчин в форме охранников, интересовались у приходящих посетителей, к кому они, и тех, кто явился на поминки, вежливо направляли в банкетный зал. Остальные шли в другие залы ресторана. Мягкость, предупредительность и быстрота — таковы были основные принципы для всех служащих «Днестровских плавней».

Один из гостей, горбоносый и черноголовый, как грач, спросил с явным кавказским акцентом у проходящего мимо официанта, давно ли здесь служат эти охранники, что стоят у входа? Официант поинтересовался: «Которые?» Тот показал. «Эти старички? По-моему со дня открытия», — приветливо улыбнулся официант и, извинившись, убежал дальше по своим делам.

Другой гость внимательно прочитал, что написано на бейдже у молодого фотографа, и, отойдя в сторону, позвонил в фирму «Ритуал». На месте там оказался дежурный. Он ответил, что фотограф Сергей Миронович Мордючков работает в фирме, но в данный момент его нет, он на выезде.

Ева Абрамовна внимательно наблюдала за приходящими, многих из которых она почти не знала. Но вот ни Огородникова, ни Жеребцова среди гостей не оказалось. То ли они испугались чего, ведь Ева два дня была недосягаема — ни дома, ни по телефону, — то ли просто опаздывали, считая, что без них, как говорится, не начнут.

Ева «узнала» — это ей шепнул «случайно» оказавшийся рядом Мордючков, — доктора Баранова. Его скорбный, удрученный вид вполне приличествовал на фоне отличного костюма от Версаче. Он тоже подошел ко вдове и аккуратно и нежно пожал ей руку, но глаза его при этом удивленно блеснули. Не ожидал, видимо. А Ева мягким, волнующим голосом поблагодарила его за память — ибо ему она, кажется, позвонить как раз и забыла.

— Я вас сразу узнала, Вячеслав Сергеевич, Давид много хорошего говорил о вас, жаль, что не довелось познакомиться раньше... Проходите и чувствуйте себя как дома. Просто народу столько, что никакой квартиры не хватит. — И улыбнулась печально.

Баранов отошел, но глаз со вдовы больше не сводил, и это запечатлел «для истории» находчивый Сережа.

Вообще, «молодое дарование» зря здесь времени не терял. По роду службы, а также обладая профессиональной памятью, он уже успел не только мысленно «сфотографировать», но и запечатлеть на пленке несколько знакомых и полузнакомых ему лиц, проходивших в разное время по милицейским сводкам. А что, приятная здесь компания собиралась!..

Наконец всех пригласили к столу — и началась собственно церемония.

Сережа, скорее формально, что было заметно по тому, с какой неохотой он «работал», отщелкал общий вид застолья с нескольких позиций, затем сделал несколько групповых снимков, снял нескольких человек, произносящих краткие траурные речи, больше напоминавшие неумелые тосты, а затем устроился за отдельным столиком в уголке и стал... жрать. Запивая каждый кусок пищи глотком водки — ну типичный трудяга с кладбища. И скоро все перестали обращать внимание на редкие вспышки блица. А под конец он вообще тихо исчез, как растворился в пространстве. Да и народ уже был в ином градусе.

А вот Огородников с Жеребцовым так и не появились.

Зато двое других сотрудников той же «Глории», Демидов и Голованов, еще с утра установившие наблюдение за домом, где проживала Ева Грицман, отметили и запечатлели на пленке появление у двери ее квартиры двоих непрошеных гостей. Они быстро и ловко открыли входную дверь и исчезли внутри. И тотчас на пульте, установленном в припаркованном во дворе микроавтобусе, вспыхнули экраны обзора интерьеров комнат. И одновременно с тем, чем занимались в освещаемой лишь фонариками квартире эти пришельцы, на руках которых были натянуты светлые матерчатые перчатки, шла фиксация их занятий на пленку. Они не разговаривали, только чувствительные микрофоны, установленные в каждой комнате, доносили их напряженное, прерывистое дыхание.

— Вячеслав Иванович, — сказал один из наблюдателей в телефонную трубку, — зафиксировано проникновение. Сейчас они там вдвоем готовят какую-то гадость, похожую на бомбу.

— Филя с Колей на месте? В ресторане?

— Так точно.

— Передай, чтоб усилили наблюдение. А эти — кто?

— Один похож на Жеребцова, мелкий такой, как пацан. Второй — не знаю, у него тоже маска на лице. Он здоровый мужик. Что делать? Будем брать?

— Только очень аккуратно. Обоим по уколу, и везите в Бутово, мы подъедем позже. Только не резвитесь!

— Да, Вячеслав Иванович! — укоризненным тоном протянул наблюдатель. Он отключил мобильную связь и обернулся к напарнику: — Володя, приготовься, берем обоих. Сам дал добро.

— Где лучше, как думаешь? — пробасил Володя. — У квартиры или здесь, внизу? Ты не видел, на чем они приехали?

— Обратил внимание, вон на том «мерине». И не боятся же, суки!

— А чего им, Сева, бояться? Очередные «оборотни»... Они в себе уверены...

— Ладно, сейчас я передам сообщение ребятам, и пойдем.

— Стоп! — воскликнул Володя. — Они, кажется, заканчивают. Вперед, а то опоздаем!.. Потом передашь, когда этих упакуем...

И в этот момент в кармане одного из работавших в комнате негромко запиликал мобильник. Хозяин его воровато и немного испуганно обернулся, огляделся, потом достал трубку и негромко сказал в нее:

— Кто?.. Ты, Вахтанг? Какие дела?.. Нет, еще буду немного занят. Закончим и приедем... А вы там не особенно торопитесь сами-то... Чем еще Исламбек недоволен? Да пошел он!.. Да, так и скажи, я разрешаю... Да сейчас! — воскликнул он уже не таясь. — Ваня заканчивает... Как это — уходит? Мало ли, что устала? Мы больше ждать устали! Задержите! Пусть ждет, когда мы приедем. Да-да, будет ей обещанный базар! Все будет!

Он спрятал трубку в кармане и негромко сказал:

— Нет, как тебе нравится эта сучка, Ваня?

— А чего она? — отозвался тот, что напоминал пацана, видимо все-таки Жеребцов, раз он еще и Ваня к тому же.

— Да ничего!..

— Тише ты! — предостерег Ваня. — Не ори, как бы соседи не услыхали.

— Да ладно! Кончай уже... Наприглашала чуть не сотню козлов каких-то, а сама смыться хочет. Все, мол, оплачено, отдыхайте, а я устала. Ничего себе?

— А что, умна бабенка.

— Ага, только мы с тобой поумнее будем!

— Это точно, — хвастливо ответил Ваня. — Ну давай, Петр Ильич, выходи, только аккуратно, ни на что не наступай. Иди к двери, я еще проводок протяну и тоже выйду. С Богом! — Он махнул рукой и легко поднялся во весь свой невзрачный рост, держа в руке тонкий конец провода.

— А ведь это Огородников с Жеребцовым, — сказал Сева, — Петр Ильич — это полковник, точно. С Жеребцовым он. Пошли брать наших «нарушителей»...

Им можно было не договариваться заранее, как действовать. Опыт уже имелся — и в Афгане, и в Чечне. Поэтому «разговаривали» короткими жестами — так привычнее.

Было ясно, что вдвоем «нарушители» выходить не станут — пойдут по очереди, один за другим. Не важно, кто первый. Поэтому и брать их придется одновременно, но первого, когда он выйдет на улицу, а второго — на пороге подъезда. Для этой цели Сева Голованов притаился за углом подъезда, а Володя Демидов вошел в дом и укрылся в темноте под лестничным пролетом, ведущим к лифту. Дом был старой постройки, возводился капитально — с широкими лестничными площадками, на которых тогда еще не экономили.

Послышались осторожные, крадущиеся шаги на лестнице — «нарушитель» спускался без лифта. Пока один. И Демидов пропустил его.

Довольно высокий, выглядевший вполне солидно в меховой шапке и теплой камуфляжной куртке, мужчина прошел быстрым, скользящим шагом и, не оборачиваясь, нажал на кнопку выхода. Домофон негромко запищал. Мужчина даже вздрогнул от неожиданности, но дверь отворил. Затем осторожно выглянул наружу, немного осмотрелся и... легко вышел наружу. Дверь хлопнула, и прерывистый писк прекратился.

Так, с одним ясно. А где же второй? Его все не было.

Демидов взглянул на наручные часы — прошло уже три минуты, почему он возится так долго?

Володя выглянул из своего темного угла, сдвинул темную шапочку на голове, прислушался. Где-то высоко вверху что-то негромко хлопнуло, и гул прилетел оттуда. Но ничьих шагов слышно не было. Демидов еще подождал, уже беспокойно поглядывая на свои часы, и вдруг сообразил, что второй «нарушитель», видимо, оказался умнее первого. Он наверняка дожидался наверху, у окна на лестничной площадке, когда его напарник выйдет к машине, чтобы потом спускаться самому. Но тот не вышел, и никакого иного объяснения, кроме того, что его кто-то выследил, быть не могло. Элементарная, к сожалению, логика!

И тогда Демидов тоже спокойно нажал на писклявую кнопку для выхода и, открыв дверь, сказал негромко:

— Это я.

— А где?.. — не закончил своего вопроса Голованов.

— Сказал бы, — буркнул Демидов. — Лопухнулись мы... Он нас просчитал. Из соседнего подъезда, вон из того, из дальнего, никто не выходил?

— Какой-то мальчишка недавно выскочил и убежал в подворотню, а что?

— А то, что это он и был. Значит, по чердаку прошел. Я слышал, — он снова посмотрел на часы, — да, минут пять уже, как что-то наверху хлопнуло. Но сразу не сообразил, а теперь понятно, что это была крышка люка на чердак, скорее всего. Все ведь, сволочи, предусмотрели, смотри ты... А твой где?

— Вон отдыхает. — Сева показал за угол, где сидел на снегу, привалившись спиной к стене и явно спал, мужчина в шикарной меховой шапке и обыкновенной камуфляжной куртке.

— Ну давай, пакуем хоть этого, — вздохнул Демидов. — Второго теперь ищи-свищи, он уже давно ноги сделал... Ох, и попадет нам от Вячеслава Ивановича! Подгоняй машину.

И Голованов, позвякивая ключами, пошел к микроавтобусу.

2

Траурное мероприятие давно уже подошло к концу, но народ расходился неохотно, словно все ждали какого-то продолжения. Ну как же! Снова, как на кладбище, сложили гору цветов к фотографии покойного на столике, который тоже внесли в банкетный зал. Цветы следовало доставить на дом к вдове. И сделать это должен был кто-то из присутствующих, на кого, скорее всего, укажет молодая еще и весьма привлекательная в своей безутешной скорби вдова. Возможно, каждый из мужчин надеялся, что повезет в этом смысле именно ему, и держался наготове, чтобы перехватить инициативу у прочих.

Особенно старался оказаться поближе и произнести слова благодарности потактичнее и помягче Вячеслав Сергеевич Баранов. Он уже произнес прочувствованную речь о покинувшем его друге, у которого, как у всех остальных, были, конечно, и свои мелкие недостатки, но преобладали замечательные достоинства. Однако вдова не обращала на него никакого внимания, и это очень задевало доктора.

Отдельной группой без конца совещались о чем-то тот явный грузин, что интересовался охранниками, и другой, толстый и потный от выпитого и съеденного, похожий не то на азербайджанца, не то на узбека — с маленькими, злыми глазами. Их окружали несколько молодых людей, напоминавших скорее братков на сходке. Они только слушали, о чем говорили старшие, поглядывали по сторонам и изображали полную свою независимость, в то время как двое этих старших беспрерывно куда-то звонили и обменивались между собой сердитыми репликами — что было хорошо заметно по их напряженным лицам.

Остальные потихоньку рассасывались, но неохотно, потому что на столе еще оставалось немало выпивки. Ресторан все-таки молдавский, и поэтому хозяин велел подать много «домашнего» вина, до которого люди бывают большими охотниками лишь в том случае, когда кончается водка.

Ева сделала еще одну попытку подняться и уйти, но

ее окружили парни, похожие на братков, и попросили задержаться еще немного. Выяснилось, что еще двое важных гостей немного опаздывают. Точнее, важный там один, а второй — так, его знакомый, но тоже может обидеться, что их не подождали. И выглядело это «предупреждение» так, словно не ради фотографии в рамке на столе, а ради именно них и собиралось все застолье.

Наконец сидение за столом стало невыносимым. И тут неизвестно откуда, как забытый чертик из коробочки, появился явно нетрезвый фотограф Сережа и чуть заплетающимся языком предложил сделать общий прощальный, так сказать, снимок. Но на него замахали руками — многим намек показался просто странным. Тогда Сережа, видимо, с тем же предложением обратился к Еве, при этом низко склонившись к ее уху. Она выслушала, выпрямившись, и кивнула. Сережа куда-то ушел, снова как испарился. Зато вскоре к Еве подошли двое охранников, что стояли сперва у ресторанных дверей, а после переместились к дверям в банкетный зал, где проходили поминки.

И вот один из них, щуплый на вид, тоже, как только что Сережа-фотограф, склонился к уху вдовы и что-то сказал. Она кивнула и решительно поднялась.

— Ну вот, господа, — громко заявила она, привлекая к себе общее внимание — кто-то перестал пить, а кто-то чавкать, — время вышло. Я благодарю всех присутствующих, кто оказал честь мне и моему покойному мужу. Цветы пусть останутся в этом гостеприимном ресторане как память о нем. Я еще раз всех благодарю и прощаюсь. Надеюсь, расстаемся ненадолго, всего на месяц. До свиданья, господа. Вы можете здесь еще остаться, администрация, мне сказали, возражать не будет. За все уплачено.

Послышался шум. К Еве бросились несколько молодых людей, которые ее окружили со всех сторон, и стали уговаривать не покидать застолье. Или, если она устала сидеть здесь, можно перейти в другое место, более удобное для важного разговора, который касается наследства покойного. Ведь работа не может стоять! Надо что-то делать с торговыми помещениями, складами, прочим. Кто этим должен заниматься в первую очередь? Конечно, ближайшие друзья покойного, которые просто обязаны помочь вдове в трудную для нее минуту. К тому же накопились кое-какие важные документы, с которыми она должна познакомиться и подписать. Опять же и у нотариуса есть к ней дело, он ожидает ее... недалеко... совсем рядом. Просто в другом помещении, тут два шага. Ему, конечно, очень неудобно будет разговаривать в такую трудную для нее минуту и еще в этом зале.

Короче говоря, слов сказано было много, и все, как оказалось, попусту, потому что Ева руками раздвинула подступивших к ней молодцов, включая сверкавшего глазами, горбоносого Вахтанга — тот сам так представился, когда произносил выспренний, цветистый кавказский тост.

— Нет, господа, — решительно заявила она, — я сегодня устала, и никакого продолжения банкета не будет. — Это она по инерции произнесла фразу Грязнова, сказанную ей накануне. — Все вопросы будем решать завтра и только в присутствии моего личного адвоката.

— Слушай, откуда у тебя свой адвокат? — в полной тишине неожиданно прозвучала презрительная фраза Вахтанга. — Какой еще у тебя может быть адвокат, когда я сам, лично, этим делом занимаюсь?!

Он шагнул к ней и хотел рвануть за руку. Но его кисть ловко перехватила чья-то сильная рука.

Вахтанг вспыхнул, дернулся, но ладонь его попала словно в железные тиски. Он выкрикнул что-то яростное уже на своем языке и дернулся снова. Молодцы расступились, и все увидели, что руку Вахтанга держал всего-то тщедушный охранник, глядевший на него с явным осуждением.

— А еще с Кавказа, — укоризненно сказал Филипп Агеев. — Ай нехорошо кричать на женщину! Еще хуже — руку поднимать.

Он сделал почти неуловимое движение, не отпуская руки Вахтанга, и тот вдруг изогнулся всем телом, скорчился и взвыл диким, истошным голосом. Филипп отпустил его и шагнул ближе к Еве.

— А-а-а! — раздалось со всех сторон, и на Еву уставились десятки звериных глаз. — Тварь! Сука! Блядь! — неслось отовсюду. А кричали-то и бесновались всего пять-шесть братков и их предводитель Вахтанг.

И снова в этой небольшой группе произошло синхронное движение, все качнулись к вдове. Но перед ней на этот раз вырос Николай Щербак — мужчина повыше Филиппа, но тоже не богатырского телосложения. Однако он не остановил решительных молодых людей, к нему тоже протянулось несколько рук, чтобы убрать, как помеху, с дороги. Но Щербак быстро выхватил из кобуры пистолет — не газовый, а настоящий «макаров» — и передернул затвор.

Руки исчезли. Молодежь отступила на шаг. Но яростный Вахтанг, прижимая одной рукой другую к груди, продолжал кричать по-своему, ругаться и плеваться.

— Ти мене ответишь за сломанная рука! Ти — сволочь грязный! — перешел он на русский язык.

Филипп тоже достал, но уже из-за пояса со спины, пистолет, передернул затвор и спокойно направил ствол прямо в лоб Вахтангу:

— Отвечаешь за свои слова, подонок?

Воцарилась мертвая тишина. Всем показалось, что палец этого хилого охранника медленно потянул спусковую скобу. И народ враз отхлынул в стороны. Отступил на два шага и Вахтанг. Теперь он был уже не красного, а бело-синего цвета. Отступил, не отводя немигающих глаз от пистолетного ствола.

— Мамой клянусь... — негромко, но слышно в тишине произнес он. — Ты мне ответишь за такую угрозу.

Щербак вдруг топнул ботинком по полу. Вахтанг вздрогнул, чуть не подпрыгнул, но поскользнулся и едва не упал. И словно сжался. Ну прямо клубок сплошной, черной ненависти.

А Щербак с Агеевым нахально и громко расхохотались, показывая Еве пальцами на Вахтанга. Но той было сейчас совсем не до смеха — она стояла, почти не дыша.

— Слушай, ты, хрен мамин, — отсмеявшись, крикнул Филипп, — ты не забудь, я тебе обязательно отвечу. Если ты не сядешь раньше, уголовник. Иди лечись, хачик. — И насмешливо добавил по-грузински слово, которое теперь в их государстве означает дерьмо, ну, может, чуть покруче — то есть едва ли не самое страшное оскорбление для любого «горного орла».

— Все свободны, — приветливо улыбаясь, сказал Щербак и, повернувшись, предложил Еве следовать впереди себя.

А Филя еще постоял, покачивая на пальце пистолет, потом поставил его на предохранитель и, сунув, как это делают спецназовцы, снова за ремень на спине, отправился следом за своим коллегой.

Никто и не обратил внимания, что во время этой так, к счастью, и несостоявшейся стычки фотограф Сережа, уже без всякого блица, успел сделать несколько впечатляющих снимков и тоже незаметно исчез из зала.

Уезжая из ресторана на машине в сопровождении своих удивительных охранников, Ева Абрамовна думала о том, что поступила очень правильно, послушавшись Грязнова.

— Куда мы едем? — спохватилась вдруг.

— Приказано доставить к месту назначения, — туманно объяснил Филипп, сидевший сзади рядом с ней. Впереди, справа от Щербака, который и вел серую оперативную «девятку», разместился со всей своей аппаратурой Сережа Мордючков, проявивший сегодня немалую выдержку и умение. Он был, естественно, не совсем трезв, но отвечать за свои слова и действия мог без всякого сомнения.

Ева уточнять ответ не стала и продолжала думать о своем.

Вячеслав Иванович фактически навязал ей эту охрану. Но только говорил он о четверых людях. Значит, еще двое осуществляли охрану ее квартиры, так получалось? А зачем? Что там могло без нее случиться?

Нет, то, что в доме уже побывал кто-то чужой, пока ее не было всего какие-то два дня, это несомненно. Она, переодеваясь к выходу на поминальный банкет, заметила сдвинутые со своих привычных мест предметы. Даже сейф, где она до того хранила все семейные сбережения и свои немудреные драгоценности, был открыт, хотя она помнила, что запирала его. Но в доме вроде ничего не пропало. Но кто-то же приходил? Открывал, сдвигал, а зачем? И кто? Вопрос пока без ответа.

Ева еще не виделась сегодня ни с Грязновым, ни с Сашей и даже не предполагала, когда встреча может состояться, — что-то они все были заняты. И вчера весь день, когда она звонила и приглашала гостей на поминки, ее тоже никто не навестил. Только совсем поздно приехал Грязнов, привез еду и отбыл по делам. Так сказал, во всяком случае. Тогда и зашел разговор об охране.

В принципе Ева не видела необходимости немедленно обзаводиться личной охраной, да еще не одним телохранителем, как делают некоторые крутые дамы, а целым кагалом. Но Грязнов при ней подсчитал прямо на пальцах, что охрана ее жизни и имущества ей просто необходима, а работа секьюрити обойдется всего-то по сто баксов в день на нос. То есть за неделю и набежит-то всего какие-то две — две с половиной тысячи баксов, зато полнейшая гарантия. Ева подумала и согласилась. К тому же Вячеслав Иванович сказал, что охрана у нее будет такая, что сам президент позавидовал бы.

Так-то оно, может, и так, но когда она увидела своих спутников сегодня вечером у входа в ресторан — едва не расхохоталась. Это они-то станут рисковать собой, защищая ее жизнь? Эти хиляки? Да она сама их обоих уложит одним ударом каблука! Но финал поминок заставил ее усомниться в собственных способностях и даже с уважением посмотреть на Филю, как он себя простецки назвал, и Колю. Надо будет похвалить их потом перед Вячеславом Ивановичем, им будет наверняка приятно.

А по поводу нечаянно вырвавшихся у нее слов, когда Грязнов собирался уже отъезжать, она если и сожалела, то так, без особой печали, все равно ведь чему не быть, о том и мечтать не стоит. Проза жизни...

Но ей было скучно оставаться одной, а на Сашу рассчитывать никак не приходилось. Вот и спросила она Грязнова по поводу семьи Турецкого. А тот вдруг стал рассказывать, какая у него чудная, великолепная жена-красавица, музыкантша, какая умная и воспитанная дочь! В общем, напел столько, что стало совсем уже тошно на душе. Ясно, что вырвать его из семьи не выйдет, а быть любовницей — оно хоть и приятно, но скоро может наскучить, вот как сейчас: нет его — и словно никогда не было.

Она спросила Грязнова про его собственную семью, которой, кстати, не видела в его доме, а сразу поинтересоваться как-то постеснялась.

Он ответил, что давно уже холостякует, но это обстоятельство дела не меняет, поскольку менять свой жизненный статус он не собирается.

И вот тут она обрадовалась и даже намекнула, что не возражала бы, если бы Слава не торопился по делам. Вечер длинный, все можно еще успеть. И если он не против, она попросила бы его сходить в ближайший магазин и купить чего-нибудь покрепче сухого вина, а там... можно и посидеть, скоротать вечерок... за милой беседой.

Но Грязнов почему-то насупился. Он сразу, конечно, понял, на что она намекала столь прозрачно. Так и сказал насчет «прозрачности». Она действительно была одета легко, потому что в квартире было жарко, хорошо топили, и она накинула полупрозрачную кофточку и такую же короткую юбку, которая не столько прикрывала, сколько подчеркивала ее зрелые прелести.

Нет, не клюнул. А она уж было настроилась. А что, в конце концов? Разве она тоже давала кому-нибудь слово любить до гроба? Полностью и навсегда принадлежать кому-то? И потом, это же у нее от полноты чувств, а не из жалкой корысти. А женская благодарность иной раз не знает границ...

И эта аргументация не подействовала на Грязнова. Не клюнул генерал на полуобнаженную красавицу. Однако заметил при этом, что с удовольствием сделал бы это, скажем, позавчера. Но теперь?!

— А что изменится, если «вернуться к вопросу» сегодня, прямо сейчас? — тут же нашлась она как бы в шутку.

Грязнов не принял шутки, но с некой грустью отрицательно покачал пегой головой. Нет, он никогда не перебежит дорожку другу, как бы Ева ни относилась сейчас к Сане. Есть вещи, через которые друзья не переступают.

Видно было, как тяжело дается такое признание генералу. Но он был тверд в собственной уверенности, и Ева не стала продолжать свои уловки. Но поцелуй, более жаркий, нежели просто прощальный, как при кратком расставании, он все же запечатлел на ее разгоряченной, пухлой щечке.

«Жаль, что не удалось», — думала Ева, но теперь уже

как-то отстраненно, будто о пустом, необязательном деле.

А чем закончится вечер сегодня и где она проведет очередную ночь, она тоже не знала. Куда-то везут по ночной Москве... Ничего не сообщают конкретного... Сплошные тайны. Ей почему-то даже свидания с Сашей сейчас не хотелось, она так устала от напряжения, хотя о нем думала почти весь вечер, представляя с собою рядом. Уж он-то бы наверняка не подпустил и на пушечный выстрел этих бандитов. Особенно Вахтанга...

И о нем самом, и его имя она сегодня услышала впервые. Странно, что Давка никогда не упоминал этого типа, если они были чуть ли не ближайшими друзьями... И потом, эти странные претензии! Какие-то документы, о которых она ни черта не знает, какие-то нотариусы... Ведь если осталось завещание, то уж она первой должна бы знать об этом, и не от каких-то посторонних типов. Да, и насчет собственного юриста она соврала, не было у нее никаких адвокатов, даже таких, с которыми она просто спала когда-то. Не было! Но эту мысль ей подсказал кто-то из ее охранников, вовремя, надо сказать, подбросил — ух как они сразу все взвились! Наверняка жулики — вот кто они такие... А с жуликами у прокуроров — она имела в виду прежде всего Сашу — разговор должен быть коротким, вот так!

И Ева немного успокоилась, перестала горячиться. С новыми друзьями она, разумеется, не пропадет — почему-то очень хотелось ей в это верить.

3

Она даже не ожидала, что так обрадуются ее приезду.

— Жива-здорова наша красавица! — едва не захлопал в ладоши Грязнов, развалившийся в кресле.

Турецкий, напротив, вскочил, нагнулся к ее руке, поцеловал, как на приеме в великосветском обществе, и усадил в свое кресло. Еще двое крупных, средних лет мужчин в черной форме охранников привстали и слегка поклонились ей. Ну прямо как в театре при появлении примадонны.

Были здесь, в не такой уж и просторной комнатенке, еще двое — тот краснощекий водитель, который возил ее домой, а затем в ресторан на своей «шестерке», и девушка, которая, как показалось Еве, взглянула на нее не то с насмешкой, не то с ревностью, и только кивнула в ответ на Евино приветствие.

— Ну рассказывай, как прошло мероприятие, — сказал Грязнов. — И вы, ребятки, садитесь, — обратился он к прибывшим вместе с Евой. — Послушаем, добавите со своей стороны. А потом еще с одним деятелем познакомимся и кино посмотрим. Интересное! Я немного только проглядел — одно удовольствие. Детектив! Такая вот у нас на сегодня программа... Володя, глянь там, в ванной, порядок?

И один из крепышей — вот бы кого видеть сегодня рядом с собой, подумала Ева — поднялся и вышел из комнаты. Вскоре вернулся и молча кивнул — в порядке. И Ева, повинуясь знаку Грязнова, начала свой рассказ.

Она не торопилась, но также избегала многих, неинтересных, с ее точки зрения, подробностей. И, рассказывая, сама стала замечать, что все это ей теперь абсолютно неинтересно. Это как будто старый, отрезанный и зачерствевший ломоть, от которого никому никакой пользы. Тем более — вкуса.

Грязнов, слушая, морщился. Турецкий откровенно зевал, и это раздражало Еву еще больше — сами просят, а сами же... Не буду больше рассказывать, решила она и замолчала. Неинтересно, видите ли, им!

— Все? — спокойно спросил Грязнов.

Она кивнула, не удостоив его ответом.

— Хорошо, будем иметь в виду, а все остальное проясним своими вопросами, не возражаешь, Ева?

— Не возражаю, — буркнула она, чем вызвала у всех веселые улыбки. Но не обиделась. За что на них обижаться-то?

— Сережа, — сказал Турецкий, — если тебе необходимо заняться своей техникой, можешь удалиться на кухню, она пока свободна.

— Нет нужды, Сан Борисыч, — что-то жуя, видно унесенное в кармане с поминок, помотал головой Мордючков. — У меня техника цифровая. На экране компьютера всю программу и продемонстрируем.

— Так чего мы ждем? Давай начинай. Или прожуй сперва, — добавил под общий смех. — Небось там не оценили труды, даже пожрать как следует не дали, не то что выпить...

— Да-али, — глотая, пробормотал Сережа. — Емени не было.

— Чего? — переспросил Филя. — Семени? А при чем здесь это? — Он подчеркнул интонационно последнее слово, чем вызвал уже волну смеха.

— Да ну вас! — отмахнулся Сережа. Он поднялся с дивана, где примостился на уголке, и направился к компьютеру, стоявшему в углу комнаты на специальном столике. Стал там колдовать. Обернулся к остальным: — Вы не ждите, продолжайте, я скажу, когда пойдет программа...

— Ну давай хоть ты, Филипп, — сказал Грязнов. — Что важного пропустила наша дама?

— Да, в общем-то, она рассказала все правильно, проверить можно будет позже, по записи, которую мы заберем из ресторана сегодня ночью. Сейчас там еще гужуются эти деляги. Кому положено, тот проследит, чтоб эти ничего не нашли и не нарушили, так что там — в порядке... А из деталей? Сережа вон сказал, что узнал некоторых — по старым сводкам. Но не брать же их! Так и песню испортить можно. Главное — теперь мы знаем, где они и как выглядят. Это первое. А второе? Были там двое — по моим сведениям, оба тянут на местечковых наркобаронов. Невысокого пошиба. Один — это наглый Вахтанг Гуцерия — бакинский грузин, а другой — Исламбек Караев — тоже бакинец, плотно обосновавшийся в Москве. Если помнишь, Вячеслав Иванович, он в массе проходил по делу Мамедовых, тех еще[1].

Филя неопределенно кивнул куда-то в пространство, а Грязнов, подумав, сказал:

— Но он же был мелкой сошкой, чуть ли не тремя годами тогда отделался, нет?

— Точно. Но теперь, видать, вырос. Так вот, по некоторым сведениям, они начали делить между собой сферы влияния. Ну а более точно и подробно нам может наверняка поведать наш уважаемый гость, который отдыхает в ванной, да? Я правильно понял?

— Правильно, — улыбнулся Грязнов. — А ты, Николай, добавишь что-нибудь?

— Мелочи, не стоящие, может, отдельного внимания. Но один момент меня заинтересовал. Они очень хотели умыкнуть куда-то нашу клиентку. Рядом, говорили, отъедем, всего в двух шагах, — ну всякая матата. На записи наверняка будет. Так вот, там должен был присутствовать какой-то нотариус. И, я думаю, с той целью, чтобы заставить — уж об их способах я не говорю — Еву Абрамовну, стало быть, отписать им все имущество мужа. Другой цели и надобности просто не просматривалось, так велика была настойчивость. Пришлось нам даже стволы продемонстрировать — это немного их охладило. А так бы — увезли без всяких сомнений. А Филе Вахтанг поклялся памятью собственной родительницы, что этого он так не оставит. Отомстит, значит, надо

---

[1] См. роман Ф. Незнанского «Героиновая пропасть». М., 2002.

понимать. Поэтому Филе придется теперь сильно остерегаться, — опять почему-то под дружный смех закончил Щербак.

— Почему вы смеетесь? — возмутилась Ева. — Этот Вахтанг, наверное, опасный бандит! И окружали его такие же! Я их в первый раз видела, но впечатление они произвели страшно неприятное.

— Есть одна тонкость, Ева Абрамовна, — заметил улыбчивый Филя, — о которой вам пока неизвестно. Но если вы со временем узнаете, то тоже будете смеяться.

Смех вспыхнул с новой силой, а Ева ничего не поняла и немного даже обиделась. Но эта ее обида прошла незамеченной.

— А как вел себя Баранов? — спросил Турецкий. — Он, кстати, был?

— Ага, — кивнул Филя, — и глаз не сводил с нашей дамы. Кабы разрешили, так бы и слопал вместе с траурными одеждами. Видать, большой ценитель! А наша красавица млела...

— И ничего я не млела! — вспыхнула Ева. — Я его тоже в первый раз увидела. Мужик как мужик, ну смазливый немного. Некоторым такие нравятся, а мне — нет... Погодите! Так это же его вы подозреваете в убийстве Давки? — воскликнула вдруг, озаренная догадкой.

— Вот именно, — ответил Турецкий.

— Какой же он негодяй! — протянула Ева. — А так смотрел...

— Значит, все-таки смотрел? — утвердительно спросил Грязнов. — А ты и таяла, нет?

— Таяла, таяла, — сказал, обернувшись, Сережа. — Я даже зафиксировать успел — просто так, на память. Сейчас все увидите. А еще они все ругались. И обзывали кошмарными выражениями женщину, которая их же и угощала. Вот свиньи! — Чем вызвал улыбки.

И все с интересом посмотрели на Еву, но она, словно замкнулась, нахмурилась, что давалось ей, между прочим, с трудом — лоб не хотел принимать морщин и оставался чистым и ясным, как белый день. Похоже, что никогда еще настоящие, подлинные заботы не тревожили эту женщину. Ну и дай ей бог, как говорится...

Тут Сережа сказал, что у него все готово, и все повернулись к экрану монитора. Одна за другой пошли цветные фотографии уже прошедшего траурного мероприятия. Их смотрели, но особо не задерживались даже для того, чтобы обсудить ту или иную ситуацию. Снимки были рабочие, а не для выставки, поэтому на композицию тоже никто не обращал внимания. Смотрели в молчании.

Ева поглядывала с интересом лишь на те из них, на которых присутствовала сама — и то с целью оценить себя теперь со стороны. Кажется, ей некоторые из них очень нравились. Она даже дернулась было остановить Сережу и что-то у него спросить, но он и без слов понял, ответил, что напечатает любые, на которые она укажет, и подарит их ей просто на память. Ева успокоилась и стала смотреть спокойней.

Несколько раз объектив камеры брал группки сосредоточенных лиц, никак не вязавшихся по своему настроению с общим настроем присутствующих на поминках. Сугубо деловые, жесткие лица. Никаких эмоций. Взгляды неприветливые и недвусмысленные. Братва в новом исполнении.

— Вот их отпечатай побольше, понадобятся, — походя заметил Грязнов.

— Бу сделано! — отметил Сережа.

И вот подошли к финалу.

Конечно, следовало бы сначала посмотреть видеозапись, которую «ребятки» заберут из ресторана поздней ночью, когда разойдутся все посетители, а останется лишь один Эмин Ротару. Надо было бы и текст послушать. Но даже беглых фотографий хватило на то, чтобы все могли увидеть, как вдруг озверели просто строгие, каменные лица. А вот и Филя, хладнокровно направивший пистолет прямо в лоб очумевшему от животного страха Вахтангу, глаза которого выпучились до такой степени, что едва не выпали из орбит. Страшный, между прочим, был снимок. Народ, увидевший его, притих.

Еве и самой стало очень неуютно. Там, в ресторане, все это показалось ей пусть и неприятной, но все же игрой, чем-то выдуманным, нарочным, а здесь она увидела вдруг, что все абсолютно всерьез. Она даже тихонько ойкнула, и все посмотрели на нее. А Галя даже с осуждением.

— Ну и что, — разрядил гнетущую тишину Турецкий, — стрелял бы?

— А то! — хмыкнул Филя, но никто не отреагировал. — Ну превышение при исполнении. Опять же явное нападение. Ручки-то видели? Там у двоих-троих стволы при себе были, мы с Колей учли и это обстоятельство. Отнимать не стали, но запомнили. А этому, — он небрежно кивнул на очумевшего Вахтанга, — я, буквально за минуту до этого кадра, пожал руку. И он оценил, я думаю. Поэтому стрелять бы не пришлось. Сережа, верни-ка на пару снимков назад!

На экране снова появилась фотография, на которой с пистолетом в руке стоял Щербак, закрывая своим телом перепуганную Еву.

— Вы же видите... — продолжил Филя. — Мы при исполнении, а они этого не хотят понимать... Ничего, Сан Борисыч, вы с генералом не дали бы пропасть мальчонке. А уголовка сказала бы еще спасибо — за уничтожение опасного преступника, разве не так?

И своим «наивным» вопросом он разрядил тягостную тишину.

Наконец закончили и с этим.

— Ну хорошо, — сказал Вячеслав Иванович, — мне кажется, что Галя с Володей Яковлевым могут отдыхать, дальнейшее их пока не касается. «Глорию» я попросил бы остаться всю, ненадолго — до решения проблемы с полковником. А вот Ева? Может, тоже отправишься отдыхать? Зачем тебе эту гнусь видеть? Я почти уверен, что тебе вряд ли понравится.

— А куда? К себе домой?

— Нет, туда категорически нельзя. Там могут случиться крупные неприятности. Пусть тебя Яковлев, нет, лучше Сережа, отвезет ко мне на квартиру. Там и переночуешь, потому что это помещение нам сегодня еще понадобится, понимаешь?

— Понимаю, я поеду. А взглянуть хоть можно?

— Любопытство женщин губит, — наставительно сказал Грязнов. — Ты уверена, что хочешь видеть его?.. Ну посидите с Сережей. А ты, — он обернулся к Мордючкову, — возьмешь потом мою машину. Доставишь даму на Енисейскую улицу, ты знаешь, и оставь машину возле дома, во дворе. Она мне сегодня не понадобится, я у Дениса заночую или вот к Сане заскочу... Так, хлопцы, не будем тянуть, вносите! Свободным — до свиданья. Володя, довези Галю.

— Ну а как же иначе! — развел руками Яковлев.

— Выполняй команду. Спокойной ночи. Ева, пересядь тогда и освободи кресло. На стуле ему сидеть будет еще трудно...

4

Он с трудом передвигал ноги. Видно, не отошел еще от укола снотворного, который вкатил ему Голованов, после того как вырубил, когда полковник высунул голову из двери подъезда. Яркий свет в комнате заставил его заморгать и прищуриться, чтобы разглядеть собравшихся. Он еще плохо соображал и, похоже, никак не мог понять, что с ним случилось и где он оказался.

Его усадили в кресло, в котором он попробовал снова немного подремать, как только что, когда лежал в пустой ванной. Но Сева крепко похлопал его ладонями по щекам, сунул в нос флакончик нашатыря, заставив хорошенько нюхнуть и резко отдернуть голову, чем вскоре и привел полковника в чувство.

Все молча смотрели на него. И сам Огородников наконец обратил на это внимание. Почему-то в первую очередь он разглядел Еву и приятно удивился. Даже улыбку смог выдавить.

— А ты... — проговорил невнятно. — А где я? А чего делаешь? — Вот это уже был совсем глупый вопрос.

— Мы все тут занимаемся сейчас одним, — строго сказал Грязнов, — собираемся выслушать ваши объяснения, полковник, чем это вы вместе с отставным майором Жеребцовым сегодня занимались в квартире гражданки Грицман, куда проникли как бандиты. И естественно, без разрешения хозяйки. Начинайте рассказывать. Вы меня знаете?

Огородников сосредоточил взгляд на генерале, долго смотрел и кивнул:

— Знаю... вы генерал Грязнов... заместитель директора Департамента... уголовного розыска МВД... Чем обязан такой... высокой чести? — Речь его была еще хоть и сбивчивая, но тон — наглым. — О каком преступлении вы... говорите, если у меня имеются... ключи от ее квартиры, где она меня с приятелем не раз... принимала? Она сама дала... для удобства общения. И вообще... я заметил, она любит... большие компании...

— Ева Абрамовна, — официальным тоном сказал Грязнов, перебив отрывистую речь полковника, — а я ведь вас предупреждал, что это ничтожество, спасая свою шкуру, будет топить всех вокруг себя. Может, вам уже достаточно?

— Да! — она встала. — Более чем!

— Сергей! — Грязнов кивнул Мордючкову на выход.

Турецкий подчеркнуто вежливо поднялся, взял ее под

руку, чтобы проводить в прихожую. Огородников наблюдал за этими передвижениями, не теряя, однако, самообладания. Держаться он пытался, во всяком случае, уверенно. И когда Ева выходила из комнаты, кивками прощаясь с каждым, кроме него, полковника, он пренебрежительно бросил ей вслед:

— Шлюха!..

Турецкий обернулся.

— Ты не схлопочешь по морде, гад, только потому, что я не хочу марать об тебя руки.

Полковник только вызывающе хмыкнул. Его никто не трогал и ни о чем не спрашивал, пока Ева с Сергеем не уехали и Турецкий не вернулся в комнату и снова не уселся в кресло.

Но тут Огородников, будто впервые, обнаружил у себя на запястьях наручники. Он посмотрел на них с неподдельным изумлением, затем вытянул перед собой руки и спросил:

— А это еще что? Зачем?! — Но ему никто не ответил, просто не обратили внимания, а сил вскочить из кресла у него еще не было. Поэтому он поерзал, бормоча что-то под нос, и успокоился.

Между тем на экране монитора пошла видеозапись, сделанная в квартире Грицман. Все смотрели молча, не задавая вопросов. Наконец досмотрели до того момента, когда появилась речь. Выслушали диалог внимательно, при произнесенных вслух именах «Петр Ильич» и «Ваня» разом обернулись к Огородникову, но тот безразлично пожал плечами. Остановили показ на том моменте, когда Жеребцов закончил возню с бомбой, поднялся с колен и, махнув рукой, сказал: «С Богом!»

— Это ж какими мерзавцами надо быть, а? — задумчиво проговорил Турецкий. — Какими грязными циниками! Нет, ребята, я этих нелюдей не понимаю... Слушайте, а может, прекратим ненужные попытки? А вы его просто заклеите сейчас скотчем, чтоб не блевал в помещении, и превратите в отбивную котлету? А потом мы то, что от него останется, где-нибудь под воду спустим, а? До следующей весны? Ведь противно сидеть с ним в одной комнате!

Огородников издал какие-то горловые звуки, очень похожие на рвоту.

— Ну я ж говорил! — с омерзением продолжил Турецкий. — Ребятки! Ну, заклейте кто-нибудь ему харю! Ведь изгадит все кругом!

— Я... скажу... — выдавил из себя полковник. — Н-не надо!

— Послушаем? — с таким же мерзким выражением на лице спросил у присутствующих Грязнов. — Или ну его?

— Я бы послушал, — пожал плечами Щербак.

— Ну давайте, — неохотно согласился Грязнов. — Временно отставить, пусть говорит, — сказал он Филе, который уже стоял возле полковника с мотком широкого скотча в руках. Филя отошел к окну и устроился на подоконнике, затянутом плотной шторой.

— Протокол будем заполнять? — спросил Щербак, достав из папки Турецкого протокол допроса. — Он подозреваемый или сразу обвиняемый?

— Какой протокол? — криво усмехнулся Турецкий. — Ты в самом деле решил, что мы будем его дело в суд передавать? Это же чистая формальность. Подотремся потом...

— Так я и писать тогда не буду, — словно обиделся Щербак.

— А кто тебя заставляет? — снова презрительно хмыкнул Турецкий. — Пусть говорит, так и быть, раз сам хочет, а там посмотрим. Смазливая рожица-то... — Он вдруг с таким пристальным интересом посмотрел в глаза Огородникову, что того охватила оторопь. — Старые зэки, — продолжал Турецкий, — рассказывали мне на допросах, что с такими вот пацанчиками в камерах происходит.

Огородников стал совсем бледным, наглость его словно водой смыло. Он даже в размерах будто уменьшился.

— Ну чего молчишь? — яростно закричал на него Турецкий и тут же остыл. — А завтра мы возьмем Вахтанга Гуцерию и Караева Исламбека, которым давно место в Бутырках, и те охотно сдадут тебя, пустив впереди себя «паровозом».

И полковник сдался.

Он собирался, конечно, приехать на поминки. И не один, а вместе с Ваней. Не в том дело, что вдова, как баба, представляла для них еще какой-то интерес, они уже все с ней перепробовали — еще когда был жив ее муж, недоносок Додик. И держали бабу на крепком крючке, потому что Додик — при всей его импотенции — был бешено ревнив и вполне мог в приступе ярости либо под кайфом задушить шлюху. А этого как раз им не требовалось. Ева еще могла пригодиться в будущем.

— Но тогда зачем же бомба?

Ответ на вопрос Грязнова оказался примитивно простым. На взрыве настаивал Вахтанг. После поминок Еву должны были отвезти к нему домой, где ее ждал юрист, в присутствии которого она должна была написать дарственные на имущество мужа. После этого, обойдя круг любителей изысканных забав, другими словами — после веселенькой групповухи, Ева должна была отправиться к себе домой, где и завершить цикл земного существования. Жаль, конечно, красивую бабу, от которой было бы еще немало пользы другим, но выход тоже не просматривался — Вахтанг был жесток и неумолим. Давид взял в долг у него крупную сумму, не вернул и умудрился утонуть, как неопытный щенок! Значит, пусть вдова отвечает. Всем своим состоянием. Но так как стало известно, что у нее завелись какие-то шашни с одним прокурором из Генеральной, решили убрать ее вообще, чтоб и следов не осталось. А поручение — что оставалось делать, все уже отчасти замешаны в общих делах — вынужден был принять на себя полковник Огородников. Он тоже сидел у них на крючке, благодаря одной неприятной истории.

Было дело, пролетел с деньгами, пришлось срочно выкручиваться, эти — Вахтанг со своими помощниками — выручили, тоже попросили о малом одолжении, помог. Так и пришлось сотрудничать. Банальная, в сущности, история. Он еще и философствовать пытался, этот смазливый герой нашего времени. Как же, молодой, удачливый, перспективный полковник милиции! А туда же...

Выслушав «исповедь» Огородникова, решили все же досмотреть «кино» до конца. Полковник же не знал еще, что взяли его одного. А требовалось срочно выяснить, где мог бы спрятаться его напарник. Оттого и соблюдали такую таинственность.

Показ снова пошел. И вскоре они поняли, что совершили тактическую ошибку. Даже две.

...Вот Огородников, стянув маску, вытер ею лицо и стал легко узнаваем. Он передал Жеребцову связку ключей.

— Ну так я пошел, — сказал он. — Закроешь дверь, ключи на всякий случай не выбрасывай, они нам потом могут еще понадобиться. Помощь тебе моя сейчас нужна, Ваня?

— Да какая от тебя помощь? — отмахнулся тот движением локтя. — Фонариком светил, вот и вся подмога. Иди. Я сейчас сам закончу, а потом выйду на лестницу, погляжу в окно. Как только ты мигнешь фарами, я разом спущусь. Договорились?

— Лады. — И полковник вышел из квартиры.

Жеребцов, осторожно протягивая провод, вышел в коридор, закрыл за собой стеклянную дверь комнаты, без всякого инструмента вдавил сильными пальцами в нижний угол ее филенки что-то похожее на обойную кнопку с длинным жалом и намотал на головку конец провода. Поднялся, отряхнул руки и, погасив фонарик, висящий у него на груди, вышел за дверь. Послышались металлические звуки поворота ключа...

Вот, значит, какой способ они решили применить! Расчет строился на том, что именно эта, единственная в квартире, стеклянная дверь открывалась из комнаты в коридор, и, потянув ее на себя, Ева немедленно была бы убита. Изрезана осколками стекла, растерзана начинкой бомбы и, вообще, размазана по стенам. А следов убийцы не оставили, потому что работали в целлофановых бахилах, надетых поверх ботинок, и в перчатках.

Но и это еще не все. Наблюдатели наконец увидели и главную свою ошибку, из-за которой ими не был взят Жеребцов: они поторопились, не дождались, как говорится, последнего аккорда — заключительных фраз преступников, боясь, что сами могут опоздать занять выгодные позиции для захвата. А у тех, оказывается, был свой договор. Ждали-то обоих, а те выходили порознь! Вот Жеребцов и понял, что могло произойти внизу и почему не просигналила ему машина. А раз так, то... все правильно. Такой «артист» заранее предусмотрел способы отхода. Обычный вариант, скорее всего, — в потолочный люк на верхнем этаже, вниз через другой, уже в соседнем подъезде, а там — дай бог ноги! Главное, чтоб замки не висели. Ну а уж об этом они наверняка позаботились заранее. Что и произошло.

И вторая ошибка в том, что зря посмотрели видеозапись при полковнике. Теперь он мог бы догадаться, что ему здесь врут, что Жеребцова не взяли, тот все еще на свободе. Значит, нельзя было дать ему опомниться и придумать для себя удобную версию.

— Куда ушел Жеребцов? — резко спросил Грязнов. — Его адрес! Немедленно! Где у него «крыша»?

— Не знаю, — на всякий случай сказал Огородников.

— Ну не знает, — облегченно сказал Турецкий, — и хрен с ним, ребятки. Надоело возиться! Забирайте и кончайте!

— Но вы обещали! — взвизгнул полковник, снова сжавшись в кресло.

— Мы?! — как о чем-то невероятном спросил Турецкий, обводя всех взглядом. — Кто-нибудь слышал, чтобы я что-то ему обещал? Вячеслав Иванович, может, у меня стало плохо с памятью? — Он сурово и пронзительно посмотрел на генерала, и Огородникову показалось, что Грязнов тоже съежился под этим взглядом.

«Так вот кто здесь главный, а вовсе не Грязнов! Тогда этот, наверное, и есть тот самый Турецкий?!»

Фамилию-то слышал полковник, и про должность знал, и про все остальное, а вот в глаза до сих пор не видел, как-то не доводилось. Значит, вот кто из него душу вынимал!.. Зря он тогда тут перед ними бахвалился... А судя по тому, как заботливо разговаривал этот Турецкий с Евой и даже проводить ее вышел, очень похоже, что и ему она тоже мозги успела запудрить. И значит, с соперниками такого рода прокурор может быть просто беспощадным. Вот откуда и такая агрессия. Наверняка может... этот может...

В конце концов, он уже столько им всего наговорил, что, если бы до суда дело и дошло, мелочовкой не отделаешься. Хотя можно всегда и отказаться от своих показаний, если заявить, что они были выбиты из него силой или под угрозой жизни. Не принимаются сегодня судом признательные показания самого обвиняемого без серьезной доказательной базы. Но эти наверняка что-то уже против него имеют... Ну тогда есть еще возможность посотрудничать со следствием. Выдать им побольше компромата на Вахтанга с Исламбеком, подсказать адрес Вани Жеребцова — человека малых форм и гигантских потребностей... Да подбросить им, в конце концов, заказчика убийства Артемовой! Вот кто им сейчас нужен больше всего! А там, глядишь, где-то что-то скостят, дадут поменьше, опять же на «красную» зону пошлют, к бывшим своим, учтут прежние заслуги. Да и не любят особенно в органах кадры свои сдавать. Правда, и тех, кто попался, тоже не жалуют... А вот на Ваньке и на заказчике его отыграться — это еще, кажется, можно. И он решился, спросив осторожно:

— Вы ж меня, как я понимаю, взяли без всякой санкции? — и позволил себе даже несколько натужно выдавить улыбку.

— Ага, — кивнул Голованов, — на месте преступления.

— Верно, но это вам еще придется доказывать? — уже осмелел он и стал ждать ответную реакцию.

— Не беспокойтесь, — презрительно махнул рукой Турецкий, — как-нибудь разберемся. А вот наше снисхождение надо заработать. А это очень нелегко. И он останется здесь, на цепи, ровно до той минуты, пока нам от него будет хоть какая-то польза, пока он нам будет нужен, и пусть не особо тешит себя надеждой! Либо все на стол, либо... — И он сделал резкий жест, которым стряхивают мусор со стола.

— У меня другое мнение, — заметил Грязнов и подобострастно взглянул в сторону «сердитого большого начальника» Турецкого. — Я полагаю, что он просто рискнул поторговаться, думая, что его номер пройдет. Но он не пройдет, потому что, когда я завтра перед совещанием покажу отдельные кадры из этого «кино» министру, никаких специальных санкций не потребуется... Это если я покажу. Но мы ведь еще не решили окончательно, да, Александр Борисович? — решил наконец раскрыть инкогнито Турецкого Грязнов.

— А чего ты за него заступаешься? — без всякого почтения к генеральскому мундиру спросил Турецкий. — Лично мне он совершенно не нужен. Даже больше, своим присутствием — вообще! — будет только мешать, как отвратительное напоминание. Значит... — И он снова повторил свой жест, как бы избавляясь от помехи.

Понял Огородников, что угадал, но легче ему от этого не стало. Зря вырвавшиеся слова про Еву теперь только вредили. Придется аккуратно давать задний ход, думал он, объясняя сказанное своей злостью за ее, к примеру, неуступчивость его домогательствам. «Вот же черт! Сам себя в угол загоняю!..»

Он теперь не знал, что движение его мыслей ясно отражается на его лбу, покрытом испариной. В комнате и в самом деле было жарковато. А он ведь в теплой куртке, которую с него так еще и не сняли.

— Ладно, — вроде бы смягчился Турецкий, прислушавшись к аргументу Грязнова. — Можно и подождать с окончательным решением. Обыщите его и разденьте. Посмотрим, на что он сгодится...

Но Огородников отчетливо видел, что Турецкому совсем не хочется менять своего мнения, что сам для себя он, скорее всего, уже мысленно решил судьбу захваченного с поличным полковника и разбираться с дальнейшим не собирался. У них тут своя, тесная, видать, шайка-лейка! И вдруг его снова прошибло потом. «Нет, Ваньку придется сдавать... Ты уж извини, Ваня, не судьба тебе, видно, больше, да...»

— Я могу вам сказать, что на совести Жеребцова уже имеется убийство врача Артемовой, жены Алексеева. А заказал ее ему доктор Баранов, о котором вам, я уверен, ничего вообще неизвестно. О настоящем его лице...

Он решил, что открывает им глухую тайну, но Турецкий презрительно хмыкнул:

— Да ну? А мы думали, что ты и там свечку держал... Ну-ну, не тяни собственного времени. Это оно не у нас, оно у тебя бездарно уходит... Адрес говори немедленно! — вдруг рявкнул он.

Полковник смешался, сделал вид, что усиленно вспоминает, и, наконец, сказал:

— Записывайте...

Турецкий записал его на пустом бланке протокола, оторвал край с записью и протянул Голованову:

— Быстро туда...

«Как же, — злорадно подумал про себя полковник, — сидит там Ваня и ожидает вас, голубчиков, как же...» А в общем, решил он для себя, сдать его можно будет и в последнюю минуту — эти с виду такие крутые, а ведь ни разу еще не стукнули, мелькнула спасительная надежда...

— А теперь рассказывай про своего Жеребцова, — потребовал Турецкий. — Все и подробно!

5

Владимир Поремский во второй половине этого же дня, примерно около шести вечера, явился на аудиенцию к московскому мэру, проявившему такое необычное рвение в деле своего заместителя.

Александр Борисович решил, что самому ему в кабинете мэра делать нечего, в крайнем случае мог бы вызвать того к себе в Генеральную прокуратуру — не мальчик все-таки по чиновникам бегать. Но за таким демаршем наверняка последовало бы и определенное обострение амбиций, а оно сейчас было лишним. Вот и отправился Поремский.

Мэр долго выбирал в своем напряженном расписании свободные полчаса и не выглядел при этом человеком, который просто оттягивает ненужный и, возможно, даже неприятный для себя разговор, а дело действительно в его занятости.

Володя слышал, что мэр — человек деловой и не любит всяческих экивоков. Поэтому и вопросы свои заготовил, что называется, с прямотой римлянина — в лоб, без расшаркиваний и извинений.

— Скажите, Михаил Юрьевич, почему вы считаете, что готовилось убийство именно вашего заместителя, а не его супруги?

— А разве я так считаю? — удивился мэр, и глаза на его широком лице сузились. — Кто вам сказал... — Мэр посмотрел в запись на своем столе, в блокноте, и добавил: — Владимир Дмитриевич?

Поремский чуть улыбнулся.

— Мне бы не хотелось открывать источник своей информации.

— Тоже мне источник! — совсем непочтительно фыркнул мэр. — Небось трепанул кто-нибудь из администрации президента, так?

— Почти так, — снова улыбнулся Поремский.

— Тогда я сам скажу. Терпеть не могу недомолвок! И потом, вы же не газетчик, не журналист, и высказанные вам мною сведения, я надеюсь, не станут немедленно достоянием средств массовой информации?

— Ни в коем случае, за это отвечаю головой.

— Ну, — снисходительно заметил мэр, — голову оставим в покое, а мне будет вполне достаточно вашего слова.

— Даю слово, — серьезно сказал Поремский. — Да, в общем-то, наш разговор не имеет прямого отношения к уголовному делу, возбужденному по факту одного убийства и подготовки аналогичного второго.

— Да-а? И кто же этот второй? Тоже наш работник? Я имею в виду мэрию.

— Нет. Совсем нет, врач-нарколог, как и Татьяна Васильевна Артемова. Просто рангом пониже.

— Скажите пожалуйста... А чего ж я не знал?

— Убийства-то не было. Жертва обнаружила заряд раньше, чем тот сумел сработать. А коллеги из ФСБ быстренько разобрались с бомбой.

— Интересно, что за разборки начались в наркологии? — задумчиво произнес мэр и что-то черкнул для памяти в блокноте. — А с этим случаем?.. Да Георгий... ну Алексеев, заместитель мой, панику устроил. Это, говорит, они не в Таньку, они в меня целили, а она приняла на себя незаслуженный удар. Ну действительно, — стал он рассуждать, — если подумать, кому она могла быть опасна? Кому перебежала дорожку? Абсурд! А у Георгия?.. У него длинный послужной хвост, так сказать. Он ведь, если вам это неизвестно, начинал, как вы любите говорить, «на земле» — в прямом смысле, в прорабах, после строительного института. Дослужился до Госстроя! Был одним из замов председателя, еще когда там короткое время после того своего злосчастного выступления на Политбюро служил небезызвестный будущий первый российский президент. Где-то и в чем-то они конфликтовали, наверное, между собой, потому что когда тот зам стал президентом, он не забыл своего оппонента и, как рассказывал мне Георгий, просто выкинул его со службы. Однако, как специалист, как человек, который умеет налаживать деловые контакты с фирмами, Георгий по-своему был незаменим. И я, придя в мэрию, разыскал его в мелком коммерческом предприятии. Глупо тратить крупные деловые возможности человека на игру, скажем, в кегли. Вот с тех пор и работает. Устает, наверное... Опять же нервы...

— У вас с ним конфликты случаются?

— Как у всех людей, занятых одним общим делом. Не обходится и без конфликтов.

— Как они вам обходятся, ваши конфликты, к примеру, с тем же Алексеевым, это другой разговор, а вот как они обходятся ему, вы не задумывались?

— Честно говоря, нет. И даже не совсем понимаю, почему вопрос возник именно в такой постановке?

— Приведу пример. Вот он мог же кому-то оказать

помощь? Говоря парламентским языком, лоббировать в мэрии чьи-то интересы? Или категорически нет?

— Ну чьи-то интересы мы, так или иначе, соблюдаем, хотим того или нет... Но я не совсем понимаю...

— Предположим, он кому-то что-то хорошо наобещал. Взял за это дело либо нет — тоже десятый вопрос, он в данном случае не самый важный. А вы, как мэр, переиграли все по-своему. Такое могло быть?

— Так сколько раз! — воскликнул мэр, до которого наконец дошел смысл интриги. — Он привлек к строительству ряда объектов... это у нас совершенно новый район столицы, там будет множество градостроительных новшеств... привлек представителей одной давно известной ему зарубежной строительной фирмы. Даже, можно сказать, концерна. Ну те соответственно и заломили, как у нас говорят. А я посмотрел на это дело, прикинул наши возможности и предложил объявить аукцион. Ох как Георгий сопротивлялся! Но мы таки его дожали! И главное — все пошло на пользу делу! И он сам это вскоре понял.

— Он-то, может, и понял, да поняли ли те фирмачи, которых он подвел?

— И вы считаете, что серьезные люди пойдут на такое дело? Ну сегодня в чем-то проиграли, зато завтра выиграли! Нет, у значительных партнеров так просто дела не делаются... Хотя, с другой стороны...

— Вот именно, если брать не глобальные интересы международного, скажем, партнерства, а личные, частные потери отдельного лица... такое может быть? Причем не обязательно с иностранцами, а именно с нашими, пролетевшими, как говорится, как фанера над Парижем?

— А черт его знает? — И мэр неожиданно засмеялся. — Слушайте, Владимир Дмитриевич, а можете вы мне в свою очередь ответить на один давно интересующий меня вопрос?

— Постараюсь... если смогу.

— Скажите, почему прокуроры, следователи, ну и все судейские говорят «возбу́ждено», а не «возбуждено́», как все нормальные люди?

Поремский рассмеялся:

— Я и сам не знаю, честно говоря. По-моему это из области профессионального жаргона. Наш обычный ко́мпас у моряков — компа́с. Или еще есть объяснение. Когда мы говорим «возбу́ждено», то предполагаем дело, то есть как бы заранее утверждая: будет преследование! А просто возбужденным может быть кто угодно. Вот как мы с вами, обсуждая кандидатуру господина Алексеева, который, по моему мнению, скажем, совсем не тянет на занимаемую им должность, но которого вы защищаете. Может, даже и из чувства противоречия по отношению к кому-нибудь. К тому же бывшему президенту. Но это я говорю не буквально, а условно, как бы предполагая, не больше. Ну в качестве примера, который первым пришел в голову.

— Нет, возможно, вы меня не так поняли, я не защищаю, я прежде всего смотрю на рабочие, деловые качества своих ближайших коллег — это для меня всегда являлось единственным мерилом. А все остальное — так, попутно. Но мерзавцев тоже не терплю, ни в каком виде.

— Точно?

— Понимаете, за что я не люблю политику... За терпимость, именно за нее. А в хозяйственной деятельности политики быть не должно.

— А разве ваши аукционы — это не та же политика? — спросил Поремский.

И мэр засмеялся.

— Так можно договориться до того, что лень действительно является основой прогресса. Лень куда-то топать собственными ногами, и человек придумал велосипед!.. Ну я вам, кажется, что-то прояснил?

— Именно кое-что, спасибо.

— Но если у вас имеется собственная твердая версия, то какого же... э-э... лешего вы занимаетесь еще и этой, представляющейся вам ложной?

— А вот видите, какая цепочка образовывается? Алексеев нажаловался, поди, вам, что все силы расследования надо бросить на выяснение не того, кто убил Татьяну Васильевну, а кто покушался на его жизнь? Так?

— Ну примерно, — кивнул мэр.

— А вы, возможно походя, упомянули об этом на аудиенции у президента. Тот, подозреваю, ничего не ответил, но согласно кивнул. И этого было уже вполне достаточно, чтобы из его администрации поступило в Генеральную прокуратуру категорическое указание весьма «сведущих» в нашем деле людей не заниматься всякой чепухой, не искать кошку в темной комнате, потому что ее там все равно нет, а делать то, что нам указано. Извините, я нарисовал примерную картинку, в которой, не исключаю, вы, возможно, и не участвовали. Но путь «указания» — он самый обычный и нам давно известный.

— Все происходило почти так, как вы нарисовали. Но вы... я могу назвать вас молодым человеком?

— Запросто, — улыбнулся Поремский.

— Так вот, молодой человек, вы невольно преподали мне сейчас хороший урок. И я вам благодарен за это. Действительно, мы иной раз мним о себе куда больше, чем сами того заслуживаем. А вам после этого только лишняя морока. Впрочем, если вы намерены прошерстить окружение Алексеева, вероятно, он возражать не станет. А я дам указание своему помощнику Виктору Андреевичу, и он составит для вас список фирм, которые... с которыми работал в последнее время Георгий и которые, как вы правильно заметили, «пролетели» над Парижем. Если это вас устроит.

— Вполне. Буду вам весьма признателен. Когда обратиться?

— А прямо сейчас, в приемной, и договоритесь. Я ему скажу. Но мой вам совет, плюньте и занимайтесь той версией, которую считаете для себя правильной.

Глава седьмая

ДОКАЗАТЕЛЬНАЯ БАЗА

1

Все, что говорил о Баранове полковник Огородников, вполне могло быть правдой. Точнее сказать, полуправдой. Любой преступник, рассказывая и о своей роли в совершении преступления, пытается утаить самую, как ему кажется, убийственную для себя информацию. А Петр Ильич был именно преступником — и по образу мыслей, и по своим действиям. И что на его плечах погоны полковника милиции — это лишняя возможность для удачной мимикрии, не больше.

Итак, если считать, что Баранов заказал Артемову и этот заказ довольно сложным путем прошел через полковника, непосредственного исполнителя Жеребцова, а также через Исламбека с Вахтангом, то вообще никакой логики не просматривалось. Слишком много задействованных людей обязательно сорвут операцию. Так не поступают.

Но в бригаде, если ее можно назвать именами Вахтанга — Исламбека, Огородников подчеркивал свою второстепенную роль.

И тут опять получалась нестыковка. Зачем тому же Баранову убирать пусть даже и свою соперницу столь варварским способом? Для того чтобы потом занять ее место? А если учесть при этом риск, то цель может просто не оправдать затраченных на ее исполнение средств. Умный человек — а Баранов не казался идиотом — на такой шаг просто не пошел бы. Есть куда более результативные и менее, кстати, громкие способы.

Имеется другой вариант. Скажем, Исламбек решил убрать за какие-то ему одному известные грехи Татьяну Артемову. За какие? Она могла отказаться заниматься под его руководством распространением наркотиков, как о том, имея в виду возможную врачебную наркологическую практику, поведал в свое время доктор Баранов. Он ведь говорил не о чем-то конкретном, а просто высказывал различные предположения.

Итак, она отказалась, и ее убили. Исламбек поручил ее устранение Огородникову, а тот уже в свою очередь как старший назначил исполнителем младшего по званию Жеребцова. Тут есть логика. Но при чем здесь Баранов?

Сами между собой они могут сколько угодно грызться, но их поступки должны отвечать логике! И тогда почему во втором случае взрывное устройство, подобное примененному на Бережковской набережной, для убийства Баранова не сработало? Ведь подготовлено оно было тем же человеком — бывшим майором из МЧС Иваном Михайловичем Жеребцовым, специалистом своего дела. Но подготовлено так, что Баранов легко обнаружил угрозу, как если бы знал о ней заранее. Вот где может быть зацепка, отчасти продемонстрированная им во время следственного эксперимента. А сам же Баранов всякое свое участие в этом деле категорически отрицал! И существенных возражений у следствия не было. Пока.

И тут логика исчезала — при чем здесь снова Исламбек либо Вахтанг?

Или же еще один вариант: тот же самый Жеребцов во втором случае тоже действовал с подачи самого Огородникова, который проявил личную инициативу. Но зачем? Опять нет связи.

И, наконец, теперь третий уже случай. В квартире Евы

наверняка установлен аналогичный прежним взрывной механизм, но уже не для того, чтобы его смогли обнаружить, а затем, чтобы действительно убить намеченную жертву. Вахтанг приказал, видите ли!

А в случае с Барановым кто приказывал? Об этом Огородников говорил как-то странно — то ли и сам не знал толком, то ли боялся приврать, чтобы не повесить на себя и это покушение. Все надо тщательно проверять. А проверить не с кем — два основные звена выпали из цепи. Утонул Додик, который мог бы что-то рассказать, и исчез Иван Жеребцов. В его однокомнатной квартире на Комсомольском проспекте, в доме 37, по соседству, кстати, с Турецким, никого не оказалось.

Приехавшие туда среди ночи Голованов с Щербаком легко вскрыли входную дверь, но за ней никого не обнаружили. Впрочем, следы поспешного бегства имелись. На полу остались разбросанные чистые листы бумаги из письменного стола, ящики которого были открыты. Пустым оказался и холодильник. А на вешалке не было теплых, зимних вещей — только летний плащ и осенний офицерский дождевик старого еще образца. Значит, сборы были недолгими и продуманы заранее. Ну да, ведь сколько времени прошло с той минуты, когда взяли Огородникова! Пока его везли, пока допрашивали, можно было успеть собраться без спешки и основательно. Отсюда следовал вывод, что бывший минер уезжал надолго и, возможно, далеко. О квартире он, похоже, не думал. Деньги и руки есть — можно нажить и другую!

Одновременно с этими вопросами встал еще один: что теперь делать с заминированной квартирой Евы? Кидаться немедленно разминировать ее, обнаруживая тем самым свою кровную заинтересованность в этой проблеме? Одновременно засвечивать захват полковника, что все равно когда-то придется делать, ведь никто ж не собирался его действительно топить в болоте! Или оставить все как есть? Посторонние в квартиру проникнуть не могут — разве что только воры. Ева предупреждена и домой сама не сунется. Пусть бомба пока и полежит. А если вдруг кто-то решится, то что? Снова прогремит взрыв?

Но кто может решиться? Огородников сидит взаперти. Жеребцов скрывается. Кто заинтересован узнать, что вообще вокруг происходит? Только Вахтанг с Исламбеком. Ну вот пусть тогда они и суют свои носы... Но соседи-то при чем? Вот здесь и нужно выбрать разумную и безопасную для прочих тактику действий!

Однако знать и не предотвратить — это уже само по себе преступление. Потому и крутись как хочешь.

Можно, конечно, поступить иначе. Вызвать, к примеру, взрывотехников из ФСБ, объявив им, что заряд вычислила охрана Евы Абрамовны, нанятая ею из-за боязни покушения на свою жизнь, особенно после странной и нелепой гибели мужа. Так вот, охрана сработала грамотно, взрывчатку обнаружила, увидев конец провода. Никто, естественно, не стал обезвреживать бомбу самостоятельно, решив обратиться к специалистам.

Так-то оно так, но тогда придется напрочь «забыть» о всех камерах, установленных в комнатах, а также и о сделанной видеозаписи.

Совещание, казалось, зашло снова в тупик. Но тут неожиданно озвучил свою мысль технически образованный Коля Щербак.

— А если поступить следующим образом? — сказал он, и лица всех присутствующих обратились к нему — нечасто Николай баловал товарищей своими откровениями, но, хотя делал это и редко, получалось, как в той поговорке, метко, иначе говоря, в масть.

— Короче, что ты предлагаешь? — не выдержал затягивающейся паузы неугомонный Филя.

— Я предлагаю организовать звонок полковника к его руководству.

— Зачем? — спросил Грязнов.

— Выклянчить себе неделю отпуска за свой счет — по болезни, по семейным обстоятельствам. Могут же у него быть, в конце концов, какие-нибудь обстоятельства?

— А семья у него имеется, ты интересовался? — настаивал Грязнов.

— Выяснить как два пальца... извините, Вячеслав Иванович. Ну или еще по каким-то другим причинам.

— И что? — теперь уже столь неожиданным предложением заинтересовался Турецкий.

— Заручится разрешением и отбудет. Куда, это уж нам решить легче. Зато его искать не станут — раз! Он нам развяжет руки в поиске Жеребцова — два! И — три! — сам поймет, что для него это единственное спасение. А оправдываться, когда его возьмут за то самое, будет тем, что сильно испугался. Сбежал от возможной мести подельников. Но пока был в бегах, одумался и решил их сдать с потрохами. Премии или ордена ему, конечно, не дадут, но срок после этого определенно скостят. А в его положении срок сейчас самое важное обстоятельство. И, наконец, четвертое: наши записи никому, кроме как нам самим на память, нужны не будут, а Жеребцова, скажем, мы вычислили по почерку. Уж на это нам ума хватит! Я так думаю...

— А что делать с техникой? — спросил Филя.

— О ней мы договоримся со спецами отдельно, заботливый ты наш. Объясним им, что сами технику ставили для контроля обстановки в квартире. Смотрели, но не круглосуточно, а записей не делали. А когда разобрались, схватились за головы. Обыкновенное российское разгильдяйство — повсюду опаздывать без веских к тому оснований. За это у нас даже и не наказывают, считая национальной чертой.

— Не знаю, как вам, а мне нравится! — заметил Турецкий.

Щербак скромно потупился. Его товарищи загомонили, поддерживая предложение.

— А что будем делать с полковником, — напомнил Грязнов, — если он не согласится?

— Доверительный разговор с ним мы поручим тебе, Слава, — сказал Турецкий. — Ты умеешь, я знаю, людей уговаривать. Даже упрямых. Расскажи ему, что в противном случае мы его уже сегодня, просто по ошибке, отправим в камеру, где и не таких, как он, уговаривали. Что пока разберутся, кто да куда, с ним тоже успеют разобраться очень большие специалисты, но по другой части. Вряд ли он не согласится на наши условия.

— А как же с протоколом допроса? — спросил «памятливый» Щербак.

— Да мы его вмиг допросим, успеем, время есть. А он нам под протокол расскажет все что угодно, успевай только записывать... Конечно, он уже отошел немного от первоначального страха и станет, скорее всего, врать напропалую, но нам не важно, только бы говорил. Захочет потом отказаться от своих слов — его дело. У нас уже будет собран и на него толковый компромат. Нам бы сейчас только до Жеребцова добраться, а тот всех сдаст.

— Почем знаешь? — спросил Грязнов.

— Да натура, поди, такая. Если он, убегая, весь холодильник свой опустошил, всю зимнюю одежду прихватил...

— А если у него холодильник отродясь был пустым? — подсказал Голованов.

— А из зимней одежды — одна та куртка, в которой он ходит? — добавил Демидов.

— Вы точно подметили, так может существовать только одиночка, циник, и причем порядочный неудачник, — в тон им отозвался Турецкий. — Единственное, что умеет, — это бомбы ставить. Ну и баб насиловать. За то и держали. Но, может, еще за какие-то иные редкие качества. Надо спросить у полковника, тот наверняка знает. И из этого исходить в дальнейших поисках.

— Так-то оно вроде получается, что мы почти все про него знаем, — заметил Филя, кроме одного: где искать?

— Значит, Баранова мы на какое-то время оставим в покое? — напомнил еще об одном «герое» Грязнов.

— Только в том случае, если Огородников не выдаст нам на него толковый компромат. Потому что он знает гораздо больше. Но и хочет, возможно, продать подороже. Вот тебе, Слава, как самому близкому его коллеге, и предоставляется это право — раскрутить полковника. При всей гнусности его натуры мне почему-то показалось, что он готов поверить нашим обещаниям.

— Так что, хлопцы? Поручаем мне это дело, да? — поинтересовался Грязнов. — А после дружно кидаемся на добычу?

— Если ничего другого не останется, — развел руками Голованов. — А Жеребцова надо искать где-нибудь в отдаленной деревне.

— Может, подскажешь, в какой конкретно? — съязвил Демидов.

— Тебе и подскажу, Вова, — спокойно ответил Сева. — Давайте я поеду в ту эмчеэсовскую часть, где служил Жеребцов, и поспрошаю его бывших коллег? Узнайте только, где служил? Может, тот же полковник знает, а может, в штабе МЧС? Но мне к руководству идти не по чину.

— Пока Слава будет колоть Огородникова, я свяжусь с МЧС, — серьезно сказал Турецкий.

Он достал мобильник и набрал нужный номер.

— Клавдия, голубушка, — заговорил мягко, и все тут же заухмылялись, — как вы там, без меня?.. Что, грустно? Это не самое страшное, подруга. Это, наоборот, приятное чувство. Шеф не наезжал? Смотри-ка, смирный становится, к чему бы?.. Сон видела?! Батюшки, про кого?.. Клавдия, я запрещаю тебе смотреть такие сны! Категорически! Не смей нарушать моих указаний! А теперь открой-ка свой талмуд, найди все головное руководство МЧС, включая самого, и продиктуй мне десяток-полтора руководящих телефонов. Прямых и секретарских тоже. Внимательно тебя слушаю... Записываю...

2

Петр Ильич Огородников понял уже, что у его похитителей не все в порядке, где-то произошел, видимо, сбой. И хотя держались они все в его присутствии уверенно и разговаривали напористым тоном, уж ему, как по-своему опытному борцу с организованной преступностью — не первый же год отдел в УВД возглавлял! — становилось ясно: что-то у них не так.

«Кино» показали. А вот к этому он готов совершенно не был и тут дал маху — открыл, что называется, рот. Но вскоре сообразил, что, несмотря на все страшные угрозы, ребята лепят туфту. Ну не могут два генерала — из милиции и прокуратуры — устраивать в наше время садистские для себя развлечения ради столь малой величины, как жизнь какого-то полковника. А вот что им требовалось на самом деле, это Огородников стал понемногу понимать. А когда усвоил для себя, решил, что в таком случае можно и поторговаться. А угрозы пусть остаются угрозами. На самом деле, они ни разу даже не врезали ему по морде. О каких пытках после этого может идти речь?

Но были и возражения у столь четко выстроенной им концепции.

Все же, как ни крути, взяли его на «черном деле». И знают они о том, что он связан с наркодельцами Караевым и Гуцерией. Возьмут они их или нет, другой разговор, но если, скажем, сумеют отыскать Ваньку Жеребцова, тот не станет молчать и выложит всю правду о тех «мероприятиях», которые заказывал ему полковник. Ванька кто? Он простой исполнитель, которому жить не на что и жрать нечего — вот и весь разговор. Государство не захотело обеспечить, вот и приходится самому устраиваться. Жить по принципу — куда кривая вывезет. А вывозит она, как правило, только в одном направлении — если не ты, то тебя.

Еще одна возможная неприятность была связана с тем обстоятельством, что никто — ни на работе, ни дома — не знал, куда пропал полковник. Второй день пошел. Ну жена привыкла уже к его отсутствиям — служба такая, а вот в отделе наверняка забили тревогу. Возможно, домой позвонили, узнали, что и дома он не ночевал. Так что же, украли полковника? А вот и украли! И сколько здесь, в этой непонятной квартире с занавешенными окнами, держать будут, неизвестно.

Этот Турецкий уже трижды допрашивал его, а неприятный тип со злыми глазами, которого тот называл Николаем, записывал каждое слово. И Турецкий удовлетворенно кивал, а затем прятал подписанный им, полковником, протокол в свою черную папку. После чего начинал все заново. Те же вопросы, примерно те же ответы. Они явно тянули и чего-то ждали.

С него сняли наручники, но каждый шаг его сторожил какой-то совершенно бессонный Николай. И когда полковник однажды, словно нечаянно, подошел к оконной шторе, чтобы ее отдернуть, он немедленно получил сильный удар под колени и рухнул от неожиданности на пол. И первое, что увидел, придя в себя, была широкая улыбка Николая и его указательный палец, строго грозивший «непослушному мальчику». Больше попыток узнать, где он находится, полковник не делал. В туалет ходил под присмотром, спал на диване — под присмотром, даже размышлял о себе — и то под присмотром.

Наконец, это было уже на второй или третий день — время как-то спуталось для Петра Ильича, — приехал генерал Грязнов, отпустил Николая на кухню, а сам плотно уселся на стул перед Огородниковым.

— Вы отсутствовали дома и на службе, полковник, — сердито бросил Грязнов, — два дня. Мы посоветовались и решили следующее. Поскольку сидеть вам тут и сидеть, пока полностью не расколетесь, до морковкина заговенья, на наш взгляд, вам есть смысл поставить своих коллег в известность о вашем положении. Я наберу на этом аппарате номер вашего заместителя, Игоря Николаевича Сигова, и вы скажете ему то, что я вам прикажу, ни словом больше. Иначе это будет нами расценено как попытка к побегу, ясно? А суровое наказание за шаг влево, шаг вправо у нас еще никто не отменял.

Грязнов сказал это таким спокойным тоном, что Огородников понял: эти так и сделают. Впечатление от неудавшейся попытки выглянуть в окно были еще у полковника слишком свежи. Они и убивать не станут, они просто покалечат, а потом скажут, что так и было.

— А что я ему должен сказать, чтобы они поверили?

— Советую сказать, что вы нажрались как свинья, а теперь медленно приводите себя в чувство. И вам еще потребуется несколько дней, ибо ваш внешний вид не соответствует служебному положению. А на этот счет вы не беспокойтесь, мы вам без особого труда устроим соответствующую внешность, специалистов вы уже видели.

— И сколько же я буду времени «приходить в себя»? — вздрогнул от неприятных предчувствий полковник, но иронии не оставил.

— Сколько прикажу. Заодно попросите, чтоб Игорь позвонил вашей жене Елене Александровне и соврал ей про какую-нибудь срочную командировку.

— А если на службе не поверят?

— А мы вам челюсть сейчас немного поправим, вот и

будете разговаривать соответствующим тоном. И очень постарайтесь, чтобы там поверили. Сигов, как я успел узнать, такая же сволочь, как вы, поэтому единственное, на что он может пойти, — это немедленно заложить вас начальству. Но скорее всего, он подождет, а доложит, что вы заболели. Пообещайте ему чего-нибудь, прохвостам обычно нравится уличать свое начальство в мелких пакостях. Это как крючок с наживкой. И уж он потом постарается не дать вам сорваться с крючка. Но это дело неблизкого будущего, так что вам будет пока наплевать.

— Но когда-то же я должен буду явиться... на службу? — неуверенно спросил полковник.

— Куда конкретно вы явитесь, этот вопрос мы обсудим позже. Даю вам три минуты на размышления и набираю номер. Да, кстати, ваш разговор не должен превышать двух минут — по часам. — Грязнов показал свои часы. — А трубка эта им тоже не поможет нас засечь. Все ясно? Думайте.

Он положил часы перед собой на стол и стал смотреть на циферблат.

Полковник лихорадочно размышлял. Не выдержал напряжения, попросил отвести его в туалет. Грязнов позвал с кухни Николая и кивнул ему:

— Отведи, а на обратном пути сделай то, о чем мы договорились.

— Понял, — сказал Щербак и поднял полковника за плечо.

Зашумела в туалете вода, затем хлопнула закрываемая дверь, и тут же послышались шмякающий звук короткого удара и болезненный вскрик.

Щербак втолкнул в комнату согнутого дугой Огородникова, который прижимал к разбитым губам и носу полотенце. Грязнов вопросительно взглянул на Николая, а тот спокойно кивнул.

— Ак я уду азгааиать? — с трудом проговорил полковник, показывая Вячеславу Ивановичу свое разбитое, в кровавых соплях, лицо. Из глаз его сплошным потоком лились слезы. — Ольно гэ! — почти истерически выкрикнул он.

— Больно же... ему, — «перевел» Щербак и добавил нравоучительным тоном: — Зато правдиво! Ничего сочинять не надо. А будка заживет, два дня подержится, примочки дадим.

— Вы решили, как будете разговаривать со своим начальством, полковник? — сухо спросил Грязнов. — Или надо добавить?

— Не надо, — не без труда выдавил тот и махнул рукой, — да-айте!

— Соберитесь! — приказал Грязнов.

Щербак быстро и ловко подсоединил мобильный к аппарату громкой связи, Грязнов набрал нужный номер, в комнате раздался гудок вызова и послышался хрипловатый голос:

— Сигов на аппарате!

Полковник взял трубку и посмотрел на Грязнова. Но вместо него Щербак поднес к носу полковника кулак, и Петр Ильич сказал:

— Это я, Игорь. Ты там громко не удивляйся...

— Петя, ты?! Мы же тебя все обыскались! Ты куда исчез! Тут паника!..

— Не ори. Я приболел...

— Но Лена сказала...

— Я не дома приболел. Говори тише. Ты Ленке потом позвони и придумай мне какую-нибудь срочную командировку, в Саратов, что ли.

— Но ты-то сам где?

— Приду — расскажу. Попал, понимаешь, в неприятную историю. С бабой получилось. В общем, мне физию свою начальству никак нельзя показывать еще несколько дней. Ты в управлении скажи, что я болен. Бюллетень будет. Ну все, я кончаю.

— Тебе ничего не надо? Странный какой-то голос...

— Я ж и говорю. Морда болит... Пока. Пока...

Грязнов отобрал у него трубку и выключил ее, передав Щербаку.

— Он верный товарищ?

— Да какой верный? — воскликнул Огородников и ойкнул от боли в губах.

— Что ж вы, такая служба! А сами как псы шелудивые!.. Позже позвоните жене... из Саратова. На разговор одна минута. Не уложитесь, ваше дело. А голос объясните простудой. Ну так где прячется Жеребцов?

Переход к новой теме был настолько неожиданным, что полковник растерялся, даже постанывать перестал.

— Не знаю, — неуверенно ответил он.

— Знаете, — уверенно сказал Грязнов. — В деревне Шелепихе, Пучежского района, Ивановской области, вот где. По адресу его почивших родителей, так надо понимать. За ним уже отправились. Не желаете опередить его показания? Им-то у нас доверия будет больше.

— Почему?

— Человек станет жизнь свою спасать, ему уже не до карьеры, да и возраст его для пожизненного заключения не годится. Он и двадцатника не вытянет. Вот и будет вас всех закладывать направо и налево.

— А когда вы меня отпустите, чтоб я мог явиться с повинной к себе на службу?

— Вас только этот вопрос волнует? — холодно осведомился Грязнов.

— Это вопрос моей жизни.

— А мы вас отпускать пока не собираемся. А чтоб у вас не возникло каких-то посторонних мыслей, что вы сможете убежать куда-то, смыться, залечь на дно, хочу сразу разочаровать: мы вас, когда надо будет, доставим прямо к дверям Главного управления собственной безопасности. Чтоб лишить соблазна передумать. В последнюю минуту. Либо к кабинету начальника вашего управления. Поверьте, для вас это вообще единственный выход.

— А как же вы говорили?..

— Как говорили, так и сделаем. Оправдания придумаете для себя сами. Нам своих забот хватает. Ну так что будем делать? Сидеть дальше на цепи или говорить, ускоряя тем самым решение своей собственной судьбы?

— А без показаний Ивана все равно моим словам у вас веры не будет — подтверждения-то никакого!

— Я не пойму, вы о нас заботитесь или о себе?

— Мне показалось, — попытался улыбнуться, но снова поморщился от боли полковник, — что мы с вами будем какое-то время как попугаи-неразлучники.

— Не тешьте себя надеждой, это вам только кажется. Так кто дал команду убить доктора Артемову? Вам же это известно!

— Я могу назвать только цепочку. Якобы Баранов попросил об этом одолжении Грицмана, ну Додика, тот вышел на Жеребцова. Об этом узнали... Ну, короче, Исламбек велел мне проконтролировать встречу Жеребцова и Додика, а дальше они договаривались об оплате и прочем сами. Но Ислам Баранова запомнил.

— А с Барановым, с его бомбой, как получилось?

— Это уже личная инициатива Додика. Ислам, когда узнал, разгневался. Он считает, что без его разрешения ничего не должно происходить в нашем административном округе.

— Такой важный? А Вахтанг что же?

— Они оба бакинцы, у них свой договор.

— А вы, значит, у них на подхвате?

Вспыхнул было полковник, дернулся, чтобы резко возразить, но быстро опомнился и покорно склонил голову. Да, ему лучше проходить в качестве жертвы шантажа, нежели прямого подельника.

— А последняя бомба, в квартире Грицманов?

— Я уже говорил, это приказ Вахтанга. Он имел виды на Еву, а потом ее следовало убрать.

— Чего ж вы кинулись бомбу-то ставить? Могли бы и подождать, пока ваш Вахтанг натешился бы с женщиной и своему окружению предложил? Не поторопились?

— Так ведь ее дома давно не было. Ничем не рисковали. А вот ваши наблюдатели, если бы они захотели устроить там засаду, определенно нарвались бы. Но это не мое предположение, так сказал Вахтанг. Он должен был прямо с поминок забрать ее к себе. Но, как я понял, ваши не позволили. Воображаю, что сейчас творится у Вахтанга! И ее нигде нет, и я пропал, о Ване уж и не говорю.

— Хорошо. Давайте все координаты своих паханов — Караева и Гуцерии. Где живут, где офисы, где бывают, — все называйте, и подробно, как привыкли давать информацию у себя на службе...

Полковник поколебался минуту-другую, потом решительно протянул руку за бумагой и авторучкой и стал писать.

3

Адрес родителей Жеребцова Турецкий получил в архиве отдела кадров МЧС.

Постепенно вымирающая деревня Шелепиха расположилась на речке Овсянке, впадающей в Горьковское водохранилище ниже районного центра Пучеж. Зимняя дорога вдоль замерзшей реки привела Голованова с Агеевым в это ветхое село, где сохранилось не больше десятка старых, видавших лучшие времена изб. В одном из подворий, бывшем родительском, от которого остались рожки да ножки — одна изба, да погреб на заросшем бурьяном огороде, а добротный сарай соседи давно растащили на дрова, — и поселился беглый минер.

Сотрудники «Глории» приехали на обычной «Ниве», не привлекавшей внимания по причине затрапезного и неухоженного вида. У соседки-старухи справились о том, где мог остановиться Ванька Жеребцов. Никакой другой власти в деревне, которая могла быть в курсе, не было. А в пяток также пустых изб мог вселиться любой прохожий, всякий пришлый бомж, кабы он знал, на что здесь существовать.

Затем они огляделись и решили подойти к Ивановой избе попозже, в темноте, чтобы он заранее их не увидел и не сбежал. Но не угадали.

Иван в тот час сидел у окна и пил чай, глядя на проезжую дорогу. Его хата стояла не как другие, у самой дороги, а в глубине усадьбы...

Голованов вспомнил, как однажды рассказывал Александр Борисович относительно вот этого обычая в российских деревнях строить дома у самой дороги, где и пыль, и грязь, и суета. И ведь никто не хочет отгородиться от нее, скажем, садом, огородом или просто палисадничком с густым кустарником — ну чтоб дорожная пыль окна не застилала. Нет, дом должен выходить фасадом именно на проезжую часть.

И вот сидит такой «справный хозяин» зимой, дует в блюдечко с горячим чаем, а потом на окно, где образовывается проталина, и смотрит. Телега проехала, другая... Мужик дрова повез. Одно полено упало, но тот не увидел. Сейчас же выскочит наш хозяин, подхватит его и — на зады, подальше от людских глаз. У другого проезжего еще чего-нибудь упадет — он тут же! И так проходит целый день. Почему и поговорка появилась: «Что с возу упало, то пропало».

А к избе Жеребцова решили подобраться в полной уже темноте. Но... промахнулись. Видно, еще днем засек их беглец и на всякий случай, но, понимая также, что здесь двое посторонних мужчин просто так появиться не могут, собрал свое барахлишко, встал на лыжи и дернул по задам деревни в лес, через который и вышел на другую проезжую дорогу, в стороне от главной трассы на райцентр.

Это уже утром следующего дня определили Голованов с Агеевым, пройдя сквозь лес по лыжным следам в неглубоком еще снегу. И где его теперь искать, это была уже задача посложнее.

Они позвонили в Москву, посоветовались с Турецким и Грязновым, после чего разработали свой план. Попрощавшись с бабкой, они сели в машину и уехали, но за поворотом Филя вышел из «Нивы» и с рюкзаком за плечами быстренько направился через лес, прямиком обратно к оставленной и еще не остывшей избе. В темном чулане, где можно было без опаски засветить фонарик и зажечь спиртовую горелку — для обогрева, он и устроился, приготовившись в этой засаде прождать ровно столько, сколько будет необходимо.

Исходили из того, что некуда было сейчас больше бежать Жеребцову. Тут какое-никакое жилье. А в других местах придется просто бомжевать. Уж если на него объявили облаву в милиции, то портреты — не мальчик ведь, все понимает и помнит, где служил, — наверняка развесили на каждом столбе! Значит, он, скорее всего, решит вернуться домой. Но спросит у соседей, что здесь было да к кому приезжали. Те и ответят, что искали его, но, не дождавшись, так и отправились восвояси. И еще ему могут сказать, что один мужик был здоровый, больше похожий на бандита, а второй — поменьше. Это и подскажет Ивану, что его, наверное, разыскивают люди Вахтанга. Но это для него не самое страшное. Уж как обвести вокруг пальца бандитов, этому учить его, Ивана Жеребцова, отставного майора, не надо...

Единственное, от чего страдал Филипп, — это от невозможности сварить себе чашечку кофе. Для такого дела надо было выходить во двор, а это опасно, могут днем увидеть, ночью — другой разговор. Но без кофе ему хотелось спать. А запах свежеприготовленного кофе в затхлой, старой избе немедленно выдал бы Филиппа с головой. Вот и приходилось терпеть, мысленно проклиная «дерьмового бомбиста».

Избегал Филя говорить и по телефону с Севой, который снял себе угол в Пучеже — на случай необходимости немедленно появиться в Шелепихе. Изба Жеребцовых была настолько стара и ветха, что в ней слышно было, о чем разговаривали бабки на улице.

А говорили они больше о приезжих, которые посидели да умчались, и никакой от них пользы местным людям. Другие б хоть гостинцев каких из района привезли, что ли. А эти... Потом они жалели неприкаянного Ваньку, который всего разок-то и удосужился к родителям своим покойным на могилку сбегать. И что ж за судьба у мужика такая? Взрослый давно, даже старый, а все как пацаненок какой? Ни семьи, ни добра... Все-то они знали здесь, в деревне, которая, скорее всего, и перестанет существовать как геодезическое понятие на районной карте вместе с их смертью...

Три дня сидел в засаде Филипп Кузьмич Агеев. Хотел уже плюнуть на все, позвонить Севе и отказаться от почетной роли засадного полка. Но тут посреди дня, даже ближе к вечеру, поскольку стало смеркаться понемногу, а в доме так вообще стало темно, услышал он разговор на улице.

День сегодняшний был солнечный, морозный, так что и голоса разносились далеко.

— Так они чего, так и уехали, не дождавшись? — спросил хриплый, застуженный голос.

— Дак, милай, а кого ждать-то, кады избы пустая? Посидели да отправились на энтой своей, на... вроде «козлика», на котором еще наш покойнай председятель ездил. Ишши тяперь!

Потом разговор стал потише. И только полчаса спустя послышались осторожные хрустящие шаги по снегу.

Дверь была незаперта, как в тот день, когда сбежал хозяин. Она медленно заскрипела, потом так же медленно закрылась. По полу избы протопали тяжелые, усталые видно, ноги... Заскрипела лавка, на которую сел человек.

Филя рывком открыл дверь чулана и выпрыгнул на середину избы с пистолетом в руке.

— Руки вверх! — успел крикнуть он и, увидев, как в его сторону тут же метнулись стволы ружья, совершил мгновенный кульбит вперед и на выходе ногами врезал снизу по стволам. Грохнули один за другим два выстрела. Завоняло пороховым, кислым дымом. Жеребцов не успел опомниться, как железные руки вырвали у него ружье, с грохотом отбросили в сторону, а сам Иван с непередаваемой болью врезался лицом в лавку. И сознание его на миг отключилось...

Когда он пришел в себя, то увидел, что сидит на той же лавке, с руками и ногами замотанными липким скотчем. Зрение восстановилось, и он разглядел перед собой незнакомца, который сидел напротив на табурете. Рядом с ним на дощатом столе лежали толстый моток скотча, трубка мобильного телефона и пистолет Макарова.

Заметив, что пленник пришел в себя, Филипп снова утер найденной где-то в избе тряпицей, уже со следами крови, лицо пленника.

— Сам виноват, Иван Михайлович, — без всякого извинения в голосе заметил Филя. — Тебе приказано было поднять руки, а не пытаться меня убить. А ты слабак. От первой же плюхи красные сопли распустил. Ну давай руки освобожу, не подтирать же за тобой... Ты зачем доктору Артемовой, притворившись телефонистом, бомбу в мусоропроводе устроил, а? Ведь погибла женщина. На тебе страшный грех.

Жеребцов молчал, только освобожденными руками взял тряпку и пытался остановить текущую из носа кровь. И еще он продолжал щуриться.

— Кто тебе приказал это сделать? Не хочешь говорить?.. Не надо. Сейчас мой коллега подкатит сюда из Пучежа, мы с тобой еще побеседуем, уже по душам, а потом упакуем в багажник и отвезем в Москву, тебя ждут не дождутся там, где ты еще два заряда ставил — у Баранова и в доме покойного Додика Грицмана. А знаешь, кто тебя ждет больше всех, чтоб поскорее повесить на тебя все эти инициативы? Не знаешь? — удивился Филя, хотя тот ни словом не обмолвился. — Так Петя же Огородников, дружок твой. Он слабее тебя оказался, обгадился на первом же допросе и все выложил... Ну ты помолчи, помолчи, подумай о своем будущем. А мне тоже торопиться некуда — до приезда моего дружка. У него в руках ты запоешь. Отдыхай пока, да и я вздремну, устал тебя ждать... Нет! Я лучше вот что сделаю! Я себе хороший кофе наконец сварю!

И Филипп споро принялся за дело.

Спиртовка теперь горела на столе. Он насыпал молотого, душистого кофе из банки в джезву, налил туда холодной воды и поставил на огонь. Стал смотреть с интересом, как медленно зарождается и поднимается пена. Наконец запах в избе стал нестерпимо приятным, и тогда Филя чуть осадил пену и вылил кофе в чашечку.

По глазам пленника он увидел, что тот нестерпимо тоже хочет кофе.

Филя подумал, держа чашку, потом спросил:

— А что я буду иметь, если отолью тебе пару глотков?

— Да скажу, чего уж теперь... Вы от кого? От Вахтанга? Я ему ничего не должен!

— Нет, мы сами по себе, и ты это скоро узнаешь... Ну ладно уж, так и быть.

На полке у старой печки Филя нашел более-менее чистый стакан и честно отлил туда ровно половину чашки.

Протянул Ивану. Тот, схватив горячий стакан обеими руками, стал греть ладони. Потом долго нюхал. И, наконец, слегка отхлебнул.

За совместной трапезой, какой бы она ни была, пусть и такой, мимолетной, рассчитанной всего на три-четыре небольших глотка кофе, приправленного — исключительно для создания атмосферы — малой толикой водки, которую Филя налил из своей фляжки, и разговор завязался как бы сам по себе.

— Это все Баранов, — сказал, словно самому себе, Иван. — Он сука поганая...

— Чем же не угодил? — небрежно бросил Филя.

— Он сам на меня через своих «гиппократов» гребаных вышел. Те дали наколку. Боксер со Шкафом. А я его и знать не знал.

— Но заплатил? — спросил предусмотрительный Филя.

— А куда, падла, денется? Тридцать кусков отвалил. «Зеленью».

— Так мало?

— А та врачиха больше и не стоила.

— Зачем это ему было нужно, не сказал? Не заходил разговор?

— А мне ни к чему. Лишняя морока... Капни еще водочки. — Он протянул к Филе свой недопитый стакан, и Филипп щедро плеснул туда из фляжки. Разговор того стоил.

— Ну закрыли вы вопрос с женщиной, а дальше что? Опять этот Баранов?

— Ну да, я ж говорю... Но Петя потребовал, чтобы я раскололся насчет заказчика. Видно, сами захотели, уже вместе с Вахтангом его за жопу взять. Такой случай! Лучше не придумаешь. Ну, короче, поставил я и ему фугасик, но так, чтоб беды не было. Нет, все по делу, но если не рыпаться, а подходить с толком... А после, я слышал от Пети, они с Вахтангом такую подставку разыграли, будто по их указанию я ставил фугасы. А это фигня. Вот последний, да, это сам Вахтанг приказал. Я подумал, что зря, бабу жалко. Был я с ней уже, хорошая баба... А Петя сказал, что с ней ничего ровным счетом не случится, что это против тех, кто на мой след вышел. Может, на вас грешил, не знаю. Мол, в квартире нас с ним засада ждала и обратно вернется, вот и... Ну как же я сам, козел старый!.. Ведь чуяло сердце, что тут нечисто, а так и тянуло вернуться... да и замерз... Век себе не прощу...

— Зато теперь в «крытке» до конца дней твоих тебе тепло будет. Если не скостят маленько...

— Скажешь тоже...

— Слышь, парень, а когда ты для Артемовой бомбу свою начинял, у тебя совесть не пробудилась, нет? Не мучила?

— У каждого своя работа... Да и не парень я давно...

— Нам известно, что ты отставной майор. А за что тебя из МЧС поперли? Ведь не пенсионер еще?

— Да... — отмахнулся он. — Взрывчатку браткам продал. Дела-то самая малость. А раздули, блин! И все недостачи на меня списали. Хорошо, тогда не посадили, хватило у них совести не вешать все собственные грехи на мою шею. Я б им не простил.

— Вот, значит, почему! Мстишь, выходит, подлому человечеству за то, что сам вором оказался? Удобное оправдание. Но в суде его не примут. Придумай что-нибудь пожалостливее. Как тебя, например, жена бросила. Как родители от тебя в малолетстве отказались. Как ты рос фактическим сиротой.

Поникший Жеребцов вздохнул:

— Все вы уже про меня знаете.

Но он ошибся, Филя о нем ничего не знал, а попал, что называется, в точку. И этим обстоятельством следовало воспользоваться до конца.

— Знаем не знаем, какая разница, ты один, что ль, такой? На, глотни еще, совсем, вижу, продрог, бедолага...

Филя добавил ему в стакан еще водки, сделав его содержимое прозрачно желтым, а сам принялся готовить новую порцию кофе. Пленник внимательно следил за его движениями.

— А эти, как ты сказал, «гиппократы», ну Шкаф с Боксером, они-то кто? Что-то я про таких еще не слышал... — Филипп спросил словно бы небрежно, между делом.

И Жеребцов, увлеченный наблюдением за процессом приготовления кофе, с ходу ответил, даже не думая:

— Да клиника «Гиппократ», а они там в морге санитарами. Борька и Никита. Слышь, а ты пену просто водой, что ли, осаживаешь, да?

— Ну а чем же еще? А что это за клиника такая? Частная какая-нибудь?

— Ну! Принадлежит крутому деятелю. Роберт Каспарович Долин, вот кто! На пятисотом «мерине» раскатывает. У него, брат, даже свой крематорий под боком. Частная лавочка. А кого они там жгут, одному Богу известно...

— Постой, — недовольно оторвался от дела Филя, — да это на Пироговке, что ли?

— Зачем? В Орехове, новое здание. Там полно разных клиник. А у Роберта своя, частная.

— Вон что... Развелось их...

— А я про что? Ну ладно, будь, раз уж свела судьба. — Иван поднял свой стакан и выпил его до дна.

4

Весть о том, что Ваню Жеребцова везут в Москву, позволила Турецкому сделать решительный шаг в направлении доктора Баранова. Филипп сказал по телефону, что о Вячеславе Сергеевиче бывший майор рассказал много интересного, начиная с тех пор, как тот вышел на него со своей нуждой. Немало о том же самом наговорил в своих последних показаниях и полковник Огородников. Сложив все, вместе взятое, можно было наконец представить себе не только роль Баранова как минимум уже в трех преступлениях, но и, по существу, закрыть в определенной степени дело о якобы покушении на вице-мэра Алексеева. То есть, другими словами, весь шум вокруг одного из руководителей Московской мэрии прекратить одним махом. А не такую ли задачу поставил перед Александром Борисовичем сам генеральный прокурор?

И раз оно действительно так, то и ответ будет теперь однозначным: вас, уважаемый господин Алексеев, никто не имел в виду! Можете успокоиться, на вас не покушались... Но как это будет ему обидно!

А тут еще неизвестно, что лучше — сказать правду и закрыть дело или продолжать расследование, выявляя истинных виновников и их жертвы — явные и потенциальные? Да и дело ли это теперь Генеральной прокуратуры — расследовать каждое случившееся в стране убийство? Есть для этих целей и прокуратуры рангом пониже — окружные, межрайонные — кому и положено заниматься такими делами.

Но был все-таки один факт, который никак не могли выпустить из своего внимания ни Турецкий, ни, естественно, Грязнов.

Ну о коррупции в рядах МВД и говорить нечего, очередной факт налицо. И тот же Огородников сам по себе не пешка, не фигура на подхвате, хотя жизнь показала именно это. С той только разницей, что оказался он, по его же признанию, на подхвате у наркомафии, — это если опять-таки тоже судить по его последним показаниям, которые он поторопился изложить, когда узнал от Щербака, что Ваню, его приятеля, взяли и везут в Москву. Ну понятно, почему поторопился — боялся опоздать с признаниями.

А основной вопрос заключался в том, что передавать эти дела нижестоящим прокуратурам — значит загубить дальнейшие расследования на корню. А дело ветвилось прямо на глазах. Вот уже и некие «гиппократы» появились, через которых, оказывается, и выходил Баранов — если верить агенту Грязнова — на исполнителя для своих преступных замыслов. И всю эту шайку-лейку в какой-то степени уже подмяли под себя либо собираются подмять новые московские наркобароны из Баку. И если их немедленно не остановить, то есть не взять за шиворот, убийства не прекратятся, а, скорее всего, их станет больше, как всегда бывает при освоении бандитами новых территорий.

Однако при этом следует учитывать еще один чрезвычайно важный фактор. Брать преступников надо стремительно, не принимая никаких возражений со стороны, которые наверняка возникнут. Ведь почему они действуют так свободно и бесстрашно? Да потому, что в первую очередь чувствуют «высокую» поддержку. И тут та же роль полковника Огородникова определенно не сводится только к действиям на подхвате, о чем он без устали повторяет. Именно на своевременное давление начальника отдела по борьбе с организованной преступностью и рассчитывают эти мерзавцы. Он их «крыша». А вынужденная или нет — это уже совсем другой разговор. И вряд ли полковник Огородников — последнее звено в этой цепи, тянущейся наверх. Есть кто-то и над ним, иначе он и сам не действовал бы столь нагло и откровенно.

А во-вторых, захват преступников надо форсировать еще и по той причине, что немедленно со всех сторон раздадутся крики: не своим делом занимаетесь! Вам президент, генпрокурор и министр внутренних дел совсем не то поручали, чем вы сейчас занимаетесь! Оставьте самодеятельность и ищите убийцу! А ваша собственная версия не выдерживает никакой критики! И ведь свяжут по рукам и ногам, вот в чем беда...

Значит?.. Серьезный вопрос.

Следовательно, они все еще раз убедились, что операции должны пройти не только стремительно, но и тихо. Чтоб никто не знал. Особенно когда придется брать наркобаронов. А что без этого не обойтись, было уже понятно. Так же как и без неведомых пока еще «гиппократов», которые могут поставлять заказчикам убийц. Только и в этом случае потребуются неопровержимые доказательства и свидетельства очевидцев.

Очередное короткое совещание определило новые важнейшие ориентиры.

Владимир Поремский, как и прежде, продолжал заниматься окружением Баранова. Доктор, еще в самом начале знакомства с ним, перечислил десятка два фамилий своих потенциальных недоброжелателей. И Владимир, не пропуская ни одного, успел встретиться почти с каждым из них. Толку от разговоров было совсем мало, но он убедился лишь в одном: в этом наркологическом врачебном «содружестве» идет постоянная внутренняя грызня и царит черная зависть. Одного только не мог добиться Поремский от своих собеседников — высказывания о том, что хотя бы один из них мог пожелать своему оппоненту смерти. Нет, до такого не доходило. Чем больше Владимир беседовал с врачами, тем четче осознавал, что его поиски возможного заказчика здесь тщетны.

Но ведь заказ-то был, вот в чем дело... Причем такой, о котором сам Баранов несомненно знал, что и подтвердило отчасти следственное мероприятие, проведенное Александром Борисовичем. Словом, никак не сходилось. Но он с настойчивостью, требующей лучшего применения, продолжал активно заниматься своим неблагодарным трудом.

Турецкий его понимал, но... оба они знали, что все версии должны быть отработаны до конца.

С Жеребцовым решили поступить иначе.

Видя, что все имеющиеся у следствия факты говорят против него, Иван Михайлович, прекрасно понимавший, чем могут грозить ему уже совершенные преступления, сказал, что готов сотрудничать со следствием. И в доказательство сказанного пообещал немедленно, как только возникнет нужда, лично обезвредить установленную им в квартире Грицман бомбу, причем без всякой опасности для жизни и здоровья окружающих.

Это был серьезный вопрос. Если бы он, например, решил покончить жизнь самоубийством и тем самым как бы уйти от публичного наказания, лучше способа, чем ошибка минера, и не придумаешь. А ведь он был необходим следствию, как, в сущности, единственный свидетель по обвинению Баранова в совершении им преднамеренного убийства врача Артемовой, на чей пост он, оказывается, претендовал. Так, во всяком случае, объяснил свои действия Жеребцов.

Он вообще был откровенен. Допрашивая его, ни Турецкий, ни Грязнов никакого «зверства» не демонстрировали. Все, что было необходимо, Жеребцов уже прошел со своими сопровождающими, доставившими его в Москву, в Северное Бутово, — он и сам уже был предупрежден, с кем придется говорить, а потому «стесняться» не стоит. Вот он и не стеснялся, понимая, что терять больше нечего.

Подробно рассказал, как в свое время он познакомился с двумя санитарами из частной клиники — Борей Дранниковым и Никитой Крысиным, как иногда встречался с ними, выпивал, баб пользовал, которых «гиппократы» любили привозить к нему на квартиру, а потом оставляли, за что подбрасывали деньжат в трудные минуты. А их у бывшего минера всегда хватало. Рассказал, как однажды те свели его с Додиком — большим любителем кайфа, а уж Додик в свою очередь познакомил его с доктором Барановым, когда у того возникла острая нужда в ловком исполнителе.

Этот Додик был мужик, в общем, ничего, но большой растяпа. А жена его, сев однажды Ване на «шишку», больше не могла отказать себе в удовольствии и совсем измучила его своими жалобами на физическую несостоятельность мужа. Дошло до того, что Ваня «порекомендовал» ее другому своему знакомому — полковнику Огородникову, большому любителю этого дела. А однажды они заявились в гости вдвоем и такое доставили ей удовольствие — не описать словами! Хотел было уже и «гиппократам» ее передать, но те могли просто замучить свою жертву, а потом продать ее знакомым сутенерам, как иногда поступали с опостылевшими женщинами прежде. После чего те пропадали.

Последний аргумент, видимо, был нужен Жеребцову для того, чтобы доказать свое нежелание убивать Еву Грицман, когда ставил в ее квартире бомбу. Они и с полковником договорились, что женщина не пострадает, а заряд рассчитан на тех, кто охраняет Еву и наблюдает за ее недоброжелателями. Вот пусть они и нарвутся на взрыв. А женщину, да еще такую страстную, за что же ее на тот свет отправлять? Пусть живет себе, другим в утеху!.. Он собирался снова навестить ее, уже в качестве вдовы, но полковник сказал, что на нее глаз положили Вахтанг с его братвой, а с этими не поспоришь, пришлось уступить...

Чрезвычайно «приятно» было слушать эту исповедь

Грязнову с Турецким, особенно Александру Борисовичу. Но он слушал со всем присущим ему вниманием, хотя и хмурился и прятал глаза при этом — от правды, видно, никуда не уйдешь.

Жеребцов назвал и частную клинику «Гиппократ», и адрес ее в Орехово-Борисове, куда немедленно отправился Валентин Арнольдович Кучкин вместе с Головановым и Демидовым — последние исключительно для моральной поддержки.

А Иван Михайлович тем временем продолжал свою исповедь. Вот теперь наконец речь зашла о докторе Баранове.

Это он через Додика сделал предложение Жеребцову устранить одну женщину. До него, то есть до Баранова, доходили слухи, что в вопросах, касавшихся неугодных женщин, всегда можно положиться именно на «гиппократов». Но когда Додик, который тоже был отчасти в курсе дела, сообщил, какие способы «устранения» применяют дружки-санитары из частной клиники, Баранову такой вариант не понравился. Да и слишком пожилой уже была, по его мнению, мадам Артемова, чтобы на старости лет вдруг заняться вынужденной проституцией в каком-нибудь закрытом заведении для извращенцев. Нет, ее требовалось убрать попроще, но наверняка. Тогда оставался только один вариант — киллер.

Но и тут незадача: киллеры иногда попадаются— и тогда немедленно на свет всплывает заказчик, а этого Баранову не хотелось. Вспомнив про своего приятеля Ваньку-бомбиста, Додик предложил иной вариант, на котором они и остановились. Оставалось только спланировать и исполнить покушение, что и было сделано. Он женщину не видел, просто рассчитал взрыв точно по минутам.

А короткое время спустя тому же Баранову потребовалось повторить тот же номер, но уже как цирковой трюк, то есть с подстраховкой, чтобы несчастья не случилось. И это было сделано — за ту же цену.

Ну жизнь у него, Ваньки Жеребцова, такая нескладная! Другой бы со своим мастерством горы перевернул, миллионером стал, а ему такая вот судьба предназначена...

Впрочем, ему можно было о своей дальнейшей судьбе больше не размышлять, ибо она была во многом определена его предшествующими поступками. А вот перед Турецким и Грязновым задачка стояла посложнее. Жеребцову надо было непременно сохранить жизнь до суда. А значит, в тюремную камеру его отправлять нельзя — там достанут. В Лефортове, где охрана на высоте, и то бывают срывы, а об обычном СИЗО типа Бутырок, и говорить не приходилось — суток не проживет. Найдется какой-нибудь отморозок, коему и без того грозит уже пожизненная мера. Вот и не станет Вани Жеребцова, который вполне оправдывает свою фамилию только, как он сам считает, в общении с женщинами...

Продолжительный допрос под протокол заканчивался, когда позвонил обескураженный следователь Кучкин и доложил срывающимся от волнения голосом, что указанные санитары Борис Дранников и Никита Крысин в клинике отсутствуют. Главврача, который подписывал, возможно, приказ об их отпуске, в настоящее время также нет, он на симпозиуме в Праге и вернется не раньше чем через неделю. Кадрами занимается всегда он лично, поэтому и все документы, касающиеся медперсонала, он хранит у себя. И, вполне возможно, что санитары, предвидя, что в отсутствие Роберта Каспаровича в клинике будет некоторое затишье, отпросились в отпуск. Либо вообще уволились, поскольку зарплаты здесь маленькие, а для здоровых мужиков — просто-таки смехотворные. Одним словом, никто ничего не знает, а санитаров, «гиппократов» этих, говорил открытым текстом Кучкин, видели тут что-то около недели назад. Может быть, чуть меньше.

И вот тут словно что-то екнуло у Грязнова где-то под селезенкой. Или печенью, кто их разберет. Неприятное, короче говоря, появилось ощущение и в животе, и во рту. Что-то пакостное в связи с термином «гиппократы» всколыхнулось в памяти у Вячеслава Ивановича. Но что, он вспомнить конкретно не мог. «Гиппократы», «гиппократы»... А ведь что-то связано именно с этим словом. Где оно могло прозвучать?

И вдруг всплыл как из небытия перед внутренним взором «нехороший» взгляд того официанта Васи, что обслуживал его в баре на «Щелковской»!

Стоп! Грязнов выхватил свою записную книжку и стал ее лихорадочно листать. Вот он, Исай Брискин, Розенбаум!

Вячеслав Иванович набрал телефонный номер. Пошли долгие гудки без ответа. Отключился и набрал номер домашнего телефона снова. Трубку наконец подняли.

— Вам кого эта-а? — раздался негромкий старушечий голос. — Звонитя куда-а?

— Это квартира Брискина Исая Матвеича? — строго спросил Грязнов, ничего не понимая.

— Яво, яво, милай! Только была яво, а тяперя я здесь живу, соседка его, Матрена Ивановна, стало быть. А ты, милай, к Исаю? Так это тябе не сюда-а, а на Богородское надо. Снясли яво, уж неделю, как снясли, милай. К Фирочке яво и снясли, как жа...

— В каком смысле снесли? — переспросил Грязнов, хотя ответ подсказывался, что называется, сам. — Он что, умер?

— Умер, милай, умер. Убили яво. Прямо в подъезде. Кирпичом, стало быть, по голове. Умер он. К жене его покойной и положили, в могилку-то. А что надо-то?

Действительно, что теперь надо? Да ничего, вздохнул Грязнов и отключился.

Умер... Убили кирпичом по голове... Надо бы съездить на Преображенку, там, в отделе милиции, наверняка этот случай известен. Странно, что по телевизору не видел в происшествиях, который смотрел регулярно... Да и невелика птица была этот человечек по кличке Розенбаум, чтоб сюжет о нем по телевидению показывать. А место себе на кладбище он, выходит, заранее приготовил. Рядом с покойной женой. Гляди ж ты, и не знал, что он был когда-то женат... На Богородском, кажется, давно уже не хоронят, значит, место для себя имел... Вот и отпел свое Исай Матвеич...

Но минутная скорбь была тут же вытеснена приступом злости. «Гиппократы» — будь они неладны! Ведь это про них развязал свой язык Розенбаум, когда его развезло от кайфа и от выпитого пива. А тот официант Вася вполне мог подслушать разговор — они же приятельствовали с Исаем. И разве непонятно было тому Васе, что за «клиент» пожаловал на встречу с Исаем? Вот, возможно, и результат.

Плохо это или хорошо, но спускать просто так смерть своего агента каким-то «гиппократам» Грязнов был не намерен. И чтобы не тянуть время, генерал кликнул Филиппа Агеева и попросил его съездить с ним на Преображенку и, возможно, сразу вернуться обратно.

Делать сразу несколько дел было неудобно, поэтому обезвреживание бомбы, оставленной в квартире Евы, отложили. Как и окончательное решение судьбы полковника Огородникова. Он по-прежнему отдыхал в ванной под неусыпным наблюдением Щербака, и дело это стало уже для него привычным. Оставался в квартире и Жеребцов. Прикованный одной рукой к батарее, под присмотром Володи Яковлева он писал свои подробные показания.

Ни полковник, ни бывший майор между собой не общались. Они даже и не знали о присутствии друг друга в этой квартире.

5

В ОВД «Преображенское», естественно, были в курсе о случае с гражданином Брискиным, которого огрели кирпичом по голове прямо у его собственного подъезда. Причем удар был нанесен с такой силой, что вмешательство хирургов вообще не потребовалось — голова была разнесена вдребезги. Человека, обладавшего такой чудовищной физической силой, в районе что-то не помнили.

Искать следы отпечатков пальцев на том же окровавленном кирпиче никто не стал, да их и невозможно было различить — зима же, люди в перчатках ходят, какие пальцы?

Опрос соседей тоже ничего путного не дал. Известно было, что Исай Матвеевич Брискин зарабатывает себе на жизнь тем, что играет на гитаре и немного поет в баре, неподалеку от метро «Щелковская», где заодно и кормится. Постоянного места работы у него уже давно не было. Но и бомжом он также не являлся, поскольку проживал в коммунальной квартире в старом доме на Прогонной улице, вблизи того кладбища, где его и похоронили. Там действительно уже давно никого не хоронят, но в старые семейные могилы еще иногда производят захоронения. А именно такая была у Брискина, даже памятник с бетонным надгробием стоял, на котором была высечена фамилия его супруги — Брискиной Эсфири Моисеевны, скончавшейся в семидесятом году. Вот к ней под бочок, как говорится, и лег непутевый супруг. Хоть здесь успокоился.

А почему успокоился? Да, говорят, слишком много от него всегда шуму было с его вечной и неразлучной гитарой. Вся местная шпана под его окнами всегда хороводилась. Романтику они, видишь ли, искали в блатных песнях.

Так что смерть его ни у кого не вызвала большого сочувствия. Умер и умер. А сам факт смерти отнесли к бытовым причинам. Наверняка перепились, а он, говорят, еще и «травку» употреблял, вот и передрались. Свидетелей нет, очевидцы если и были, так промолчат. Дела не возбуждали. А в комнате его теперь проживает старуха-соседка, ютившаяся прежде в бывшем чулане, совершенно не приспособленном для нормального жилья. Так что единственный, кто выиграл во всем этом деле, это была, несомненно, она. И выселять ее никто не собирался. Как и расселять когда-нибудь эту старую коммунальную квартиру, где самому молодому жильцу давно уже перевалило за шестьдесят лет.

И это прекрасно понял Вячеслав Иванович. Но он захотел тем не менее пообщаться с соседями покойного.

Все оказалось именно так, как рассказали ему в милиции. В доме было восемь комнат, занятых стариками. К слову, о Брискине они ничего плохого рассказать не могли. Шумный был маленько, так ведь один жил, а компаний в дом не водил. Не пил, по большому счету, не курил. А что под дурачка косил, так надо ж на жизнь зарабатывать...

Грязнов особо уточнил: не бывало ли в его компании здоровенных таких мужиков? Не навещали ли они его на дому?

Нет, ничего подобного никто не видел. Жил Исай

Матвеич одиноко и даже женщин сюда после смерти супруги не водил. Так бобылем и помер. Одна его старая гитара на стене осталась.

Пожалели старика и разошлись. Грязнов попытался выяснить, не осталось ли после смерти Исая каких-нибудь документов, бумаг? И этого тоже не было. А которые были, так их сразу снесла на помойку Матрена Ивановна. Но и там ничего «сурьезного» не было, так она уверяла Грязнова, при этом непрерывно крестясь.

Пусто.

Оставался еще, правда, бар на «Щелковской». Оставался бармен Вася. Вот к нему и отправились Грязнов с Агеевым.

Но и в баре их ждало разочарование. Вася, оказывается, уже здесь не работал. Нет, он не был ни в отгуле, ни в отпуске, он просто не служил здесь больше. Сказал, что нашел более выгодное и денежное место и тут же уволился. Его отпустили без особого сожаления, поскольку на его место было немало куда более опытных и послушных претендентов. Во всяком случае, без таких, как у Василия Игнатьевича, претензий.

Что за претензии? А он предпочитал обслуживать не массового посетителя, как здесь положено, а элитного — из кабинетов. Там, мол, и обращение другое, и чаевые покруче. И, надо отдать ему должное, с богатыми клиентами он умел ладить. Но это вызывало естественный протест у остальных официантов. Однако у Васи с хозяином, видно, был какой-то договор, и они его не нарушали. Вася и уволился легко. Принес заявление, повернулся и тут же ушел, ни с кем толком не попрощавшись.

Естественно, он не сказал, куда поехал устраиваться. А вот насчет его домашнего адреса, это можно посмотреть, если он остался.

Управляющий этим питейным заведением не был здесь хозяином, бар принадлежал некоему Караеву, как заявил директор Грязнову, предварительно внимательно ознакомившись с его удостоверением и проникнувшись определенным пиететом к гостю. Правда, самого Караева директор не видел ни разу, от него постоянно, каждую неделю, приезжает посредник, который и забирает выручку. Этого, Чугунова, директор знал, типичный братан, а Караева, нет, более чем за год так ни разу и не встречал.

— Его, часом, не Исламбеком зовут? — поинтересовался Грязнов.

— Вполне может быть, не знаю, — ответил директор, простой мужик с немного косящими, видно от рождения, глазами.

— Ладно, я потом проверю. А где живет этот ваш Василий Игнатьевич? Кстати, как его фамилия?

— Сукин у него фамилия, да-да, вы не удивляйтесь... А вот адрес? Да он же где-то был...

— А какого он года рождения?

— Вася-то? Семьдесят пятого, кажется. Ну да, он же у нас собирался свое тридцатилетие в этом году отмечать, но... видно, не получилось что-то... — И директор снова принялся рыться в своих бумажках. — Нет, не могу найти. Анкету он не заполнял... Его тот же Чугунов, помнится, и привез — от хозяина. Ну да, так оно и было! Поэтому какой же адрес? Хозяин знает. — И директор успокоился.

Перестал на него наседать и Грязнов. Предупредил только, чтобы этот разговор остался строго между ними, иначе у директора могут возникнуть очень крупные неприятности со своим хозяином. Пугать не напугал, но предупредил, а дальше пусть сам думает.

Редкая фамилия оказалась Сукин. Справочная дала Грязнову два адреса, по которым проживали также двое

Василиев Игнатьевичей Сукиных. Но один был пятьдесят первого года рождения и, значит, отпадал, а второй оказался самое то — семьдесят пятого. И проживал он далеко, на Домодедовской улице. Надо же было такую даль каждый день гонять? Или ему приказал это делать хозяин, которым вполне мог оказаться и тот самый Исламбек. Ну тогда кончина Исая хоть приобретает какую-то ясность. Бандиты — они везде бандиты, и в подручных у Исламбека, и у того же руководителя клиники «Гиппократ», если тут в самом деле могут сойтись концы...

Помчались на Домодедовскую.

Но не на квартиру к Сукину, а в ЖЭК, где у работницы этого учреждения вежливый и настойчивый Филя быстро выяснил все, что касалось искомого ими жильца.

Есть такой Сукин. Квартиру в доме купил недавно, однокомнатную. Проживает, стало быть, один. От соседей жалоб на него не поступает, ведет себя смирно, но в мероприятиях общественности не участвует. Отговаривается срочной сменной работой на производстве. Однако где трудится, тоже неизвестно, говорил — в частной компании, где рабочий день законом не ограничен, не нормирован, другими словами.

По словам соседей, этот Вася Сукин дома появляется обычно глубоко за полночь, нередко с дамами. А узнают они об этом по глухому удару входной его двери, недавно замененной на металлическую. Это вот, пожалуй, единственное неудобство — плюет он на просьбы соседей соблюдать в ночное время тишину. А во всем остальном зато от него неприятностей нет.

Расставшись с соседями и не желая им самим неприятностей, Грязнов с Агеевым попросили их молчать об этом разговоре и, когда те, освободив лестничную площадку, закрыли за собой двери, стали совещаться.

Уже вечерело, значит, скоро можно ждать появления Сукина. Ясно, что он непрост и без сопротивления не сдастся. Вопрос в другом: где его брать и допрашивать? В том, что он главный виновник смерти Исая, Грязнов даже не сомневался. Он просто четко видел теперь перед своим внутренним взором «нехороший» взгляд официанта Васи, который наверняка ухитрился узнать, что за тип такой приходил на тайное свидание с Розенбаумом. А там посмотреть, проследить за уходящим, узнать номер машины, — в сущности, пара пустяков. И вот результат...

Остановились на следующем. Раз Сукин к себе посторонних не водит, можно полагать, что и сегодня он явится один. Когда — это просто вопрос времени. Значит, можно аккуратно вскрыть его квартиру — секреты там наверняка не бог весть какие — и устроиться внутри в ожидании. А когда придет и откроет дверь, вот тут его и взять — без шума. Это Филя хорошо умеет. А Вася Сукин — помнил Грязнов — мощным телосложением не обладал, следовательно, и сопротивление не превысит обычных норм.

Но у Агеева, любителя в определенном смысле спектаклей, возникло иное предложение. Какой-никакой, а шум все-таки может быть, так зачем же тревожить соседей? Можно сделать проще — вызвать сюда Галку, она встретит Васю у дверей парадного, будто бы случайно, а тот не сможет не клюнуть на такую не совсем трезвую деваху. Вот тут его и повязать. А то вдруг отстреливаться начнет? Это раз. А во-вторых, дело будет происходить на улице, а значит, и нарушений закона, в смысле несанкционированного проникновения в квартиру, тоже удастся избежать. Это уже потом, после задержания, можно будет вместе с ним подняться в квартиру и учинить обыск.

— А если он и сегодня явится с дамой под ручку, что тогда? — опасливо спросил Грязнов.

Агеев засмеялся.

— Да Галя справится! Она еще и такой ему приступ ревности учинит, что та сбежит от позора! И потом, мы-то на что? Не, Вячеслав Иванович, риска никакого, а Галя наверняка согласится, вы ей позвоните только, чтоб она поторопилась... Ну а если не успеет, будем брать сами. Вы звоните, а я пока посижу на лавочке возле подъезда. А если вы его увидите первый, мигните фарами, я разберусь.

— А ты-то как его узнаешь?

— Разберусь, — уверенно ответил Филя. — Спрошу, в конце концов: «Ты, что ль, Вася? Чего так поздно?» И пока он будет думать над вопросом, я его повяжу.

— Так, может, и Галку тогда беспокоить не надо?

— Может, и не надо, — легко согласился Агеев. — Но с ней было бы покрасивше...

— Ну «покрасившее» так «покрасивше», — вздохнул Грязнов, доставая телефонную трубку и спускаясь по лестнице.

Галю Романову на «операцию» доставил на «Жигулях» Володя Яковлев — не мог же он отпустить девушку одну на край света, куда-то в Домодедово, да еще поздно ночью! А за пленниками следить было ему уже не нужно, там появились Голованов с Демидовым и установили дежурство, дав передышку и Щербаку.

Шел второй час ночи, а Сукин еще не появлялся. В доме светились теперь только редкие окна. И это тоже было плохо, поскольку следовало обеспечить парочку понятых для проведения обыска. Оставалось рассчитывать на удачу.

Грязнов сразу узнал официанта Васю, едва тот вышел из подъехавшего «фольксвагена», который оставил прямо у обочины тротуара, под фонарем, запер, мигнул подфарниками и направился, огибая небольшой сугроб, к подъезду.

Галя с Филиппом грелись в подъезде. И Вячеслав Иванович негромко сказал в маленький микрофон связи с ними:

— Он идет.

Галя тут же вышла из подъезда и стала топтаться под козырьком подъезда возле приоткрытой двери, похлопывая руками от холода.

Сукин двигался не совсем трезвой походкой. Галю он обнаружил, когда подошел уже совсем близко. Остановился, стал присматриваться.

Грязнов услышал ее капризный, хрипловатый голос:

— Ну чего так поздно? Я уже промерзла вся до косточек! Вася, ну сколько можно ждать?!

— А че? — Парень спросил скорее машинально.

Капризный, визгливый теперь голос Гали, изливающей на беспутного Васю бестолковые упреки, креп, а Вася лишь в недоумении разводил руками, так ничего толком еще и не понимая. И тогда Галя, зябко ежась, приблизилась к нему почти вплотную, чтобы он ее обнял, а она могла кинуться ему на шею и поцеловать. Но в тот же миг, получив точную и очень болезненную подножку, Сукин рухнул спиной на снег. Тут же из подъезда метнулась тень, словно большая кошка прыгнула, и на упавшего Васю уселся верхом Филипп. Еще мгновение — и парень был перевернут лицом в снег, а на заломленных за спину его руках щелкнули браслеты наручников.

Пока Вячеслав Иванович вместе с Володей Яковлевым выбирались из машины, операция по захвату была завершена.

Филя за шиворот поставил задержанного на колени, а тот как-то даже и не сопротивлялся, только крутил кудлатой головой, с которой упала в снег шапка, будто тот же снег на лице мешал ему видеть окружающее.

Из внутреннего кармана Филипп достал паспорт, раскрыл и протянул Грязнову. Вячеслав Иванович вслух прочитал:

— Сукин Василий Игнатьевич, семьдесят пятого года рождения, пол мужской, место рождения — город Москва... Место жительства... так, зарегистрирован по адресу... Все правильно. — Вячеслав Иванович оглянулся: в этом подъезде светилось только одно окно на первом этаже, — видно, проснулись от шума. — Галя, загляни, пожалуйста, в эту квартиру, объясни ситуацию, что мы брали преступника, и обеспечь понятых.

Галя ушла в подъезд.

— Ну пойдем посмотрим, парень, что у тебя в машине?

Вынув у него из кармана ключи, открыли все дверцы и крышку багажника. Выпотрошили все, что могли, но ничего не обнаружили. Впрочем, ночь, при свете фонариков много не разглядишь. Да и задержанный молчал, не выдавал признаков беспокойства, возможно, за свою машину он был спокоен. Посмотрим, что он запоет, когда начнется обыск в квартире, уж там-то наверняка что-то найдется.

Между прочим, спиртным от Сукина не пахло, а его тем не менее покачивало. Возможно, он находился сейчас под кайфом, потому и повязали его так легко — реакция у мужика оказалась не та. Оттого и не понял он сразу смысла спектакля с бабой у подъезда, которая так и липла к нему, а оказалась на самом деле ментовской подставой. Эту мысль он не без труда, но сформулировал вслух, за что чуть не огреб по физиономии. Но и резкого толчка под дых оказалось достаточно, чтобы он понял наконец суть происходящего...

Поскольку квартира была обставлена по-спартански, то есть ничего лишнего, самое необходимое, то и обыск производить оказалось несложно. В мусорном ведре на кухне, под мойкой, сразу обнаружили характерные запыленные белым налетом целлофановые бумажки —

обертки из-под небольших доз наркотика. И они отправились для дальнейшего исследования в мешочек — для криминалистической экспертизы.

В бельевом шкафу, под стопкой чистых простыней, обнаружили уже небольшую, граммов на пятьдесят, упаковку, судя по цвету, напоминающую героин.

А между прочим, на руках раздетого до пояса Сукина не было характерных следов от уколов. Это означало, что он, скорее всего, героин не употребляет, а обходится легкими наркотиками либо нюхает кокаин, так что, возможно, в упаковке находился именно кокаин. Но экспертиза покажет. Все происходящее и находки тщательно фиксировались, и двое соседей с нижнего этажа, потирая сонные глаза, аккуратно ставили свои подписи под актом обнаружения.

Там же, среди белья, была обнаружена и скудная пачка долларов. Пересчитали, оказалось около тридцати тысяч — для серьезного бандита копейки.

И, наконец, последняя находка. Это был пистолет Макарова, в обойме которого не хватало двух патронов. Где они были выпущены, когда и, главное, в кого, сейчас узнать было невозможно. В принципе держать у себя дома засвеченное оружие и по воровским законам считалось преступлением. Но на вопрос, где еще два патрона, задержанный Сукин не ответил. Он вообще молчал, даже не глядел, когда что-то доставали и показывали ему. То ли у него начиналось активное действие наркотика, принятого, возможно, недавно, перед самым приездом домой, и его тянуло в сон, то ли он таким образом демонстрировал свое нежелание что-то объяснять.

Оружие было, вероятно, не зарегистрировано, поскольку никаких соответствующих документов у Сукина не оказалось, а давать объяснения он считал для себя лишним.

Попытка узнать также что-нибудь касаемо гибели Исая Брискина тоже оказалась тщетной. Ну что ж, оставался единственный выход — отправить его во временный следственный изолятор и дождаться, когда у него начнется ломка. Это если начнется. А так задержан за хранение наркотиков в крупных размерах: пятьдесят граммов — это много, а также за незаконное хранение оружия, которое тоже пойдет на экспертизу. Но баллистическую, надо посмотреть, где найденный «макаров» мог засветиться. И с этими двумя статьями может Вася Сукин сидеть в ожидании суда хоть до морковкина заговенья. И никто, ни один адвокат, ему не поможет.

На этом операция завершилась. Свет в комнатах был погашен, входная металлическая дверь заперта на оба ключа, которые легли в карман Грязнова, и задержанного повели вниз. Он покачивался, словно пьяный, но продолжал упорно молчать. Хоть бы слово какое сказал, хоть бы выругался, нет — все делал молча. Даже когда его сажали в грязновскую «Волгу», он ударился головой, снова уронив шапку на снег, но не вскрикнул, а как завалился на заднее сиденье, так и молчал до самой Петровки, 38, куда его привез Вячеслав Иванович — по старой памяти.

Глава восьмая
ПРОДОЛЖЕНИЕ ПОИСКА

1

Исчез Баранов.

Это ж просто уже черт знает что! Они приезжают к человеку, а он пропал. И главное — никто вокруг не знает, где он может быть. Случилось что или сам спрятался — непонятно.

Новость принес тот же Валентин Арнольдович, который накануне подобное известие получил в частной клинике «Гиппократ». Но с этой конторой, точнее, с ее шефом решили поступить просто. Выяснили адрес в Праге, по которому проходил симпозиум врачей-наркологов, уточнили, кто там является главным от российской делегации, и отправили на имя профессора Субботина срочный факс. А говорилось в этом пространном послании о том, что Генеральная прокуратура возбудила уголовное дело в связи с убийством известного нарколога Артемовой и просит содействия профессора и его коллег в вопросе скорейшего возвращения на родину главного врача клиники «Гиппократ» Долина Роберта Каспаровича для дачи свидетельских показаний по указанному делу. Красовались на факсе и все необходимые атрибуты, включая печать Генеральной прокуратуры Российской Федерации и подпись заместителя генерального прокурора Меркулова. Против такой бумажки трудно найти разумные возражения.

Но от имени секретариата симпозиума некий профессор К. Жегни прислал по факсу в Генпрокуратуру ответ, в котором было сказано, что в настоящий момент на конгрессе (ишь ты, как уже себя именуют!) ожидается важное выступление господина Долина, после чего руководством будет оказана профессору Долину помощь для срочного возвращения в Россию. Но никак не раньше, пока в зале конгресса не прозвучит его доклад и не будут выслушаны затем все оппоненты, желающие высказать свою точку зрения.

Таков общий порядок, нарушать который никак нельзя. Ну да, конечно, наркология — наука серьезная! И потом, вероятно, именно таким образом участники конгресса ставили зарвавшихся российских прокуроров на место, хотя и не отказывали в помощи. Ну и черт с ними, приедет так приедет. Но может ведь и остаться там, если знает, что у него рыльце в пушку. Однако время покажет...

Итак, с Долиным ситуация была понятной. А вот с Барановым, напротив, ничего выяснить сразу не удалось.

Конечно, в этой ситуации Валентин Арнольдович Кучкин оказался бессилен. Опрос сотрудников, которые, возможно, могли бы что-то знать, ничего не дал. Никто не видел главного врача диспансера с середины прошлого дня. По словам его секретарши Варвары Анатольевны, беспрерывно строившей Кучкину глазки, Вячеслав Сергеевич вчера после обеда взял с собой какие-то важные бумаги и заявил, что едет в управление по здравоохранению — для каких-то консультаций. Причем это не его якобы инициатива, а его пригласили для серьезного разговора.

Между прочим, разговоры о том, что Вячеслава Сергеевича вполне могут назначить на пост недавно трагически погибшей Татьяны Васильевны Артемовой, главного окружного нарколога, шли не первый день. Кое-кто в диспансере даже сожалел, что его директор может перейти на новую, более важную и престижную работу. Он же не мог закрыть диспансер и забрать с собой всех своих сотрудников, это абсурд. Если и возьмет, то двоих-троих, самых доверенных. И каждый здесь, в диспансере, воображал, что жребий падет именно на него. Уж сама-то Варвара Анатольевна надеялась, хотя... были у нее и некоторые соображения личного плана, которыми она не стала бы делиться даже с ближайшей подругой.

Интуитивно Кучкин ее мысль понял, но поделать ничего не мог. С тем и вернулся в Генеральную прокуратуру, чтобы доложить Александру Борисовичу, как в старом армейском анекдоте: «Товарищ командир! Ваше задание я выполнил! Старшину не нашел!»

Да это от него и не требовалось. Пока длился рассказ о том, как следователь опрашивал медперсонал, в голову Турецкому пришла иная идея, которая, кстати, была уже однажды апробирована и дала нужный результат. Он решил снова натравить на Варьку Володю Яковлева. Секретарша определенно что-то знает из внутренней жизни своего диспансера, о чем вовсе не собирается рассказывать первому встречному. А что губы она облизывала — это манера у нее такая, она при виде всякого мужика, с которым можно заняться сексом, так, видимо, делает. Хобби это у нее, не стоит обращать внимания. Но не сказал он всего этого следователю, зачем же ронять в его глазах авторитет?

Одно только нехорошо — Славкина конспиративная квартира до сих пор занята, хотя давно уже назрела необходимость ее очистить от «населения».

Ну с Жеребцовым понятно. Все, что мог, он и сам написал, и в протоколе ответил. Дал исчерпывающие показания. Осталось только обезвредить бомбу, после чего сдать его в СИЗО — на время дальнейшего проведения расследования.

Сложнее было с полковником Огородниковым. Им собрался заняться сам Славка. Он сегодня как раз планировал встретиться по этому поводу с начальником московского ГУВД. Обсудить по-свойски проблему и прийти к единственно приемлемым выводам. Но пока задержанные находятся в Северном Бутове, Яковлеву с Варькой там делать нечего. Ну так, в конце концов, пусть разок отвезет ее на папашину дачу, от одного раза ничего не случится! Да и девка, поди, не о замужестве мечтает, а о хорошей встряске. Вот и будет ей... «кофе с какавой».

Но брать такую миссию на себя Турецкий не очень хотел, щепетильность, что ли, его вдруг задела своим крылом? Пусть Славка отдает сам команду своему кадру. И делать это надо немедленно. Кстати, пока Баранова на месте нет, там и его секретарше, в общем, делать тоже нечего, так что пусть время даром не теряют.

И Турецкий отпустил Кучкина, пообещав тому, что, как только появится какая-либо ясность в отношении Баранова, сейчас же сообщить ему и отправить на задержание — что было бы даже отчасти делом чести для Валентина Арнольдовича. А сам, едва тот вышел, стал названивать Грязнову, который с утра сидел в своем служебном кабинете в здании на Житной улице и совершал необходимые пассы относительно задержанного без всякой санкции на то полковника Огородникова. Хорошо, что под рукой были уже «чистосердечно» написанные самим полковником показания — но это на крайний случай.

Он уже договорился о личной встрече с начальником ГУВД столицы и собирался выехать к нему, когда его настиг звонок Турецкого.

Грязнов понял все с полуслова и дал добро, но попросил Саню сделать это самому, от его имени: некогда, мол, разговор в ГУВД будет некоротким и не из приятных. Надо себя отчасти морально подготовить.

Турецкий пожелал ни пуха ни пера и положил трубку, чтобы тут же снова ее поднять и найти Володю Яковлева. Он передал ему указание Грязнова и от себя лично попросил не сильно давить на девицу. И только сказав, понял всю двусмысленность своей фразы. Володя засмеялся и ответил, что у нее мнение, как он уже убедился, резко противоположное. Словом, пошутили, и Володя пообещал уже сегодня, до конца дня, получить от нее какие-нибудь наводящие сведения.

Начальник ГУВД, генерал-лейтенант милиции, внимательно читал листы показаний полковника Огородникова, хмыкал при этом как-то многозначительно, хмурился и осуждающе покачивал крупной головой с седым ежиком. Наконец отложил последний лист в сторону, аккуратно поправил их все вместе и задумчиво посмотрел на Грязнова, сидевшего за длинным столом для заседаний напротив. Он помешивал ложечкой давно остывший чай с плавающим кружком лимона.

— Ну что скажешь, Виктор Владимирович? — сделав угрюмое выражение лица, спросил Грязнов.

— Убил бы мерзавца... вот своими руками. — Начальник ГУВД сжал кулаки. — Слышь, Вячеслав Иванович, а вы ему там сами предварительно морду не начистили?

— Для ускорения созревания, что ли? Для истины? Нет, так обошлось. Нарисовали ситуацию, «кино» показали...

— Какое кино?

— Да я ж говорил... Как они вдвоем с тем, отставным бомбистом, заряд закладывали в квартире. Все четко получилось... на записи.

— А чего ж сразу в Петры те же не отправили? — Генерал-лейтенант имел в виду следственный изолятор на Петровке, 38.

— Так ведь объяснили. Сам нс захотел. Он прекрасно понимает. Что как только он переступит порог СИЗО, его постараются тут же убрать, чтобы замолчал навсегда.

— Ничего себе! Так это ж, по сути, твоя бывшая епархия!

— Потому и говорю, что знаю, — печально вздохнул Грязнов.

— Да, порядочки у нас, однако... куда ни ткни...

— Что поделаешь, они иногда бывают гораздо сильнее нас. Потому что у нас имеются на все случаи жизни только слова убеждения, наполовину растерявшие свой вес и значение, а у них — огромные деньги, которые перевешивают любые, даже самые убедительные, доводы... Вот так, Виктор Владимирович... И что же ты предлагаешь теперь? Я свою точку зрения тебе уже высказал. Бомбу мы сегодня же снимаем, все оформляем честь по чести, и бомбиста отправляем на нары. Он все сказал и уже все сделал. И большей опасности, я думаю, для них представлять не будет. Это они и сами должны понять. Но охранять придется, никуда не денешься. Все-таки не только исполнитель, но и главный свидетель против заказчика. А с твоим полковником?.. Ей-богу, не знаю. Впрочем, скажешь, отпустить — отпустим. И вот уже в этом случае, как говорится, на дорожку, морду начистим, чтоб хоть помнил.

— Так я еще ничего не сказал, а ты уже развоевался! Ух! — улыбнулся генерал-лейтенант.

— Так говори, — улыбнулся в ответ и Грязнов, сидевший перед ним тоже в генеральской форме, но с одной звездой на погонах.

— Что ты скажешь, если я предложу такой вариант? Что называется, ни тебе, ни мне, а грех — пополам?

— Это как? — Грязнов озадаченно почесал лысеющую макушку.

— Отпустить, ты говорил?

— Это не я, а ты предложил! — перебил Грязнов.

— Ну пусть я. Отпустим. Но под строгий домашний арест. С подпиской, со всем прочим. А дело его — вот все эти и прочие материалы, которые, ты говоришь, у вас имеются, — передаем в службу собственной безопасности. Пусть они с мерзавцем возятся. Короче, учиняем строжайшее служебное расследование! И пусть только кто-нибудь из законников пикнет! А адвокат ему понадобится не раньше того, как мы ему обвинение предъявим. А вот когда предъявим, это уже наше с тобой дело, Вячеслав Иванович. Вот как я предлагаю поступить. Чтоб и овцы были целы, и эти... сыты.

— Шлепнут они его. Найдут такую возможность.

— А вот и поставим у дома охрану. И его строго-настрого предупредим. Впрочем, если он сам хочет сдохнуть от пули собственных подельников — это, в конце концов, его личное дело.

— Я согласен.

— Ну вот и договорились, — удовлетворенно шлепнул начальник ГУВД ладонью по столу. — А с его отделом я прикажу немедленно разобраться! Это же черт знает что! Борцы с оргпреступностью, мать их! Всех поувольняю! Есть у меня такое право.

— А с подельниками его потом кто воевать будет? Я один, что ли?

— Ну неужели мы, Вячеслав Иванович, не можем набрать в многомиллионном городе сотню честных парней? Чушь!

— Просто никто толком этим делом не занимается. С нашей стороны. А с той — ого-го! Только свистни! Мы вон вчера ночью одного препроводили в наши Петры. Тридцать лет мужику, здоров пока еще, не всего себя отравил наркотой. А мозги, видно, уже в другую сторону направлены. Чужой он, не перевоспитаешь... Наркота в шкафу и «макаров» под подушкой — чего еще надо? Да, еще пачка баксов между простынями. Вот и весь круг его интересов. И ведь что любопытно... Живет один. А у соседей к нему никаких претензий, только дверью громко хлопает, а так — чудный парень!

— Ох, Вячеслав Иванович, сколько таких примеров!.. Значит, давай его сюда, к нам, и мы тут все оформляем как договорились. Никуда он не сбежит, так я думаю. Да и бежать-то некуда, там проще его достать. А тут хоть какая-то перспектива ему светит...

Петр Ильич Огородников принял это решение со стоическим мужеством. Ничего не сказал, вообще долго молчал, только кивнул и, наконец, хрипло выдавил из себя:

— Я понял и согласен с таким решением. Куда меня отправят? Сразу домой или как?

— Для начала в Главное управление, а там как распорядится ваше начальство.

— Ладно... Надеюсь, что больше повода «поправлять» мне физиономию у вас не появится?

— Но ведь и вы не можете мне возразить, — с усмешкой заметил Щербак, — что этот мелкий в прошлом факт, не оставивший серьезного следа на вашем лице, способствовал скорейшему вашему прозрению и установлению взаимопонимания между вами и следствием?

— Не стану возражать, — мрачно констатировал полковник под общие улыбки.

После этого он, в сопровождении Грязнова и Щербака, отбыл в Главное управление, где уже фактически решилась его дальнейшая судьба.

2

Она хотела бы изобразить обиду, но так и не смогла этого сделать. А обижаться между тем было на что. Обещал не оставлять надолго, а сам? Сколько дней-то прошло? Два или уже три? Ах, четыре?! И он ни разу не позвонил?! Не предупредил?! А тут шляются вокруг всякие!..

Нет, это ее возмущение было абсолютно наигранным, неискренним. Просто так — она созналась позже сама — Варвара заводила себя перед свиданием.

А что рабочий день еще не кончился, так на это всем наплевать. Сам отсутствует, Ольга Ивановна, старшая медсестра, возится со срочными пациентами, каждый член медперсонала занят своим конкретным делом, а в приемной — пусто, поскольку нет доктора Баранова. А на нет и суда нет!

Володя отключил телефонную трубку и помчался к зданию диспансера. Варвара, одетая в короткую меховую шубку, открывавшую ее длинные, великолепные ноги, уже приплясывала от холода на ступеньках крыльца диспансера. Прыгнув в машину, она с ходу обхватила его руками, стала, ойкая, прижиматься к нему, норовила засунуть даже свои ноги ему на колени, чтобы он поскорее согрел их, а руки ее тем временем самым беззастенчивым образом полезли в его брюки.

— Это я проверяю, — жарко шепнула она ему в ухо, — не оставил ли ты чего-нибудь важного у себя на работе.

От ее ерзанья он, естественно, немного возбудился, что она немедленно и с удовольствием просекла, после чего спросила:

— Куда мчимся? Снова в твое Бутово?

— Нет, поедем сейчас на дачу, в Фирсановку. Там никого нет, но дача зимняя, мы ее немного протопим — и можем раздеваться хоть догола, так будет тепло.

— Хочу скорее догола! Хочу совсем догола! — фальшиво заныла она и снова капризно полезла к нему в брюки.

Но Володя мужественно пресек и эту попытку, обосновывая свое нежелание немедленно разделить с ней ее неутолимое желание прямо вот здесь, посреди бела дня и под окнами наркологического диспансера, в котором она работает, — надо же соблюдать приличия, в конце концов. Кажется, такой строгий выговор несколько охладил ее и убедил в том, что Володя прав — желание никуда не убежит, поскольку оно взаимное и, напротив, от неблизкой дороги, с заездом в магазин, чтобы набрать нужных продуктов, еще больше разгорится и... окрепнет. Чего тебе еще? А ей, судя по всему, вообще ничего было не нужно, кроме... ну да, кроме того, что находилось вот здесь, рядом с ней, но было пока недоступно из-за каких-то принципов и дурацких приличий. Открытая девушка. Свободная. Простая...

Заправились они всем необходимым для бессонной ночи в универсаме возле «Речного вокзала». И помчались дальше по Ленинградскому шоссе в сторону Сходни, где свернули в поселок и затем вдоль железной дороги проехали до станции Фирсановка. Ну а там — по пустынным, накатанным поселковым улицам добрались почти до дома. Почти потому, что ни машин вокруг, ни людей уже не было видно, а темнеть начало по-вечернему. И Варя сказала, что терпеть она больше не может, поскольку в машине ей стало совсем тепло, а на даче придется еще какое-то время топить печку, и поэтому пусть Володя остановится где-нибудь в укромном месте. Он и приткнул послушно машину возле нехоженого тупичка. А Варька, хлебнув из бутылки глоток коньяка, тигрицей кинулась на него.

В машине было очень неудобно, тесно, но, подчиняясь ее требованиям, он как-то все-таки сумел извернуться, она же немедленно ринулась в вожделенные брюки и уже через минуту, захлебываясь, урчала, как ей стало хорошо и как она долго ждала этого момента. Ему же не оставалось ничего другого, кроме как зорко оглядываться, чтобы не пропустить случайного прохожего.

Отстраненно он думал, что Варька права — пока разгорится печка, пока то да се, можно и дуба дать. А уж желание точно может погаснуть в холоде нетопленой дачи. Зато теперь, когда она будет довольна и собой, и им, нетрудно, за домашними необходимыми делами, затеять нужный разговор, и он пройдет в правильном ключе. Ведь оба они довольны, впереди — целая ночь, правда, к сожалению, не полярная, но и подмосковной немало, а остальное все успеется, еще и с лихвой...

Но разговорить ее на нужную тему ему никак не удавалось. Сперва в доме было действительно холодно, и Варька, чтобы согреться, потихоньку опорожнила чуть ли не полбутылки коньяку, отщипывая на закуску каждый раз по виноградинке. Она заявила, что уже обедала на работе и есть пока не хочет. А чего она сейчас хочет, было видно по ее глазам. Но сама мысль снять с себя шубку казалась ей просто невозможной. А дача нагревалась медленно. Давно здесь никого не было, дом промерз за долгую осень и начало зимы, хотя вроде и морозов особых тоже пока не наблюдалось.

Потом, когда стало заметно теплеть и можно было снять верхнюю одежду, оказалось, что Варьку здорово развезло. Поторопилась девушка, а Володя как-то не уследил. А в таком виде она, естественно, не была готова ни к какому серьезному разговору, кроме как все о том же сексе. И тут ее стало заносить, но Яковлев слушал хоть с иронической усмешкой, но и с определенным интересом — могла промелькнуть полезная информация.

Она рассказывала с видом крупного знатока об увлечениях своего шефа, которые, оказывается, не были для любознательной секретарши секретом. У него, например, кушетка в кабинете зачем? А он на ней каждую свободную минуту свою старшую медсестру натягивает. Володя наверняка видел ее в диспансере, он же был... Ах так и не удосужился? Тогда можно будет как-нибудь ее показать.

Она хоть и замужем, но обожает это дело, про то всем известно. Вот и держит ее возле себя Вячеслав Сергеевич. Ну иногда и на нее, Варьку, глаз кладет. А что, он мужчина способный, такому сделать — одно удовольствие... А еще он своих клиенток некоторых на кушетку тоже укладывает. Есть у него такие, что приходят вроде как нервишки подлечить, а им от него одно только и надо. Ну как этот, в Древней Греции, который коз ловил и так заделывал, что у них роги выпрямлялись. Ну как его? А, не важно... А они, бывает, даже орут там, в кабинете, дуры... будто у себя дома... Но та все слышит, а иногда даже и заглядывает, когда шеф забывает дверь на ключ закрывать. Заглянет вроде нечаянно, огромные глаза такие сделает — вот, мол, какой ты молодец! — а он глядит и хохочет... и хохочет, показывая, как клиентка богатенькая под ним дергается, извивается вся. Конечно, заводит, куда денешься?..

Вот примерно в таком ключе и длилось ее признание, пока голова не склонилась на плечо и Володя не перенес уже безвольную девушку в кровать. А в безволии, между прочим, тоже есть своя прелесть, и Володя это уже знал. О многом успела рассказать ему еще во время прошлой встречи чрезвычайно способная девушка-медичка. За себя она не боялась, ничего не стеснялся и он, а потому вели они себя максимально раскованно.

Она проснулась среди ночи, голышом отправилась к столу — пить, а вернувшись, юркнула в его объятия и задала такой темп, что у него голова кругом пошла. Но недолго, и сама быстро устала. Вот и возникла пауза, когда можно было наконец поднять нужную тему.

Полагая, что ревности своими вопросами он у Варьки не вызовет, Володя стал расспрашивать ее о старшей медсестре. Где живет, да кто у нее муж, да как у них там, если она ведет себя так свободно?

Повторялось то, что он уже слышал. Это Варька забыла, что уже об этом рассказывала. Ну ничего, повторенье — мать, говорят, ученья. Глядишь, что-то новенькое и промелькнет. И ведь промелькнуло.

Оказывается, Баранов хоть и живет один, но и в свое «логово», как он называет квартиру в доме на Саввинской набережной, ну где у него недавно бомбу обнаружили, никого посторонних не водит — даже Ольгу не пускает. А уж она у него самое доверенное, можно сказать, лицо. Варька слышала между ними сердитый разговор, что ей надоело по знакомым с ним скитаться, когда у него своя отличная жилплощадь. Но он говорил что-то о принципах, Варька не поняла, а спросить, естественно, не могла, и, мол, поэтому квартира его для всех прочих табу. Так и сказал. А как понимать «табу»?

И Володя объяснил между делом свободной и раскрепощенной девушке, что табу — это, надо понимать, то самое, что ей никогда не грозит. Она и успокоилась, хотя вряд ли поняла.

Так, значит, у Ольги имеются подруги? Ну а как же! Как у всякой порядочной женщины. Варька даже знала о некоторых из них. Вот Леся Водолагина, потом Ленка Кривцова, еще Ася Малиева. Достаточно? А для чего это ему нужно? А чтоб понять, у кого из Ольгиных подруг может прятаться Вячеслав Сергеевич, которого нет ни дома, ни на работе. Вот только адресов их она, к сожалению, не знала.

Естественно, Варьку сразу заинтересовало, что будет Вячеславу Сергеевичу, когда его найдут? Ответ был прост: важно, кто раньше найдет. Если бандиты, а они не такие уж и глупцы, чтобы не додуматься до той же мысли, которую вот только что Володе невольно подсказала сама Варька, то будет Баранову очень плохо. Его попросту убьют, чтобы убрать ненужного свидетеля. А вот если это удастся сделать, например, ему, Володе, то тогда Баранов будет отчасти спасен. Нет, если докажут, что это по его указанию была убита Татьяна Васильевна, то его осудят и посадят в тюрьму. Но не навсегда, конечно, выйдет лет этак через десять — пятнадцать. И будет совсем еще нестарым. Ему сколько? Немного за сорок, вот, значит, к шестидесяти годам и окажется на свободе. Если других грехов на нем нет. Ну а если имеются, значит, такая уж судьба...

Посетовала Варька по поводу судьбы-злодейки и решила, что лучше уж заключение, там хоть люди живые кругом ходят. А на том свете — одни трупы, и зря попы рассказывают сказки, будто души мертвых переселяются на небо и продолжают жить. Варька была пока отчаянной материалисткой и ни в каких привидений, а также в реинкарнацию не верила. Она верила прежде всего себе, своим силам, а также силам партнера по сексу. А все остальное для нее была мура, от которой никакой пользы человеку. Замечательное, по-своему, заблуждение. Как все на свете...

Но слова словами, а надо было знать, что делать, где искать. И вот тут у Варьки проснулся, видно, врожденный женский талант к сыску. Женщин не надо этому учить, они мастера сыска уже от природы. Мужчина — явление грубое, а сыск — дело тонкое, не всякий способен, в то время как женщины — готовы все поголовно.

Она сказала, что если взять за точку отсчета — ишь ты, как завернула! — мнение Володи, то тогда надо просто проследить, куда Ольга бегает во время работы, если у нее есть свободное время, а особенно после, потому что ночует она, когда нет срочных вызовов, всегда у себя дома. Ее Борик — человек неревнивый. Он ученый-генетик, и ему все, кроме цепочек хромосом, до лампочки. Да у него и не стоит вообще — это сама Ольга однажды говорила. Мол, если бы Борька мог, она бы ни за что ему не изменяла. А так — он не может, а ее бабье естество требует удовлетворения. Сам виноват, на каком-то полигоне облучился — и вот результат.

Но это мало волновало Володю. Его интересовали подруги Ольги. А идея проследить, куда она бегает, — просто отличная мысль. Надо будет прямо с утра, завтра же, выдать ее Вячеславу Ивановичу. Пусть, что ли, Галка поездит пока, а потом и сам Володя может подключиться. Или еще кто-нибудь, возможно, из сотрудников «Глории» — у них для такой работы есть все возможности.

Он, кстати, вопреки мнению Грязнова, не ощущал никакого неудобства перед Галей за свое нынешнее поведение, на которое его подвигли старшие товарищи. Ну, во-первых, это не столько удовольствие, сколько работа. Служба! Хотя если дело связано также и с удовольствием, то какой же осел откажется? А во-вторых, Галина и сама не питала к Володе ничего, кроме чисто товарищеских чувств. Так что какие могут быть неудобства? Нет, разумеется, он ни за что не стал бы ей рассказывать о своих похождениях с Варькой, это уже дело сугубо личное. Но обсудить, скажем, подозрения девушки насчет того места, где Ольга могла спрятать своего любовника, почему же нет? Очень даже можно.

Потом он пытался все-таки выяснить еще один вопрос: нет ли у Баранова какой-то дачи? Нет ли родственников в других городах? И вообще, почему он до сих пор еще не женат? Почему не хочет устроить свой холостяцкий быт? Но на это не было ответов. Ничего не знала Варька, да и, честно призналась, не хотела знать. У нее есть работа. Есть свои деньги. Есть институт, который она все равно закончит, чтобы работать врачом, а не медсестрой вроде Ольги и втыкать бесконечные шприцы в задницы пациентов... Хотя именно это Ольга делает мастерски, надо отдать ей должное, руки у нее золотые.

— Зато у меня губы золотые, верно? — похвасталась Варька.

И Володя был вынужден подтвердить, что она, как всегда, права. Эгоизм молодости — он все-таки что-то да значит!

3

Разряжать взрывное устройство они отправились ближе к вечеру, когда все жильцы должны уже были находиться дома, на Семеновской улице. Перед выездом Жеребцов поклялся, что сделает все в лучшем виде, без единой запинки — уж ему ли не верить, если он сам и ставил! Но безопасность есть безопасность. И ни Грязнов, ни Турецкий, ни находившиеся рядом — для охраны — сотрудники «Глории» не простили бы себе, если бы, не дай бог, что случилось. Да что они! Им бы никто не простил.

Поэтому прежде всего заехали в ОВД «Семеновское» и обо всем рассказали начальнику. Тот всполошился, но его тут же успокоили, заявив, что есть специалист, который все сделает правильно, однако жильцов дома придется всех предупредить и вывести на короткое время, пока бомба не будет обезврежена, на улицу. Во избежание непредвиденных обстоятельств. Но и паники поднимать при этом не следует, ибо все находится под жестким контролем. Пусть люди оторвутся от вечерних телевизоров, выйдут на полчасика на улицу и подождут, пока сапер сделает свою работу.

Начальник приуныл, но, видя перед собой двоих генералов — милицейского и прокурорского — отдал соответствующую команду. Его люди немедленно помчались на объект и быстренько очистили дом от жителей. Народ, послушный после всех взрывов в Москве, выполнял распоряжения четко. Но любопытство все же брало верх, и некоторые лезли, стремясь увидеть своими глазами, как будет обезвреживаться опасный заряд. Таких провожали подзатыльниками — без всякого стеснения.

Рисковать так рисковать. Оставив внизу охрану вместе с Евой, Грязнов с Турецким поднялись следом за Иваном Жеребцовым в квартиру Грицман и удивились разгрому, царившему во всех комнатах, кроме одной — находящейся за стеклянной дверью. Видно, те, кто здесь был — а кто был, они уже не примерно, а точно знали, — дали волю своей бандитской фантазии. Странно, что соседи ничего не слышали. Или слышали, но боялись выглянуть за дверь, пока в квартире шел погром.

Странное дело, Турецкий позже опросил соседей по этажу — никто ничего не слышал. Все отрицательно мотали головами, пряча при этом глаза. И это, к сожалению, тоже понять было можно...

Но стеклянную дверь, кстати говоря, никто не тронул, даже близко не подошел, следов, во всяком случае, рядом не было. Значит, они знали, что за дверью. А откуда? Это они, вероятно, заранее обговорили — что можно трогать здесь, а чего категорически нельзя. Ну да, явившись после погрома, Ева, естественно, должна была поневоле пройти в единственную не тронутую варварами комнату, где ее и ждала... смерть. Но им помешали.

А жаль, мелькнуло у Турецкого, вот бы кто-нибудь из них схватился за дверную ручку — что б от него осталось? Но эта злорадная мысль быстро исчезла, как только Иван

Жеребцов включил в прихожей свет, присел на корточки и стал спокойно разматывать с кнопки внизу двери тонкий блестящий тросик. И никакого волнения он не испытывал. А потом, откинув его в сторону, поднялся, так же спокойно открыл дверь и присел теперь перед бомбой.

Посмотрел, помолчал, обернулся к Грязнову с Турецким, стоящим рядом, как-то странно ухмыльнулся и сказал:

— Я сейчас все сделаю, но только вы, если опасаетесь, отойдите все-таки подальше к двери. А лучше вообще выйдите на лестничную площадку. Так мне будет спокойнее.

— Слушай сюда, Иван, — резко бросил Грязнов, — никуда мы не пойдем. А ты это запомни и действуй как профессионал, учти, тебе зачтется. Я сам постараюсь. А ты дурака не валяй и в опасность с нами не играй. Делай свою работу. Если бы у меня хоть на минуту возникло сомнение по поводу тебя, ты бы у меня уже был вон где. А здесь работали бы саперы-взрывотехники из ФСБ. Не тяни резину, на улице люди мерзнут.

Странный вот такой произнес Славка монолог, а Турецкий улыбнулся и поощряющее подмигнул ему. И тоже сделал спокойный жест в сторону Жеребцова, хотя где-то в глубине живота, под печенкой-селезенкой, что-то вроде как екнуло и неведомая сила так и потянула присесть, опуститься на корточки, чтобы стать меньше в размерах.

— Тебе видно? — спросил твердым голосом Грязнов у Жеребцова, низко склонившегося над собственной бомбой. — Посветить?

— Не надо, — хрипло ответил тот.

А потом вдруг как-то странно осел, отложил в сторону какой-то блестящий предмет и откинулся от бомбы.

— Все, — сказал почти задушенным голосом. — Пусть они возвращаются...

Грязнов тоже отер пот со лба. Он вышел на лестничную площадку, где находились сотрудники «Глории», и отдал распоряжение сообщить тем, кто внизу, что опасность миновала и люди могут возвращаться в свое жилье. А Щербаку предложил освободить квартиру от техники, снять все видеокамеры.

— Там у нее полнейший разгром, — добавил он. — Как ты полагаешь, у вас зафиксировано, кто в квартире шалил?

— Мы сами специально, как вам известно, не наблюдали, пока дама была, так сказать, у нас, но записи с каждого объекта циклически шли на общий блок, так что разобраться можно будет. А по сегодняшней акции — это надо посмотреть внизу, у Севы, он все видел, как вы там старались... — Щербак чуть улыбнулся, а Грязнов беззлобно показал ему кулак.

— Последнюю запись мы приобщим к делу, связанному с бомбой, отдельно. Я обещал этому Жеребцову. Особого геройства тут нет никакого, но, может, на суд как-то подействует. Опять же добровольно... Он, во всяком случае, повел себя честнее, чем тот полковник...

А у помянутого, как говорится, не к добру, глядя на ночь, в это время шел в квартире обыск. Работала оперативная группа сотрудников Управления собственной безопасности ГУВД. И к ним, в качестве наблюдателя, был по просьбе Турецкого прикомандирован Владимир Поремский. Надо же быть в курсе происходящего! А еще лучше иметь там свои глаза.

Поремский, для которого характер полковника Огородникова в какой-то мере оставался загадкой, быстро понял, почему того так тянуло в разгульную жизнь. Стоило лишь взглянуть на дородную супругу, напоминавшую мраморную греческую кариатиду, как все становилось ясно.

Полковник был, в общем, высокого роста, где-то под метр восемьдесят. Но Ариадна Константиновна оказалась выше его на полголовы. А что касалось телосложения, то на ее фоне супруг выглядел просто щуплым человеком. И если учесть еще низкий, баритональный голос супруги, с отчетливыми визгливыми акцентами в окончаниях слов, а кроме того, пронзительный взгляд выпуклых черных глаз, становилось понятным, что семейная жизнь у полковника могла желать много лучшего.

И уж конечно он не мог пропустить мимо себя Еву с ее броской, сексуальной фигурой. Зря только он поступал с ней так по-скотски. Но это был бы уже другой разговор, который Поремский вовсе не хотел сейчас затевать. Супруга и без того смотрела на своего проштрафившегося мужа как на полное ничтожество, а узнав про его сексуальные выходки — раздавила бы своей стопой сорок второго размера, обутой в домашний тапок без задника.

Сначала Ариадна Константиновна громко возмущалась бесцеремонностью непрошеных гостей, затем, когда сообразила, что дело в самом деле серьезное, перестала шуметь и только гневно наблюдала за действиями сотрудников милиции, производивших обыск.

На вопросы об оружии, крупных суммах и наркотиках, имеющихся в доме, Огородников отвечал отрицательно — не было у него ничего подобного. Но когда из домашнего сейфа извлекли несколько пачек американской валюты на сумму более ста пятидесяти тысяч долларов и примерно столько же в европейской валюте, вот тут с супругой случился сердечный припадок. Даже пришлось вызвать врача из ведомственной поликлиники.

Происхождение данных сумм Огородниковы могли объяснить исключительно личными долгими накоплениями, что само по себе выглядело смешно и нелепо, ибо большинству присутствующих было известно, что Ариадна отродясь не работала, а из зарплаты Петра Ильича подобные суммы ну никак не наэкономишь. Деньги были пересчитаны, суммы внесены в протокол и зафиксированы подписями понятых — пенсионеров, соседей Огородниковых, смотревших на них с плохо скрываемым злорадством.

А еще Поремского поразило одно обстоятельство: во всей большой, четырехкомнатной, квартире, где не наблюдалось никаких следов детского присутствия — у Огородниковых не было потомства, так для кого же копились денежные средства? И между тем нигде также не обнаружилось ни одной книги, даже тех, что продаются на массовых развалах и повествуют о странных перипетиях любви и крутой ревности. Зато имелась современная видеотехника — огромный телевизор, видеомагнитофон, какие-то приставки, колонки и прочее, и масса видеокассет с фильмами, такими как «Твердый кулак» и «Эротические сны Изабеллы». В общем, и этический, и образовательный уровень этой семейки лучше и представить было невозможно.

Затем понятых отпустили. У полковника отобрали подписку о невыезде, затем ему зачитали приказ о его домашнем аресте, сообщили, что с этой целью внизу, у консьержки, будет установлен временный милицейский пост. Правда, Петр Ильич попытался возразить, что последнее лишнее, ибо он и не собирается нарушать приказ своего руководства, но старший группы ответил, что милиционер будет дежурить не для того, чтобы следить за возможными действиями полковника, а, напротив, чтобы оградить его самого от преступных посягательств его нынешних дружков-подельников. Уж им-то наверняка стало известно о его аресте. Следовательно, даже дураку ясно, что полковник сдал их. А если еще не успел, то сделает это в самое ближайшее время. Тут двух мнений быть не может.

И Огородников как-то сразу скис, словно вспомнил те свои прегрешения, о которых, возможно, пока еще неизвестно следователям, но которые могут отныне представлять прямую опасность для него самого. Не говоря уже о благополучии его более чем дородной супруги и шикарной квартиры, в которую «вбухано» немало денег...

Покидая весьма негостеприимный дом, Владимир Поремский испытывал неприятное ощущение, какое может испытать человек, неожиданно вступивший в дерьмо, от которого и подошву невозможно оттереть, несмотря на все старания...

4

Едва только Яковлеву удалось получить три интересующие его фамилии подруг Ольги Ивановны, как Турецкий предложил свой вариант поиска пропавшего Баранова. Нет, Александр Борисович в принципе не отвергал выдвинутого Володей Яковлевым предложения установить слежку за тремя определенными квартирами, а после подвести итоги того, куда чаще всего бегала посреди рабочего дня Ольга, чтобы и сделать соответствующие выводы.

— Ну да, как же, — парировал Турецкий, — с этими молодыми и неутоленными бабами надо постоянно держать ухо востро. Вот установим мы искомый адрес, явимся туда всем кагалом. А там очередной любовник Ольги! И что будем делать? Краснеть? Есть другой вариант. Надо выяснить в соответствующих ЖЭКах, в каких квартирах и с кем проживают три указанные женщины, а вот когда выясним, тогда и будем плясать от той печки, которая покажется нам наиболее теплой.

— А проследить? — настаивал Яковлев и с надеждой посматривал на Галину в ожидании, видимо, ее поддержки.

Но Галя только усмехалась. И сказала, что готова смотаться в ЖЭКи, если ей скажут в какие.

Грязнов тоже усомнился, что будет просто отыскать даже по спецсправочной всех этих Ась, Лесь и Лен со слишком распространенными фамилиями. И предложил все-таки выяснить, куда побежит Ольга, а уже затем, в том же ЖЭКе, прошерстить фамилии жильцов дома. Путь куда более скорый и результативный. А ежели искомых фамилий там не окажется, продолжать следить дальше. Можно опять же и «Глорию» отчасти задействовать — гонорар, выданный Евой Абрамовной, еще весь не выработан, убийца-то не найден, хотя все теперь, в общем, сходится на Баранове.

Так и поступили.

В экипаж Филиппа Агеева села Галя, а к Голованову — Володя Яковлев.

В полдень, когда у врачей диспансера начался обеденный перерыв, Варвара, как и обещала Володе, позвонила ему и сказала, что Ольга куда-то засобиралась. Она зашла к ней и с торопливой озабоченностью сказала, что должна отлучиться по своим делам и может немного запоздать, так что пусть пациенты немного подождут. А вторая медсестра в курсе, выручит, если что.

Яковлев, который сидел в машине, припаркованной неподалеку от диспансера, только успел спросить, во что одета Ольга, как женщина в белой шубке уже выпорхнула из подъезда и быстро уселась в синий «дэу». И пока она заводила свою юркую машину, Володя успел услышать от Вари, что на той белый и очень дорогой, между прочим не всякой медсестре по карману, полушубок из норки. Ну что ж, просто небедная девушка...

«Дэу» рванул так, что белая пыль завилась столбом. Сева Голованов — за ней. А уже за ними в отдалении, чтобы не мозолить глаза, двигалась серая «девятка» с Филей и Галей. Это на тот случай, если Ольга зайдет в один дом, а потом помчится дальше — ведь такое могло случиться. И пока Яковлев будет искать и проверять в ЖЭКе фамилии жильцов дома, второй экипаж будет висеть на хвосте у Ольги, если ей захочется посетить еще кого-то. Так одним ходом можно убить сразу двух зайцев.

Ольга неслась к центру города. По Бульварному кольцу домчалась до Мясницкой площади, там, на конечной трамвайной остановке, развернулась в противоположную сторону и, проехав сотню метров до Архангельского переулка, затем свернула в Кривоколенный и остановилась у темного подъезда многоэтажного старого дома.

Сева остановился на углу, откуда синяя машинка хорошо просматривалась. Ольги не было минут десять — пятнадцать. За это время сзади подъехала и остановилась машина Филиппа. Теперь он должен был сопровождать свой объект внимания.

Наконец Ольга снова выпорхнула из подъезда, прыгнула — у нее это получалось как-то лихо — в свой «дэу» и понеслась в сторону Мясницкой улицы. Филя — следом.

Ольга двигалась настолько шустро, что даже опытный Филипп Агеев сумел догнать ее, точнее, разглядеть впереди только на Лубянской площади, где та разворачивалась в сторону бульвара и Славянской площади. Пришлось поднажать. Совсем догнал ее Филя уже в Китайгородском проезде и дальше следовал, не отставая и не приближаясь, до Пречистенской набережной, где в доме на углу Пожарского переулка и Остоженки Ольга задержалась надолго. Но, оставив машину у самого подъезда, еле втиснув ее между двумя джипами, Ольга сделала одну ошибку, непростительную для опытного шпиона, да и просто умной женщины. Видно, очень торопилась.

Выйдя из машины и вякнув сигнализацией, она достала из кармана шубки несколько ключей и выбрала тот, который ей был нужен. Из чего Филипп немедленно сделал соответствующий вывод, которым не замедлил поделиться с сидящей рядом Галей.

— У нее имеется личный ключ от квартиры, вот что. Которым она пользуется нечасто, иначе он висел бы в связке с другими, а так — видишь? — отдельно! — У Фили был прямо-таки соколиный глаз. — Значит, если там кто и есть, то сидит фактически взаперти. А хозяйка помещения либо на работе, либо просто в отсутствии. Поэтому тебе, Галя, есть прямой смысл не терять времени, а быстро выяснить, где тут местные домовые службы, и уточнить фамилию. А я последую за мадам дальше. Тут рядом метро «Кропоткинская», так что не заблудишься. Привет, приступай, а я подожду ее.

Галя Романова покинула машину, а Филипп остался терпеливо ждать.

Ольги не было долго, минут сорок, не меньше. Филипп за это время успел поставить свою машину на освободившееся место у соседнего дома, как раз напротив Ольгиного «дэу». Затемненные стекла делали его почти неразличимым.

Мадам — именно так окрестил для себя эту слегка распаренную, как после бани, женщину, которая вышла наконец теперь уже неторопливо из подъезда, оперлась локтем о крышу машины, постояла так, закинув непокрытую голову к верхним этажам, а потом полезла в машину. Долго возилась, устраиваясь поудобнее, и поехала, неторопливо, без гонки, в сторону своей службы. Куда ее и проводил Агеев, прекрасно представляя себе, сколько серьезных физических усилий пришлось приложить этой цветущего вида мадам, чтобы в течение сорока минут выполнить все то, к чему она мчалась будто угорелая.

С точки зрения Филиппа, вообще говоря, можно было больше не гадать, где следует искать доктора Баранова, — именно здесь, в угловом доме в Пожарском переулке, фактически в самом центре Москвы, в двух шагах от храма Христа Спасителя.

И когда вечером команда собралась для подведения итогов прошедшего дня, он прямо так, без предисловий, и сказал об этом.

Галя горячо возразила, и тогда и второй экипаж выложил свои данные, которые говорили, казалось бы, больше в их пользу. Но...

Дело в том, что в Кривоколенном переулке на восьмом этаже в двухкомнатной квартире номер девяносто проживала одинокая, незамужняя Олеся Водолагина — женщина тридцати семи лет, по мнению работницы ЖЭКа, вполне симпатичная. И очень серьезная — она учительница. Может, кого и пускает к себе, все — живые люди, но про ее гостей ничего не было известно даже ее соседям, которых также успел порасспросить Володя Яковлев, отличавшийся, как известно, общительностью. Ну соседи тут же наверняка решили, что спрашивает потенциальный жених, хоть он и представился работником милиции и даже удостоверение не забыл предъявить, тем более что парень, расспрашивая, все как-то наивно краснел. Вот они и постарались выдать соседке самые лучшие характеристики. Но Володя, сделавшись серьезным, заявил, что в таком случае, видимо, он ошибся. Та гражданка Водолагина, которую зовут также Олесей, была замужней, имела двоих детей и подозревалась в ряде мелких хищений из универсамов, отчего ее и разыскивает теперь милиция.

— А кстати, — вдруг как бы опомнилась соседка, — чего бы вам самому не заглянуть к Лесе? У нее свет в прихожей горит, через дверной глазок видно, что она дома.

Но Володя убедил своих собеседниц, что делать этого ему не следует, зачем же обижать подозрениями хорошую женщину? Раз не все данные сходятся, не следует человека зря беспокоить. И этим он еще больше расположил к себе собеседниц — ишь какая нынче милиция пошла! Вежливая!

Итак, в квартире проживала одинокая Леся. И у нее в прихожей горел свет. Все правильно, разве у подруг мало общих дел? Значит, к ней Ольга могла зачем-то приезжать.

А вот в доме в Пожарском переулке проживала семья Аси Малиевой. Она сама и ее муж Виктор, инженер «Мосводоканала». Тут уже Галя выяснила, что у Аси ожидается прибавление в семье, это и соседям известно, но в данный момент они с мужем вроде бы взяли отпуск на две недели, потому что собирались отправиться к родственникам на юг, куда-то под Краснодар, где, собственно, Ася и хотела рожать.

А если они никуда еще не уехали? А Ольга, как врач по образованию, и медсестра с богатейшей практикой, вполне могла оказывать подруге какие-то медицинские услуги? Ведь она и мчалась так, словно по экстренному вызову! Тогда как быть? Врываться в дом, где женщина рожать собралась? Бред же...

А если они все-таки уехали? Послать как бы дамочку с почты с неожиданной телеграммой? Или позвонить якобы с телефонного узла? Можно, конечно, и такими способами проверить, но... опять-таки это но! Если там кто-то есть, он на телеграмму может и отозваться, а может и трубку не поднять, но неожиданный визит его обязательно насторожит.

И что же тогда делала в пустой квартире — если она пуста — целых сорок минут озабоченная Ольга Ивановна? И почему она вышла на улицу словно после хорошей бани — вся распаренная и красная? Ответ, к неудовольствию Гали, в присутствии которой мужчины старались сдерживать свои языки и эмоции, но все же иногда прорывались, напрашивался самый недвусмысленный. Значит, возможно, в пустой квартире Малиевых и прятался в настоящее время Вячеслав Баранов. Его там и навещала «верная» медсестра Ольга Ивановна, пытаясь или стараясь скрасить своему шефу его вынужденное одиночество.

Турецкий предложил взять обе квартиры под временное наблюдение, хоть оно и хлопотно, а проще ему самому отправиться к Ольге и поговорить с ней серьезно, без всяких оговорок.

— Нам, — аргументировал свое предложение Александр Борисович, — многое о ней известно, а также и о ее подругах. Как воспользоваться этой информацией, будет видно по ходу разговора. И если она умная баба — а она, по мнению той же Варвары, очень неглупа и, судя по ее действиям, очень даже решительна, — с ней будет нетрудно договориться, объяснив, чем наше резкое вмешательство может закончиться не только для ее шефа, но и для нее самой, как и для ее подруг. Короче говоря, Ольга должна понять и пойти нам навстречу, как бы нелегко ей это ни было.

А главную миссию Александр Борисович решил взять на себя. Пошутили и по этому поводу, но приняли-таки его вариант как самый реальный. И тут же решили не откладывать дела в долгий ящик и начать операцию завтра прямо с утра. Пока никто ничего не подозревал, Александр Борисович хотел встретиться с Ольгой Ивановной. И в помощники для этой цели он себе выбрал Володю Яковлева — надо же было каким-то образом отвлечь внимание секретарши от важного разговора со старшей медсестрой!..

Но на всякий случай, скорее теперь для страховки, решили проследить и вечерний путь Ольги Ивановны. Куда она поедет? Оставалась ведь еще и третья подруга.

Однако Ольга Ивановна, как доложил совсем уже поздно Володя, который вместе с Севой заканчивал наблюдение за объектом, поехала к себе домой. Причем делала она это как-то неохотно. Пока ехала, часто останавливалась, приткнувшись в обочине, курила, потом выбрасывала окурок за окно и ехала дальше. Так и «довезла» своих наблюдателей до самой Стромынки, где и проживала с мужем в бывшем когда-то райкомовском доме. Этот адрес Володя уже знал от Варвары. Так что они проследили и... отправились по домам.

Операция, как уже знал Яковлев, должна была начаться рано утром, с приходом врачей на службу.

5

Вячеслав Иванович решил вспомнить и навестить еще одного своего, можно сказать, отчасти агента, с которым встречался лишь в тех случаях, когда в деле были замешаны проживавшие в Москве либо недавно прибывшие в столицу азербайджанцы.

Впрочем, назвать Рустама Алиевича агентом бывшего начальника МУРа было бы явной натяжкой. Случалось, Грязнов выручал директора ресторана «Узбекистан» от крупных неприятностей, грозивших тому со стороны потерявших чувство ответственности земляков, иногда Рустам Алиевич подсказывал Вячеславу Ивановичу верные решения, особенно когда они касались разветвленной азербайджанской диаспоры в России. Рустам Алиевич был очень уважаемым человеком в своей среде и пользовался большим, а в отдельных случаях и непререкаемым авторитетом среди соотечественников.

В данном случае Грязнову не давал покоя Исламбек Караев, появившийся в Москве относительно недавно, но проходивший по отдельным милицейским сводкам лишь тенью. Изредка его упоминали некоторые свидетели, но ничего путного сказать о нем не могли — не было компрометирующего материала. Однако, если судить по поступкам тех же Огородникова, Жеребцова, Вахтанга Гуцерии с его молодцами, врачей Баранова и Долина с их «гиппократами», то создавалось ощущение какой-то довольно устойчивой преступной группы, которая до сих пор действовала чрезвычайно скрытно. Разве что лишь последнее убийство Артемовой да попытка устроить дымовую завесу из якобы покушения на самого себя кинули следствию тот кончик веревочки, за который и следовало осторожно тянуть, чтобы не оборвать раньше времени.

Вот об Исламбеке и хотел поговорить с Рустамом Грязнов. Причем с той же прямотой и решительностью, с которой не так, кажется, и давно, каких-то пять — семь лет назад всего, говорил о братьях Мамедовых, о других преступниках, пытавшихся навязать России наркотическую войну. И где они все теперь? Сидят как миленькие либо вернулись на этническую родину в принудительном порядке. Но на место «павших бойцов» становятся новые «волонтеры», поскольку земли российские немереные и потенциальных потребителей наркотической заразы, по их убеждению, здесь пруд пруди.

Узнав от мэтрдотеля о приходе в ресторан Вячеслава Ивановича, Рустам Алиевич вышел сам встретить его как почетного гостя и проводить в личный, закрытый для всех прочих кабинет, где любое прослушивание исключалось. А в том, чтобы это было действительно так, да и при особой нужде, Рустаму Алиевичу охотно помогали сотрудники из ведомства Вячеслава Ивановича.

Пока Рустам — пожилой, щуплый и абсолютно полысевший за последние пару лет мужчина с орлиным взглядом и стальными нервами, совсем не похожий на большинство своих тучных и ленивых с виду, но чрезвычайно скорых, а в иных обстоятельствах и очень жестоких соотечественников — это все сказки про их восточную «женственную мягкость», — словом, пока Рустам предлагал гостю испробовать его лучшие коньяки на выбор, Грязнов, хваля напитки, сумел ненавязчиво намекнуть на свой интерес.

Он сказал, что, собственно, интерес к Исламбеку Караеву привел его сюда. Кто таков, откуда, чем занимается, какие планы? Вон сколько вопросов слились в один, главный, — необходимо самое всестороннее досье на этого человека. По возможности, и на его окружение, среди которого есть и грузин родом из Баку — Вахтанг Гуцерия. Кажется, очень неприятный тип.

Грязнов лишь упомянул имя Вахтанга, как по лицу Рустама словно тень пробежала. И он тут же легко согласился, что названный Вячеславом Ивановичем человек действительно неприятен многим.

А что же Исламбек? Или, как его зовут близкие знакомые — это и у Огородникова проскакивало вроде бы нечаянно, — Ислам?

— С ним, — изящно уклонился от прямого ответа Рустам Алиевич, — видимо, будет посложнее. Он умный и опытный человек, себя светить не любит. Возможно, для этой цели у него и состоит в подручных тот же Вахтанг, к которому у многих членов диаспоры отрицательное отношение. Нет, не потому, что тот грузин, в Азербайджане, хвала Аллаху, сто народов рядом уживаются, хотя случаются и проблемы, типа карабахской, а потому, что ведет себя с земляками вызывающе. Будто это не он к ним, а они к нему приехали и обязаны делиться. А здесь, в России, каждый из земляков-азербайджанцев пытается свой бизнес вести так, чтобы и соседу не помешать. Мирные люди азербайджанцы, мягкие... семьи свои любят, а воевать не любят...

Это Рустам завел свою любимую песню, понял Грязнов и остановил наконец свой выбор на старом «Юбилейном» армянском коньяке, чем ничуть не обидел хозяина — тот и сам предпочитал в своем заведении из коньяков именно армянский. Потому что знал истинный толк в этом божественном напитке. А все эти новомодные «керосины» типа многочисленных зарубежных бренди, включая даже французские коньяки старинных марок, не уважал. Все-таки в бывшем Советском Союзе Рустам Алиевич Алиев не зря считал себя настоящим патриотом в своем деле.

Не очень много знал он об Исламбеке с распространенной в Азербайджане тоже громкой, как и Алиев, фамилией Караев. По некоторым данным пытается держать в своих руках Юго-Восточный округ. Достаточно богат, чтобы иметь десятки магазинов и более мелкие торговые точки. Всерьез замахивается на оптовые рынки. Но, по тем же слухам, действует чаще всего через подставных лиц, тесня соотечественников. У него, кажется, даже нет российского гражданства, тогда как у других — и российское, и, естественно, азербайджанское. Поэтому если и имеется вид на жительство, то, скорее всего, какая-нибудь фальшивка, сработанная в тех же милицейских органах за крупную взятку.

И еще один красноречивый факт. Он собирается, говорят, купить себе целый коттеджный поселок по Каширскому шоссе. Есть там такой, из новостроек, — Зарядье называется, как район столицы, что рядом с Кремлем. И эта сделка, кажется, уже проходит стадию оформления, но тоже через подставных лиц.

Вероятно, выдавая осторожно генералу эту информацию, Рустам имел тут какой-то личный интерес. Скорее всего, защищал интересы диаспоры, с которыми, видимо, не захотел считаться Исламбек Караев. Ведь выдал же он информацию о гражданстве и подставных лицах. Все это нетрудно проверить, сделать выводы, и тогда отправится Исламбек восвояси, несолоно в Москве хлебавши. Хотя он наверняка уже сделал себе гигантское состояние именно здесь, если решил прикупить ни много ни мало целый поселок. И ведь что самое интересное, если вовремя не схватить за руку, ведь купит же! И сделку, как положено, другие продажные души оформят и в паспорт не посмотрят, потому что у него есть то, чего нет у них, — «дэнги».

Это как в том старом анекдоте. Стоит кацо на углу, деньги в пачке считает, а тут прохожий пытается уточнить, как удобнее пройти на соседнюю улицу. Кацо на глазах звереет! Сбивается со счета, трясет пачкой и кричит, плюясь, в лицо прохожему: «Дэлом надо заниматься! А не пустяки спрашивать!»

Так что и Караев примерно такой же. Вот у него Вахтанг и на подхвате. Впрочем, возможно, что они даже соперничают в чем-то, говорил же Огородников, точнее, писал в своих показаниях о каких-то тайных трениях между ними. А на что это указывает? На то в первую очередь, что если уж имеется хотя бы мельчайшая трещинка, то в нее можно и нужно вбить клинышек, хотя бы небольшой, и водичкой его полить, чтоб он разбух. И на́чать процесс, как говаривал последний генсек и он же — первый и последний президент СССР.

Вячеслав Иванович не стал требовать от Рустама Алиевича, чтобы тот немедленно выдал ему полную информацию на Караева, пока было достаточно. Но он намекнул, что тоже, пожалуй, не заинтересован в том, чтобы Исламбек прикупил себе поселок и поэтому хотел бы уточнить, где конкретно, в какой юридической конторе оформляется приобретение недвижимости. И, кроме того, добавил Грязнов, раз уж у них у обоих — он имел в виду себя и Рустама — сложилось весьма неприглядное отношение к Вахтангу Гуцерии, было бы неплохо выяснить, какими подвигами он отличился на родине, в Баку, и есть ли основания для немедленной экстрадиции его по требованию азербайджанских властей? А что касается выдворения Исламбека Караева за пределы России, то это, видимо, тоже вопрос недалекого будущего, если опять же он, Грязнов, правильно понял позицию Рустама Алиевича. Ему ведь, как одному из уважаемых старейшин, вовсе не нужны раздоры подобного рода в диаспоре, к которой высказал недавно столь уважительное отношение сам мэр столицы.

Вот в таких примерно взаимных экивоках и закончился легкий ужин Вячеслава Ивановича вместе с директором ресторана, который с удовольствием принял приглашение своего гостя, кстати говоря самим же Грязновым и оплаченное. Дружба, как говорится, дружбой, а в застолье платит тот, кто заказывает...

Уже утром следующего дня, когда группа приступала к проведению операции, связанной с доктором Барановым, на мобильник Грязнова вышел директор «Узбекистана» и сообщил адрес юридической конторы, в которой Исламбек оформлял документы на приобретение недвижимости в ближнем Подмосковье. А еще он добавил, что азербайджанские правоохранительные органы готовы представить целый ворох документов относительно господина Гуцерии. А не делали они этого прежде по той простой причине, что не знали о его местонахождении.

— Там, возможно, будет много интересного, — многозначительно сказал Рустам Алиевич.

Грязнов посоветовал сделать это, как обычно, по международным каналам, то есть связаться с международным отделом Генеральной прокуратуры, а там люди будут заранее поставлены в известность. Затем он сердечно поблагодарил своего... как сказать правильнее? Агента? Нет, не получается. Помощника? Пожалуй, да, но лишь в какой-то определенной степени. Наверное, человек просто не должен забывать сделанного ему добра, вот и все...

А тем временем оперативно-следственная группа пребывала в ожидании последних указаний своего руководителя Александра Борисовича, который в настоящий момент открывал дверь в ординаторскую, где за столиком, ожидая очередного пациента, сидела Ольга Ивановна Заборская — старшая медсестра.

Она с удивлением взглянула на Турецкого, которого

вспомнила, поскольку тот приходил к доктору Баранову, а после беседовал с секретаршей Варькой. Та еще собиралась, по ее словам, «запудрить мозги» этому следователю, который выглядел вполне еще ничего.

Но теперь он входил в ее кабинет — просто, без приветливой или, наоборот, хмурой усмешки.

— Здравствуйте, — ответила она на его кивок, — вы к нам по делу или как? Вячеслава Сергеевича, к сожалению, нет на месте, и, когда он появится, мы не знаем. Вы хотите присесть? — Она заметила, что он взглянул на стул.

— Ну стоя разговаривать не совсем удобно, тем более что разговор, боюсь, может оказаться не коротким. И, я бы сказал, не формальным, а таким, от которого будет многое зависеть, в том числе и в вашей собственной биографии.

Тут Александр Борисович позволил себе приветливо улыбнуться, чтобы у медсестры, напрягшейся при его появлении — это же было видно и невооруженным глазом, — немного отлегло от сердца.

— Так я присяду?

— Да-да, конечно, — заторопилась она. Даже встала сама, как бы невольно продемонстрировав непонятному гостю всю свою привлекательную, сексуальную стать, туго затянутую в ослепительно белый, выглаженный халат со множеством карманчиков, над одним из которых затейливо вилась вышивка «Оля».

И Турецкий не счел возможным упускать такой приятный случай заставить напрягшуюся женщину тоже улыбнуться, сказав:

— О-ля... красиво вышито. А звучит как завлекательно! — Он едва не закатил глаза, а она ни с того ни с сего вдруг покраснела от такого пустячного комплимента.

«Кажется, контакт налаживается», — подумал Турецкий и жестом показал, что она тоже может сесть.

— Садитесь, садитесь, не стесняйтесь, все, что в вас есть внешне весьма привлекательного, вы мне уже показали. Поговорим о том, зачем я сейчас явился к вам, никем не позван, как говорил мой приятель, и, в сущности, не нужен. Секретаршей вашего директора в данный момент занимается мой помощник, поэтому нас ничто не будет отвлекать, вы согласны, Оля? Ольга Ивановна, извините! Виновата ваша вышивка. — Он значительно показал взглядом на кармашек, расположенный на высокой и тугой ее груди.

— А что мне еще остается в такой ситуации? Но, может быть, вам удобнее было бы побеседовать с другими врачами, более опытными и знающими? Я всего лишь старшая медсестра, вот если бы вам прописали уколы, тогда, — она тоже многозначительно посмотрела на него и даже подмигнула, — на меня еще никто не жаловался, говорят, у меня рука легкая... — Она показала свою руку, обнаженную по локоть.

«Хорошая рука, — отметил Турецкий. — Наверняка, этот поганец Баранов получал большое удовольствие, когда эти руки его обнимали»... Он даже позавидовал на минуту, но одернул себя: дело, прежде всего дело!

— Видите ли, Ольга Ивановна...

— Вы, — подчеркнула она, — можете звать меня Олей, я вам с удовольствием разрешаю, Александр Борисович.

«Смотри-ка, даже как зовут меня, запомнила!»

— Хорошо, Оля. Уже в первой вашей фразе, обращенной ко мне, вы сделали минимум две логические ошибки. Сказать какие?

— Интересно, — без всякого интереса ответила она и немного помрачнела.

— Вы сказали, что доктора Баранова нет на месте и, когда он появится, никто не знает. Но дело в том, что об отсутствии Баранова на рабочем месте всем уже известно несколько дней. А вот когда он появится, известно именно вам — по той простой причине, что прячете его вы, Оля.

Она набрала полную грудь воздуха и... молча выдохнула.

— Вот послушайте, я вам расскажу, откуда мне это известно. Итак, ваш любимый доктор... нет, скажу иначе, доктор, к которому вы неравнодушны в силу... ну, впрочем, тоже не важно, в силу чего. Предположим, что вы любите то же самое, что и он, а все остальные вас не понимают. Все, включая мужа. Отсюда и несколько странные, но не обременительные и даже приятные отношения, длившиеся до последнего времени. Пока не грянул гром. А вот гром таки грянул. А Баранов не посмел сказать вам об этом, возможно не желая втягивать вас в порочный круг своих интересов. Ну не стал, и на том, как говорится, спасибо...

— Вы рассказываете какие-то странные вещи, которые я должна слушать. Вы уверены в этом?

— Ага, — кивнул Турецкий, — вы просто обязаны, Оля, для своей же собственной пользы. Да что там польза! Для того чтобы остаться нормальным человеком, которого... которую любят друзья и подруги, у которой какая-никакая, но семья. Вы ведь не циничная в своей простоте Варвара. Слушайте дальше. Короче говоря, когда Баранов почуял, что с фальшивой дымовой завесой у него ничего не получилось, когда его, более того, прижали к ногтю и старые его подельники, и новые, с которыми он меньше всего хотел бы иметь дело, он решил на время спрятаться. Залечь на дно и никому о себе не говорить.

И в этом он очень рассчитывал на вашу верность и вашу помощь. И не ошибся. Вы помогли, спрятали его, я даже знаю где, готов это немедленно сказать. Но если я об этом уже скажу, то есть произнесу вслух, мы обязаны будем применить к вам статью закона, по которой вы, помогая преступнику уйти от наказания, сами попадаете под действие статьи закона. А вот если вы мне сами сейчас назовете это место, можно будет считать такую вашу помощь осознанием собственной вины. И мера может вполне оказаться условной.

— Я должна подумать? — спросила она, и было заметно, что упрямство в ней сейчас сильнее всех остальных чувств.

— Я предлагаю еще более щадящий вашу совесть вариант. Дайте мне листок бумаги и карандаш. Я напишу адрес, по которому скрывается ваш доктор, а вы только посмотрите и решите, что вам делать. Потому что прямо от вас, и вместе с вами, мы отправимся за ним. Оперативная группа ждет внизу. А некоторые сотрудники уже второй день стерегут его, чтобы не сбежал раньше времени. Писать?

— Пишите! — с каким-то отчаянием махнула она рукой.

Турецкий написал: «Пожарский переулок, квартира Аси и Борика». Затем перевернул листок к ней и спросил:

— Писать дальше или достаточно?

— Достаточно, — выдохнула она. Но тут же снова напряглась, как героиня-партизанка перед гадким фашистом из гестапо. — А почему я должна вам верить, что от меня отвернутся?

«Это хорошо, что она спросила о себе, а не о Вячеславе Сергеевиче, значит, там не так уж все и серьезно».

— Ну сами поставьте себя на их место, Оля, вы же умная женщина! Является Генеральная прокуратура — это не представитель ЖЭКа какой-нибудь — и предъявляет им обвинение в том, что они прячут у себя преступника! Как они после этого должны посмотреть вам в глаза?.. Ну хорошо, скажем, их нет сейчас в Москве, они под Краснодаром. Но ведь и к готовящейся к родам Асе придут и там — с тем же обвинением. И картина окажется той же самой, с той лишь разницей, что вы прятали преступника в их квартире втайне от них! Еще хуже! А что скажет ваша Леся, которая, возможно, помогает вам советами, когда и ее привлекут как соучастницу? Да вы же все немедленно перессоритесь! А из-за чего? Вернее, из-за кого? Из-за человека, который ради своих шкурных, корыстных, дьявольских интересов пошел на подлое убийство прекрасной женщины Татьяны Васильевны Артемовой? Пожилого врача, коллеги. Да какой же он мужик-то после этого? Он преступник, совершивший по нашим твердым предположениям также недавно еще одно убийство, но уже своими руками. И тому имеются свидетельства.

— Да этого не может быть! — возбужденно воскликнула Ольга Ивановна. — Зачем вы на него наговариваете?!

— Это не наговор, а, к сожалению, факты. А они говорят о том, что доктор Баранов, призванный лечить людей от их мерзких пристрастий, сам вколол своему приятелю большую дозу наркотика, после чего тот, будучи на машине и потеряв всякую ориентацию — вам должно быть известно это, — врезался в парапет набережной, разбился и утонул. Вот таким бесчеловечным способом Баранов избавился от того, кто дважды организовывал по его указанию и за его же деньги акции с бомбами. Во время первой, как вы знаете, погибла доктор Артемова, а от второго покушения он якобы сумел избавиться сам, обнаружив заряд у себя под дверью. Такой вот хитрец! Но мы арестовали самого взрывника, и тот все нам чистосердечно выложил, рассчитывая на снисхождение в суде... А вы, я вижу, Оля, даже и не догадывались о том, какую двойную игру ведет ваш любимый доктор? Что ж, я уверен, это будет принято во внимание в судебной инстанции. Ничего более определенного обещать вам не могу. Так что скажете?

— Вы сейчас меня арестуете?

— Зачем? — искренно изумился Турецкий, и она поняла, что он не врет. — Вы будете работать, заниматься своими делами до тех пор, пока от вас не потребуют дачи свидетельских показаний. Ничего сложного — надо будет просто рассказать всю правду. Вы можете сделать это и раньше, написав чистосердечные признания, скажем, на мое имя, объяснить, что никакого отношения к делам Баранова не имели, а что видели?.. Ну вы же не следователь, в конце концов, чтобы на всякий мелкий, с вашей точки зрения, факт обращать пристальное внимание. И это вас освободит от ответственности.

— Но ведь я же прятала его, так получается, а вы сами говорите об уголовной ответственности.

— Заметьте, Оля, выражение «уголовная ответственность» я ни разу не произнес, это вы сами сейчас так назвали свои деяния. Но ведь вы же действительно могли не знать, что Баранов — преступник и что те акции организованы им самим, верно? А прятаться он мог от своих недоброжелателей, которых у него, при его-то профессии, возможно, немало, так? А вы просто помогли найти ему временное убежище, воспользовавшись отсутствием в Москве ваших друзей. Так что же здесь преступного, а?

Демагогия, знал Турецкий, тем и хороша, что может

в устах опытного человека представить в одну минуту черное белым, в зависимости от требования момента. Такой момент и настал. Ольга Ивановна колебалась, — значит, следовало сделать легкий толчок — и она из твоего врага превратится в союзника.

— Да, в общем-то, да-а... — задумчиво протянула она. — Я как-то сразу и не подумала... Вот ведь куда, Александр Борисович, могут иной раз нас затянуть наши бабьи привязанности... А ведь все казалось таким простым и понятным...

— Мимикрия тем и опасна, Оля, что, умело пользуясь ею, человек запросто выдает свои преступные замыслы за самые привычные человеческие проявления. И чем убедительнее он это делает, тем больше мы им восхищаемся.

— Да, вы правы. Что ж, я готова поехать с вами... Мне надо будет, — она хмуро усмехнулась, — как показывают по телевизору, сделать так, чтобы он открыл дверь и не оказывал сопротивления?

— Ну вы уж его действительно держите за отпетого уголовника со многими судимостями! — засмеялся Турецкий. — Дверь он вам откроет. А мы ему объясним, надеюсь без мордобоя, зачем явились. И от того, как он станет себя вести, зависит его будущее — это уж могу сказать стопроцентно. Признание ведь всегда отчасти облегчает вину. А он крепко виноват, и самое время подумать об этом, чтобы не отягощать свое будущее более тяжкими преступлениями... Хотя, я думаю, он уже и сам все прекрасно понял и дополнительных объяснений ему не потребуется. Так едем?

— Что поделаешь? Мне ничего другого не остается.

— Да, в общем-то, вы правы... Кстати, Оля, вот такой попутный, что называется, вопрос. Вам незнаком доктор, который тоже занимается наркологией, — профессор Долин Роберт Каспарович. Кажется, он владеет частной клиникой «Гиппократ», не слышали?

Она подумала и честно ответила:

— Нет, скорее всего, нет, хотя... Может быть, именно что-то слышала, ведь круг наркологов не так велик, как, кажется, вы понимаете... Но мне он незнаком, это точно. Может, Слава знает... — вот так, запросто, назвала она Баранова и тут же поправилась: — В смысле доктор... знает. То есть он-то наверняка, особенно если тот работает в нашем округе.

«Это хорошо для нее, — подумал Турецкий, — значит, Баранов все-таки посвящал ее не во все свои преступные замыслы...»

— Ну что ж, сообщите о своем отъезде — ненадолго — своим коллегам, да поедем. И запомните, Оля, от вас сейчас требуется только одно — спокойствие. Постарайтесь держать себя в руках, не срывайтесь. А доктору, если он спросит, объясните, что у вас просто иного выхода не было. Потому что любые другие варианты задержания были бы весьма чреваты для него. Это и будет вашим алиби, если хотите...

Глава девятая
КАЖДОМУ ПО ЗАСЛУГАМ

1

Вячеслав Сергеевич чувствовал себя зверем, загнанным в угол. Ну, если быть более точным, не столько зверем, сколько добычей.

Будучи человеком достаточно умным, он частенько в последние дни обдумывал прошедшие события и видел со своей стороны массу допущенных промахов. И вот уже стала вызывать в нем сомнение такая уж крайняя необходимость акции с бомбой на собственном пороге. Зачем он это придумал? Следовало ограничиться только одним взрывом, но даже в этом не был теперь уверен Баранов.

Вынужденное одиночество заставляло постоянно размышлять и искать ту единственную ошибку, за которой последовали все остальные...

Да, он, доктор Баранов, способный, как все вокруг говорили, нарколог, хотел жить красиво. Хотел, и все тут! И никто ему не мог этого запретить. А, напротив, внутренний голос словно подталкивал: ты можешь! А раз можешь, то и должен. Вон другие, — например, Роберт Долин может себе позволить проводить время от времени выходные в Париже!.. Он может позволить себе обедать в шикарных клубных ресторанах, куда его всегда с удовольствием приглашают! Он умеет... многое умеет, увы, хотя врач он никакой в буквальном смысле, зато гонору, важности и способностей проникать всюду у него не отнимешь. И в клинике своей он тоже как врач абсолютный нуль. Зато какая у него клиника! А клиентура! Какие гонорары он получает! На международные симпозиумы летает почетным гостем! И все это делают его деньги...

Баранов прекрасно знал, что у Роберта за спиной творятся какие-то подпольные дела, определенно связанные с криминалом, но на поверхности-то что? А сверху сплошная респектабельность, вежливость, учтивость — по самым высоким европейским стандартам. И еще — связи! Такие, о которых приходится только мечтать рядовому директору наркологического диспансера!

Это ведь Роберт, которого Вячеслав Сергеевич помнил еще по медицинскому институту, в приватной беседе как-то посоветовал приятелю при необходимости воспользоваться услугами его клиники. Нет, не в смысле лечения, тут Баранов и сам знал, что и как надо делать, а для решения чисто организационных, а иной раз и бытовых проблем, которые, бывает, возникают на каждом шагу. Как он в шутку заметил, его «гиппократы» — он имел в виду младший медицинский персонал — способны на многое, а при острой необходимости даже рот иному крикуну заткнуть. Либо грамотно с конкурентом переговорить. Они крутые ребятки, Роберт сам подбирал их в свою команду. Да и потом, при его-то размахе и клиентуре клиника постоянно нуждается и в соответствующей охране. Вот они и совмещают свои «высокие» должности — и охранники, и как бы «санитары леса».

Роберт же и подсказал Вячеславу — опять-таки чисто по-приятельски, за рюмкой дорогого коньяка, — что его, Баранова, диспансер — это всего лишь маленькая ступенька на пути к успеху и достатку. Можно всю жизнь просидеть на одном месте, довольствуясь тем малым, что уже имеется. Но можно и рвануть вверх, сознательно поломав на своем пути ненужные барьеры и шлагбаумы. Победителей ведь не судят. Опять же можно всю жизнь просидеть на хорошем месте, всю жизнь быть исполняющим обязанности — а можно стать тем, кто ты есть на самом деле!

И, пожалуй, вот этот, последний аргумент оказался решающим для Вячеслава. Он подумал, что Роберт, при всем его известном цинизме, абсолютно прав в главном: исполняющий обязанности — это не занимаемая должность, а образ мыслей, жизни, уровень потребностей, всего в жизни, черт возьми! А как избавиться от этого назойливого внутреннего «и. о.», он не знал. Точнее, догадывался, потому что видел перед глазами живой пример — Роберта, купающегося в своих возможностях.

Роберт же, между прочим, и подсказал идею, как сделать первые шаги по дороге к намеченной цели. Но для этого требовалась твердость характера и... определенная безжалостность. Да, именно это качество, присущее человеку, а не зверю, потому что зверь безжалостен изначально и по жизненной необходимости: его жертва — его пища. А у человека все иначе, ему и жалость присуща, и ее антипод. Но раз это заложено в человеке изначально, то кто посмеет осудить его? Идея-то, в общем и целом, ненова, но в каждом отдельном, конкретном случае она может оказаться весьма актуальной.

Так что нужно, чтобы добиться цели? Ну для начала занять хотя бы пост главного нарколога. Пусть не в городе, пусть пока в своем округе — всегда надо иметь перед собой дальнейшую перспективу. А чтоб занять этот пост, надо распрощаться с привычным и теплым диспансером и решительно выходить на более высокий уровень. Занять, к примеру, кресло врача окружной наркологической клиники. Там уже и возможности окажутся иными, и собственные потребности получат реальную материальную поддержку. Лечить пьяниц и наркоманов — задача вечная, и лечить их можно тоже по-разному... это известно.

Вячеслав помнил, как, произнеся эту фразу, Роберт, словно бы в легком смущении опустил глаза, а затем стремительно и пронизывающе посмотрел на него, друга Славку, которому и преподносил без особого апломба основы успеха. Да и кто же из врачей этой профессии не знал, что нередко тот же врач фактически сам сажает пациента на иглу, чтобы затем подолгу и не совсем успешно лечить его. А каждый день лечения, а каждый укол — это деньги. И в сумме собираются огромные средства, которыми просто надо уметь грамотно пользоваться.

Все это так, все это правильно, но... как, каким образом?

— Занять пост Татьяны? — с легкой улыбочкой спросил в свою очередь Роберт и посмотрел на Вячеслава как на наивного ребенка, задавшего папе детский вопрос: откуда берутся дети? — Есть много разных способов, Славик. Ей за пятьдесят, но при своем муже она на пенсию уходить не собирается. Значит? — Он снова улыбнулся. — Впрочем, я повторяю, есть разные возможности, включая... радикальные. Просто болтать об этом не надо. И следует профессионально подходить к делу. Я имею в виду то обстоятельство, что каждым делом должен заниматься исключительно тот, кто в нем является мастером, а не любителем, понимаешь?

В общем, намек был весьма прозрачным. И от цинизма Роберта на Вячеслава повеяло вдруг неприятным холодком. Но это было минутное дуновение. Скоро ощущение опасности, которая скапливалась где-то над головой, благополучно исчезло, ибо тот же Роберт, заметив, видимо, реакцию Вячеслава, спустил вопрос на тормозах, сказав, что все это, разумеется, шутка, хотя в любой из них всегда может быть и частица истины.

Немного времени и прошло с того разговора, Баранов думал, что все уже забылось, когда Додик однажды намекнул ему, что если у доктора имеются проблемы личного характера, связанные с наездами там или чем-то похожим — время такое, никуда не денешься, у всех похожие проблемы! — то он мог бы при случае поспособствовать. В смысле помочь, организовать что-нибудь.

А этот разговор возник, кстати, по той причине, что Вячеслав посетовал: мол, будь он главным врачом окружной клиники, он бы поступил иначе, чем вынужден сейчас.

Додик спросил:

— Так за чем же дело?

И этот его наивный вопрос вдруг воскресил в памяти прежний разговор с Робертом. Нет, они, конечно, не могли договориться — Додик и Роберт, они были вообще незнакомы, хотя... кто знает, кто знает... И Вячеслав оставил сказанное Додиком на потом, чтобы вернуться к вопросу позже и основательно его обдумать. Ну и когда он наконец внутренне созрел для решительных действий, Додик продемонстрировал вдруг такую заинтересованность и стремительность действий, будто и не сомневался в необходимости этого принятого Барановым решения.

А вот теперь, как отчетливо увидел и был теперь абсолютно уверен Вячеслав Сергеевич, особенно после встреч и разговоров с Исламбеком, Вахтангом и, разумеется, Огородниковым, оказывается, его осторожно и грамотно вели. И многие об этом знали, включая того же покойного Додика. Это они, видите ли, «освободили» ему путь наверх, а теперь требуют платы за услуги. И Баранов был убежден: с каждым разом эти услуги будут все более требовательными и жесткими. А все эти суммы, которые заманчиво мелькали в речах полковника Огородникова, — это тот золотой крючок, на который они — все вместе, возможно, включая и Роберта, — поймали его.

Нет, разумеется, если бы он сам этого не захотел, ничего бы, возможно, и не случилось. Как, впрочем, ничего еще и сейчас не произошло. Ведь все эти разговоры с полковником относительно груза наркотиков, которые должны были доставить к нему в диспансер, пока так и закончились одними разговорами. Товара-то, слава богу, нет! А нет, — значит, нечего с него и взять! И все возможные обвинения против него будут голословными, если... Вот опять эти бесконечные «если»! Если их всех скопом не переловит милиция, только тогда могут обнаружиться какие-то следы. Но и это невозможно.

Но тогда естественный вопрос: зачем же он прячется? От кого? Ответ прост: от недоброжелателей, которых он не знает, но которые по телефону пытались навязать ему преступное сотрудничество. Какое? А вы найдите их и сами спросите: что вам требовалось от честного доктора Баранова? Пожалуй, хороший ход...

И снова возникали сомнения: что им может быть известно еще? Почему столь придирчив и неприятен был тот следователь из Генеральной прокуратуры Турецкий? Зачем им потребовался следственный эксперимент? Они что, усомнились в правдивости его, доктора Баранова?

Вот тут четких ответов не было, и Вячеслав Сергеевич внутренне съеживался.

Одна хоть польза была в этом дурацком сидении взаперти — моменты, когда ежедневно прибегала Ольга и, отдаваясь ему второпях, а следовательно, со всем пылом накопленной страсти, рассказывала о делах в диспансере и о разговорах по поводу его отсутствия на рабочем месте. Но пока все сходило вроде бы. Прокуратура не тревожила. Недруги тоже не звонили. Огородников не появлялся и не тревожил телефонными звонками, хотя у него был мобильный номер Вячеслава Сергеевича. Может, пора уже плюнуть на все это и вернуться? А оправдание у него для собственных сотрудников всегда найдется... Нет, надо еще переговорить с Ольгой, она все понимает, хотя он старался не посвящать ее в свои личные дела, разве что по мелочи. Но она прекрасно разбиралась в людях. Сказала ведь она про Додика, хотя видела его фактически один раз и почти мельком, что он подлец и ничтожество, и оказалась, по большому счету, права. Оттого и не чувствовал Баранов в его отношении каких-то особых угрызений совести.

Вячеслав Сергеевич посмотрел на часы — время подходило к середине дня. Скучно, снова еще целый день впереди... Но скоро примчится на своей синей машинке запыхавшаяся и возбужденная от ожидания Ольга и... Шубку свою она скинет в прихожей прямо на пол. А дальше?.. Что произойдет дальше, Баранов прекрасно знал и уже чувствовал, что и в нем самом понемногу нарастает возбуждение.

«Надо будет ей чашечку кофе предложить», — подумал он и включил чайник. Но услышал металлический звук поворота ключа в двери и сказал вслух:

— А вот и мы, а вот и мы! — и, радостно потирая руки, вышел с кухни.

Улыбку словно ветром смахнуло с его лица, когда он увидел, что на пороге появилась не Ольга в сверкающей своей белоснежной шубке, а Турецкий, причем в строгой синей форме с генеральскими погонами на плечах.

За ним в прихожую шагнули еще двое, но в штатском и только тогда, последней, вошла в квартиру, опустив глаза к полу, Ольга.

— Что это? — невольно спросил он.

— Прости, Вячеслав, но... — Ольга вскинула голову, прямо посмотрела на него и добавила: — Мне объяснили, что так будет для тебя лучше. И правильнее.

— Ну если ты так решила... — холодно и отчужденно ответил он, понимая, что произошло нечто экстраординарное, иначе Ольга не привела бы сюда следователей. — Я не могу возражать, да и квартира эта не моя. И чем обязан, господа? — Самообладание возвращалось к нему. — Вы с обыском или как? Но я уже заявил, что квартира не моя, следовательно, никаких ценностей или иных компрометирующих материалов я здесь держать не могу по определению...

«Это он собственным многословием пытается вернуть себе хладнокровие, — подумал Турецкий, с интересом разглядывая Баранова. — Но мы не дадим ему этого сделать...»

— По поводу компромата на себя вы можете не волноваться, господин Баранов, — холодным тоном сказал он. — Мы действительно объяснили госпоже Заборской, что лучшим, а в общем-то, и единственно верным для нее решением было бы согласие указать нам адрес, по которому вы прячетесь. Для нее лучше. Не о вас сейчас речь. О том, что вы сидите в этой квартире, мы уже знали, и возле вашего подъезда, о чем вам вряд ли известно, поскольку вы не покидаете этих стен, дежурила охрана. На тот случай, если вам захотелось бы вдруг переменить место своей лежки, как выражаются охотники. Такие дела. Ну что, закрывайте дверь, пройдемте в комнату? Надо поговорить, господин Баранов. Уж если гора не идет к Магомету, то что ему остается? Да, самому идти к горе, совершенно верно...

— И как же вам удалось меня вычислить? — Кажется, самообладание окончательно вернулось к нему, он даже улыбнулся, задав вопрос.

— Это отдельный разговор, — ответил Турецкий, отодвигая стул от стола и садясь.

— Я слушаю вас, — сказал, тоже садясь, Баранов. — Какие у вас ко мне вопросы? Я полагаю, что не нарушил никаких законов, отлучившись на какое-то время со службы? Для собственного руководства у меня имеются оправдания. А вам-то что я должен?

— Вы хотите начать с атаки? — учтиво осведомился Турецкий. — Вероятно, в вашем положении это единственный пока ход, который смог бы прояснить для вас сложившуюся ситуацию. Да, мы искали вас, но, не желая, чтобы от вашей, скажем так, недальновидности страдали потом невиновные люди, решили дать возможность вашей верной помощнице Ольге Ивановне Заборской самой решить, что и ей, и вам в данный момент полезнее и безопаснее. Если бы она отказалась, то ей было бы предъявлено обвинение в том, что она скрывает от правосудия уголовного преступника, то бишь вас, Вячеслав Сергеевич.

— Вот как?! — воскликнул он. — Это вы меня называете преступником?! Человека, который сам едва не пострадал?! Того, кому по телефону идут бесконечные угрозы?! Хорошее же у нас правосудие, прости господи!..

— Оставьте ваш ненужный пыл. Он еще пригодится вам в суде. Я полагаю, в последнем слове. От которого вы, кстати говоря, всегда будете вправе отказаться. Вы желаете знать, что вам инкриминируют? Обвинение, которое вам будет предъявлено, естественно, расставит все точки над «и», это могу твердо обещать. А до того скажу так: организацию в одном случае и исполнение — в другом двух убийств. Вы потребуете неопровержимых доказательств? Естественно! А чем же мы тогда занимались, по-вашему, все это время, господин Баранов? Мы искали и находили, должен сказать, свидетелей ваших преступных замыслов. Взяли пока не всех, кого хотели бы, но уж теперь это дело ближайшего времени. Мы ведь и вас арестовали не сразу, как видите.

— Значит, я арестован?

— А вы сомневаетесь? — Турецкий достал из кармана свернутый лист бумаги. — Вот ознакомьтесь, постановление о вашем задержании. А мерой пресечения выбрано, как изволите видеть, содержание под стражей, так как вам доверять мы, к сожалению, не можем. Вы способны удрать от правосудия, что уже пытались сделать. И не враги вас беспокоили, Баранов, а угроза справедливого возмездия, вот что. — Турецкий взял у него из рук одно постановление и протянул другое: — А вот это сообщит вам, что в принадлежащей вам квартире в вашем присутствии, а также в присутствии понятых, что вы однажды уже видели, будет произведен обыск. Так что оставим ненужные эмоции, собирайтесь, и мы отправимся к вам домой. А вам, Ольга Ивановна, — обернулся Александр Борисович к застывшей у стены старшей медсестре, бледной, как та же стена, — я бы не советовал больше пользоваться жильем своих ближайших подруг для таких вот не слишком красивых целей.

— Я могу собрать здесь принадлежащие мне вещи? — спросил Баранов, ни к кому конкретно не обращаясь.

— Можете, — ответил Турецкий и обратился к Поремскому: — Владимир Дмитриевич, помогите ему.

— Спасибо тебе, Оля, — внятно сказал Баранов, проходя мимо Ольги в ванную, — ты очень помогла в выборе решения всех моих проблем.

Ольга не ответила, она по-прежнему молча глядела в пол.

2

Вахтанг бесновался. Все валилось из рук.

Сорвалась так хитро задуманная операция с этой шлюхой, хотя казалось, что проколов быть не могло. А ее охрана, эти обнаглевшие русские подонки, тыкавшие в лица братанам свои пистолеты, они просто еще не знали, с кем связались, на кого рогами перли! Он уже дал указание своим мальчикам узнать, кто они и откуда. Четкое указание дал! Почему до сих пор не исполнено? Что, опять кругом самому бегать надо? А они все только баксы получать будут? А работать кому придется?

И Вахтанг устроил своим телохранителям очередной разнос.

Нет, в принципе он не имел серьезных претензий к этим ребятам, среди которых были и бакинцы, и несколько ингушей, и даже парочка молодых чеченцев, прибывших в столицу в поисках удачи. Но почему-то на жирной московской почве все они быстро как-то охладевали к своему прямому и непосредственному делу, становились ленивыми ишаками и забывали, зачем он их держит.

Раньше, впрочем, тоже не так давно, год с небольшим назад, когда сам Вахтанг, спасаясь, если честно признаться, от преследования азербайджанской полиции, сбежал в Москву и осел тут, приобретя через подставное, естественно, лицо — по совету земляка и прежнего товарища Исламбека Караева — приличное жилье в Юго-Восточном округе, в Орехово-Борисове, а кроме того хороший коттедж — это уже на будущее, когда дела пойдут совсем гладко, — недалеко от Москвы, по Каширскому шоссе, они были с Исламчиком как братья, не разлей вода. Так говорят по-русски. Но со временем интересы Вахтанга и Исламбека стали почему-то наезжать друг на друга — и возникали трения. Вахтанг очень не хотел, чтобы трения превращались в ссоры и противостояние — что совсем плохо. Ну захотел Исламбек взять под свою руку большой рынок в Текстильщиках — пожалуйста, сделай такое одолжение! Но тогда и я, говорил Вахтанг, буду думать, к примеру, о Жулебине. Но оказалось, что и там уже Исламбек сам успел подумать! Слушай, а я что? Совсем, что ли, пустое место? Давай Капотню возьму под себя! Но Исламбек уверяет, что там уже есть своя твердая рука и ссориться с ней он пока не хочет — сил маловато, а те, что имеются у Вахтанга, — далеко не сила, а так себе мальчики, для легкого рэкета — продавцов мелких товаров шерстить, не больше. Унижать как будто стал, вот что обидно!..

Но чтобы совсем не поссориться, а это вовсе уже неприятное дело, когда свои начинают счеты между собой сводить, давал Исламбек работу и ребятам Вахтанга. Не на подхвате, нет, но похоже на то. Вот заговорили о реализации большой партии наркотиков, и Вахтанг, как более опытный в этом деле, стал давать свои советы. Слушался его Исламбек. Вахтанг даже на какой-то момент решил, что сам и останется руководителем, как теперь выражаются в большом бизнесе, этого проекта. А оказалось, что хитрый Исламбек и не думал выпускать из собственных рук большой проект. Одно приказал сделать, другое, Вахтанг принимал к сведению. Но вдруг понял, что ровным счетом ничего у него не получается после советов Исламбека. И надо слушаться только своих собственных соображений. Как взорвался Караев! Как кричал, как ногами топал! Будто не старый товарищ перед ним, не земляк его, а личный недоброжелатель! Едва сдержал себя Вахтанг, чтобы смертельно не обидеться. Но Ислам и сам понял, что перегнул палку. Притих.

Это ведь его собственная идея была — использовать в качестве барыги, то есть крупного реализатора наркотиков, главного врача наркологического диспансера, которого Исламу удалось подцепить на крепкий крючок. Тут ему, правда, и еще один деятель хорошо помог — полковник из ментовки. Этот неприятный тип со смазливой физиономией оказался в буквальном смысле находкой, поскольку у себя в отделе занимался как раз организованной преступностью и знал про все, без исключения, милицейские операции в своем округе. И это обстоятельство позволяло Исламбеку, да что зря говорить, и тому же Вахтангу, планировать свои дела, ничего не опасаясь. Всегда вовремя последует предостережение. Оно дорого стоит, но оно и стоит того, это закон, иначе нельзя.

Когда Вахтангу приглянулась эта вдова, покойный муж которой ходил в постоянных должниках у него, а особенно ее большая квартира, которую можно было выгодно продать, он решил посоветоваться с полковником. Тому, с его опытом, было проще решать такие вопросы. Конечно, надо было отстегнуть тому некоторую сумму, но сделка стоила того. И все события стали разворачиваться с такой стремительностью, что сам Вахтанг не успел ничего толком сообразить, как узнал, что его такой красивый план срывается.

Ну со вдовой вопрос был ясен с самого начала. Полковник спал с ней и рассказывал о том, какая она умелая в постели. Вахтанг, естественно, как настоящий мужчина загорелся. И тут, когда все было готово, вдова исчезла! Вахтанг решил мстить. Там, в ее квартире, все приготовили, черт с ней, с квартирой, в конце концов, не эта, так другая будет! Но Ева отказала ему как мужчине! Это было невыносимо, это вызывало насмешки у его мальчиков!

И тут пропал сам полковник. Просто исчез, как будто его никогда не было. Исчез и тот мастер, который умел ставить взрывчатку. Квартиру проверили — бомба была на месте, а вот сами исполнители пропали! Как сквозь землю провалились.

И, наконец, последний удар. Когда подошло время реализации товара, также исчез в неизвестном направлении тот лепила Баранов, на которого сделали ставку по договоренности с Исламбеком. Караев взбесился. Ссора вышла...

Он же обвинял в срыве операции Вахтанга! А Вахтанг, как гордый и прямой человек, не захотел терпеть оскорбления — и от кого? Кара — черный! А правильно сказать, черножопый, как тут, в Москве их всех зовут, и, наверное, не зря! Вот это и высказал Вахтанг старому приятелю. Конечно, тот тоже взбесился. Чуть дуэль не вышла, мальчики стали с двух сторон и заставили помириться. Извинился за свою несдержанность и резкость Вахтанг, потому что понимал, что ссора к добру не приведет. А Исламбек вынужден был, потому что его ленивые ишаки настаивали — зачем им война?

И вроде бы на какое-то время, на день-другой, все стихло. И даже известие о том, что Исламбек уже оформляет документы на владение тем строящимся поселком, один из коттеджей в котором принадлежал Вахтангу, не сильно его озаботило. Хотя он понимал, что этот толстый и хитрый ишак обязательно захочет сделать потом ему, своему старому приятелю, какую-нибудь гадость. Но это когда еще будет, а жить надо уже теперь, уже сегодня.

А между прочим, Ева в своей квартире так и не появлялась больше. Или она где-то пряталась, или вообще уехала из Москвы, если догадалась, какая судьба ей приготовлена. Так он думал. Но когда послал вчера своих мальчиков проверить квартиру, те явились удивленные и даже растерянные. В квартире был другой замок, и она была опечатана. А вскрывать печати и лезть с отмычкой они не решились, не зная, какие сюрпризы могли их ожидать за дверью. Печати были официальные. Один из мальчиков заглянул в местный ЖЭК, чтобы поинтересоваться хозяевами, и там узнал, что дверь опечатывала милиция, они же, милиционеры, меняли оба замка, в присутствии самой хозяйки, которая, как она сообщила, уехала на курорт за границу. Кажется, в Испанию или в

Турцию. Правильно, деньги у нее после смерти мужа остались, чего ж не отдохнуть?

Вот тут окончательно взбеленился Вахтанг — повсюду его обошли! Значит, бомбу уже сняли, зря он старался...

Вахтанг сидел в своем собственном доме в поселке Зарядье, с грустью смотрел в окно, за которым косо падал крупный снег. А сердце его было в истинном его доме, на юге, где тепло. Нет, там, в Баку, сейчас тоже дует противный, пронзительный ветер с моря, и от него леденит душу... Пожалуй, здесь, в ближнем Подмосковье, лучше. В доме тепло. Никто не мешает думать. Мальчики внизу в холле смотрят большой телевизор. Он велел им приглушить звук, чтоб своими криками не мешали. А что мешать? Чем он таким важным сейчас занят, что его могут оторвать от этого дела? В окно смотрит, вот что...

И он увидел, как по дороге, ведущей от шоссе, проехала в направлении к его дому черная машина «Волга» с синим маячком на крыше. А следом за ней — небольшой автобус. Почему-то екнуло сердце. Но Вахтанг погладил волосатой ладонью левую сторону груди, и все успокоилось. Так ему, во всяком случае, показалось. И потом, почему он решил, что именно к нему проехали машина и автобус? Что, других домов нет? Есть, сколько угодно. На них и положил свой жадный глаз этот жирный Ислам, будь он проклят.

Вахтанг отошел от окна и открыл дверцу бара, где у него стояли разные напитки. Но предпочтение он отдавал хорошему старому коньяку.

Снизу поднялся один из мальчиков — рослый, бывший борец в вольном стиле, Назым. Он только кажется неповоротливым, знал Вахтанг, а сам, несмотря на свои крупные габариты, верткий. Как большая обезьяна.

— Чего тебе, Назым? — спросил Вахтанг.

— Там приехали. — Назым указал рукой за окно. — Валико туда пошел. Они хозяина требуют.

— Кто — они? — уже с беспокойством спросил Вахтанг.

— Менты, — как само собой разумеющееся, ответил Назым и развел руками. — Валико им сказал: хозяин отдыхает, не велел беспокоить. А они настаивают. Тебя хотят видеть, так и сказали. Там генерал приехал, и с ним ОМОН. Что прикажешь, Вахтанг?

Сложный вопрос: что приказать? Не пускать, так менты сами войдут. Завести базар о том, что хозяина нет дома, а он сам не хозяин, а только как бы квартиросъемщик? На кого такая туфта рассчитана? Они что, не знают, куда и к кому ехали? А может, еще обойдется?

В голове промелькнули возможные варианты. Наркоты здесь, кажется, нет, если только у этих бездельников. Ну а с оружием? А что, пусть сами ответят за отсутствующие разрешения, он им не нянька. Каждый охранник должен иметь такое разрешение. И если они их где-то забыли, пусть ответят. Сильно не накажут. Есть же, в конце концов, тот полковник, вмешается, снимет напряжение

— Так что, Вахтанг? — снова спросил Назым.

— Впусти, что еще? И сопротивления не оказывайте никакого. Пусть смотрят что хотят и ищут что хотят. Мне скрывать от властей нечего. А если что у вас обнаружат, это уж, извини, ваше дело — отвечать перед законом. Я вас всегда предупреждал. Было такое?

— Было, — сознался Назым и опустил голову.

Он еще немного молча постоял и тяжело потопал по лестнице вниз...

А Вахтанг схватил мобильник и немедленно, пока те еще зайдут, пока поднимутся сюда, вызвал Исламбека.

Когда в твоем доме милиция, разве имеют значение какие-то глупые ссоры?

— Алло? — услышал он незнакомый голос.

— Исламбеку передай трубку! — сердито и повелительно бросил Вахтанг.

— А что ему сказать? Кто звонит?

Ну это уж совсем черт знает что! По личному номеру звонок! Кто там может быть чужой? И вдруг словно осенило!

— Исламбек дома? — мягко спросил он.

— Он дома, но просит узнать, кто ему звонит. Назовитесь, пожалуйста.

— Это не важно теперь, — сердито ответил Вахтанг и услышал твердые шаги на лестнице.

Он тут же отключил и отодвинул от себя трубку.

Первым по лестнице поднимался генерал — крепкий, плотный в своей утепленной куртке. Шапку он, как человек, вошедший в дом и уважающий хозяев, снял и держал в руке. За ним следовали двое в милицейской форме — молодой мужчина и женщина. А внизу, на первом этаже, словно стадо слонов топталось, но больше никакого шума не было — он же приказал не оказывать сопротивления.

— Господин Гуцерия? — спросил генерал и, увидев утвердительный кивок, представился сам: — Генерал Грязнов, заместитель начальника Департамента уголовного розыска МВД Российской Федерации.

Грязнов предъявил свое удостоверение, где так все и было написано, и достал из кармана сложенный лист бумаги. Он его медленно, как бы торжественно, развернул и протянул Вахтангу. Тот взял в руки и попробовал прочитать, но печатные буквы словно прыгали перед глазами. И тогда генерал сказал ровным, спокойным голосом:

— Это, господин Гуцерия, постановление, подписанное заместителем генерального прокурора Меркуловым, о проведении в доме и квартире, принадлежащих вам...

— Этот дом мне не принадлежит! — перебил Вахтанг.

— А кому принадлежит, можете сказать?

— Георгию Ребанидзе, его здесь нет, он сейчас в отъезде, за границей. Вот, пользуюсь временным гостеприимством. Мне тут ничего не принадлежит. Вот только зубная щетка! — Вахтанг оскалился в злой ухмылке.

— Это нам уже известно, — спокойно сказал Грязнов. — Как и то, что паспорт, на который был выписан договор о покупке этого дома, был фальшивым. Спросите, откуда известно? От наших коллег из Азербайджана, которые ждут не дождутся встречи с вами.

Тут Грязнов, как говорят жулики — для понта, малость преувеличил. Ничего не знали в Азербайджане о человеке по фамилии Ребанидзе. Но Грязнов полагал, что раз уж Вахтанга Гуцерию все равно придется этапировать на его этническую родину, то большого греха в том, что он предположил, не будет. И ведь угадал. Услышав про фальшивый паспорт, Вахтанг насупился и посмурнел.

А Грязнов обратил внимание на телефонную трубку, лежавшую на столе. И вспомнил о том, что им долго не открывали калитку, а открыли только после консультации с хозяином.

— Галя, — сказал он присутствующей женщине, — взгляни, по каким номерам разговаривал этот временный жилец.

Галя тут же взяла трубку и стала колдовать с дисплеем. И Вахтанг с огорчением вспомнил, что ему говорили, будто все номера в трубке запоминаются! А он совсем упустил из виду, уж лучше бы разбил в гневе об пол!

— Запиши номера, — сказал Грязнов, — и займись их

проверкой. Так я продолжаю, господин Гуцерия, — повернулся он к Вахтангу. — Вы не дослушали, поторопились перебить меня, а зря. Я еще не все сказал. Итак, нам предписано Генеральной прокуратурой произвести у вас обыск, включая личный досмотр вас и всех находящихся в доме на предмет обнаружения наркотиков, оружия, денег, всего остального, законного владения которым вы не сможете внятно объяснить следствию. Обыски будут произведены как здесь, так и в вашей московской квартире в Орехово-Борисове, после чего вы будете взяты под стражу. То есть арестованы и отправлены в следственный изолятор, где поступите в распоряжение следственной группы. А затем, когда придет уже официальное требование о вашей экстрадиции на родину, мы постараемся, чтобы вы совершили и этот перелет из России, в которой, насколько нам известно, вы находились без права на жительство.

— У меня все бумаги есть! — возразил Вахтанг.

— Нам известно, каким образом вы их достали и даже сколько и кому конкретно заплатили за это. Признание уже лежит на столе у следователя. Вы ведь полковника Огородникова имели в виду, да?

Гуцерия мрачно молчал.

— Так что будем этот вопрос считать исчерпанным. Приступайте к обыску, товарищи, обернулся он к своим спутникам. — А вы, Гуцерия, все, что у вас имеется в карманах, а также все без исключения ключи от помещений положите на стол. И не сильно волнуйтесь, погрома, который ваши сопляки устроили в квартире Евы Грицман, мы устраивать не станем. Найдем то, что нам нужно, и оставим этот дом в покое. Но, к вашему сведению... это уж так, по-свойски, что ли, могу вас уверить, что и вашему приятелю Исламбеку Караеву он тоже не достанется, как и весь этот поселок.

Вы этого боялись? Нет? А чего же тогда? Что мы у вас наркотики обнаружим, которые вы пытались всучить Баранову для дальнейшего распространения? Или оружие, от которого оттопыриваются карманы ваших телохранителей? Чего?.. Ладно, начинаем. Галя, скажи ребяткам внизу, чтобы тоже не церемонились. А тех, кто захочет оказать сопротивление, немедленно в наручники — и в автобус мордой на пол!..

3

Исламбек, как и всякий трус от рождения, был человеком жестоким. И когда в его офисе, который он выстроил специально для себя неподалеку от крытого рынка в Текстильщиках, появились омоновцы во главе со следователями Генеральной прокуратуры, он подумал, что это озлобленный Вахтанг его продал. У того были причины ненавидеть бывшего товарища. Сам человек бесцеремонный, Исламбек ненавидел, когда с такими же мерками подходили к нему, — это было, с его точки зрения, абсолютно несправедливо.

Ведь если вдуматься, то кто имеет право не церемониться с другими? Тот, у кого власть в руках. А если у тебя ее нет, надо слушать тех, кто ее имеет. Кто умеет с нею управляться!

Вахтанг не такой. Он слишком самолюбивый, недалекий и злой, с такими партнерами хорошую экономическую политику не сделаешь, от таких партнеров надо постепенно избавляться, тем более когда всерьез ощущаешь уже свою силу. Но вот уж в силе своей ты должен быть уверен, чтобы не попасть впросак, как это часто бывает у тех, кто не хочет слышать разумных доводов.

Вот поэтому, когда появился ОМОН, Исламбек не

сильно испугался. У него был в запасе серьезный козырь — Петя Огородников, который и прежде ловко отводил удары, и сейчас подвести не должен. Правда, в последнее время тот не звонил почему-то, да и сам Исламбек его не тревожил по пустякам, серьезные люди не могут заниматься мелочами, для этого есть исполнители, приспособленные к этому. Но сейчас звонок был бы уместен.

Однако мобильник полковника не отвечал. Молчал и домашний телефон. А по служебному трубку поднял незнакомый человек и сказал, что полковник находится в командировке, и ничего объяснять не стал. Так вот в чем причина! Жаль, конечно, что Пети нет на месте, но можно и подождать, можно, в конце концов, и на его авторитет сослаться, аккуратно так, не напрягая понапрасну прибывших омоновцев. А о том, что во главе группы к нему приехал первый помощник генерального прокурора, о такой высокой чести Исламбек узнал лишь тогда, когда Турецкий предъявил ему свое служебное удостоверение. Восхищенный Караев даже языком зацокал от восторга — такой человек! Он вообще старался вести себя этаким вежливым и гостеприимным хозяином.

Но Турецкий шутить и разводить турусы на колесах вовсе не собирался и быстро зачитал Караеву постановление об обыске в его офисе и дома, а также о временном задержании его в связи с подозрениями в соучастии в уголовных преступлениях. Кроме того, лично у него, у Турецкого, есть подозрение, что гражданин Азербайджана Караев находится в России вообще без вида на жительство.

Исламбек с показным юмором даже руками развел в стороны, настолько предположение показалось ему абсурдным. Но Турецкий не обратил внимания на эмоции, а добавил, что у него имеются данные, что право на жительство было выдано господину Караеву в обход закона. Недаром же Александр Борисович так настойчиво именно об этом допрашивал полковника Огородникова, а затем и проверял по документам. Сведения были так же точны, как и те, что говорили о безвизовом проживании здесь и подельника Исламбека — Вахтанга Гуцерию. И господин Караев, как бы походя заметил Турецкий, прекрасно, видимо, осведомлен, что проживание в государстве без права на то является серьезнейшим нарушением закона, а оно, это нарушение, карается по признакам соответствующей статьи Уголовного кодекса России. Так что как ни верти, а мимо такого нарушения пройти просто невозможно, надо отвечать по закону. А в законе сказано, что гражданин чужой страны, нарушивший и так далее, должен быть выслан из страны его тайного проживания. То есть ему ничего не остается, как вернуться на свою этническую родину.

— Но у меня огромное дело! — Исламбек взволнованно показал руками объем своего дела в Москве, но и это не произвело впечатления.

Конечно, при всей шаткости своего положения Караев должен был понимать, что держать рядом с собой, в офисе, в квартире и на другой, принадлежащей ему жилплощади, которую все равно предстоит тщательно обследовать, что-то противозаконное вроде оружия или наркотиков он не станет. Но кто его знает! Уж очень они тут все обнаглели за последнее время. Они себя хозяевами чувствуют! А почему? А потому, что, по их мнению, уже скупили на корню все правоохранительные органы. Недаром же именно на эту сторону дела так напирал полковник Огородников, оправдывая свои собственные незаконные действия тем, что у него просто не было иного выхода. Когда кругом все продано и ты это отчетливо видишь, убеждаясь на каждом шагу, — что остается тебе самому? С мельницами воевать? Вот так риторически вопрошал он в своих признательных показаниях. Турецкий, читая их, потребовал назвать примеры, но полковник только горько отмахнулся: мол, не надо ля-ля, всем и так все давно известно. Но тогда спорить с полковником было не время и не место, это все еще предстояло впереди, а сейчас здесь, в офисе, Александр Борисович убеждался в том, что этот Исламбек и в самом деле глубоко уверен, будто над ним нет и не может быть никакого иного закона, кроме того, который он сам для себя учредил. Удобная позиция!..

Однако ОМОН явился не для того, чтобы присутствовать при абстрактных дискуссиях, а работать. И работа началась.

У Караева было такое несчастное лицо, будто прямо на его глазах жестокие люди мучили и издевались над его любимым ребенком. Он поминутно хватался за телефонную трубку, словно пытаясь звонить кому-то очень важному и высокому. Но тут же в отчаянии швырял ее на стол. Снова хватал, и это продолжалось до тех пор, пока в карманах его охранников не нашлись дозы наркотика, а в стенке, в подвале помещения, где стояли большие бочки с вином, возможно приготовленные для розлива, не был обнаружен наконец с помощью металлоискателя секретный сейф. И вот тут уже несчастный Исламбек, который, естественно, не имел ни о самом сейфе, ни тем более о его содержимом ни малейшего понятия, схватился за голову — большую и лысую, как арбуз. Да и было отчего.

Из сейфа, вопреки предположению Турецкого, что

Караев человек умный и осторожный, вынули несколько больших упаковок наркотического вещества. Эксперт, находившийся при этом, достал из одной упаковки на кончике ножа белую пудру, попробовал на язык, покачал головой и сказал, что, по его мнению, это героин, причем высшей пробы. Значит, скорее всего, афганского производства. Вот и на упаковках просматриваются соответствующие верблюды.

Найденный груз взвесили — получилось, что в общей сложности в одиннадцати свертках было упаковано почти восемьдесят килограммов. А это уже не просто крупные, а особо крупные размеры, по ним и счет другой. По признакам статьи 228-й части четвертой Уголовного кодекса, за хранение, перевозку либо сбыт такого количества наркотического вещества предусматривалось наказание в виде лишения свободы на срок от семи до пятнадцати лет с конфискацией имущества. Это по российским законам. А в Таиланде, например, головы рубят.

Услышав об этом, Исламбек завопил истошным голосом и немедленно начал клясться Аллахом, что все обнаруженное в этом офисе ему не принадлежит и вообще он не имеет к этому никакого отношения. Позже он стал утверждать, что это чьи-то злобные происки, скорее всего, дело рук его бывшего партнера Вахтанга Гуцерии, с которым он категорически порвал всякие отношения и уже больше месяца не виделся и не разговаривал — даже по телефону!

И надо же, чтобы именно в этот момент мобильный телефон Исламбека издал громкий сигнал. Хозяин судорожно вцепился в трубку, но Поремский, повинуясь взгляду Турецкого, спокойно, но жестко вынул ее из рук Исламбека и спросил, кто звонит. Но там, на другом конце провода, услышав незнакомый голос, не представились, буквально приказав передать трубку Исламбеку, на что Владимир вежливо поинтересовался, кто все-таки просит Исламбека. Не получив четкого ответа, там снова спросили, и уже не в приказном тоне, а помягче: дома ли Исламбек? Но на новый вопрос — кто звонит? — сердито ответили, что теперь это уже не имеет значения. Или что-то в этом роде, не все расслышал Владимир, после чего там резко отключились. А минут пять спустя телефон издал сигнал снова, и Поремский, взявший трубку, услышал голос Гали Романовой. Узнал ее, естественно. Спросил:

— Ты откуда звонишь?

И Галя ответила, что звонит из дома Гуцерии, где они с минуты на минуту начинают большой шмон. А этот номер, по которому она сейчас звонит, записан на карте Вахтанга последним. То есть он вызывал абонента буквально минут пять — десять назад, но кого?

Володя рассмеялся, ответил, что звонил Гуцерия Исламбеку, и передал содержание разговора Турецкому. Тот тоже развеселился — надо же, как все получается вовремя!

Александр Борисович пожелал Гале и всем остальным успеха, а потом обернулся к Исламбеку:

— Вот видите, господин Караев, как нехорошо врать? Вы только что открестились от своего товарища Вахтанга Гуцерии, а, оказывается, он несколько минут назад вам звонил. И знаете зачем? Вы не поверите. Он хотел предупредить вас, что в его доме, в том самом поселке, который вы собирались прибрать к своим рукам, но об этом у нас будет отдельный разговор, — так вот, в его доме начался обыск. Он о вас заботился, а вы так плохо о нем отозвались, как же так? Ну ничего, я думаю, у себя на родине вам обоим будет еще о чем поговорить...

4

Турецкий с Грязновым докладывали Меркулову о проделанной работе.

Об отдельных деталях расследования Константин Дмитриевич был уже в курсе, он же сам и давал санкцию на обыски и задержания членов этой преступной группировки. А то, что некоторые из них категорически отрицали свое участие, это сейчас никого не волновало. Будут впереди еще долгие допросы, очные ставки, будет проведено множество криминалистических, баллистических и прочих экспертиз, поскольку даже одного незарегистрированного оружия у «телохранителей» обоих наркобаронов, отрицавших, кстати, всякую связь между собой, включая личное знакомство, что было просто смехотворно, поскольку имелись уже жесткие и неопровержимые факты, — так вот, этого оружия было изъято во время обысков на целую роту. И уже по одной только 222-й статье УК — за незаконное приобретение, хранение оружия и прочее — им всем уже светило от двух до шести лет отсидки. А потом надо было еще добраться и до мифических в некотором роде «гиппократов» вместе с их начальником. И там наверняка откроется еще немало тайн.

— Ты понимаешь, Костя, — говорил Турецкий, — показания, скажем, Баранова и Жеребцова разнятся только в отдельных деталях, а в общем контексте совпадают. Ну естественно, что Огородников их обоих закладывает, причем делает это настойчиво, выставляя себя при этом этакой пострадавшей овечкой. Но особенно от него досталось нашим бакинцам. Их он не щадит, а топит со всей страстью оскорбленной в лучших чувствах души. Как он их ненавидит! Я тебе потом покажу пару абзацев — и больше ничего объяснять не придется. Короче говоря,

Огородников всячески подчеркивает свою фатальную зависимость от сложившейся ситуации.

— Но вопрос с ним практически решен, — заметил Грязнов. — Вчера, мне показали молодежную газетку, в одной из заметок уже поведали читателям, что задержан крупный милицейский чин из отдела по борьбе с организованной преступностью по подозрению в связи с торговцами наркотиками. Вообще-то не о полковнике заметка, это так, походя, а написали о Караеве и Гуцерии. Что они задержаны вместе с особо крупным грузом героина. Ну а он якобы им помогал в распространении. Мы еще, понимаешь, размышляем, как связать одно с другим, а у газетчиков нет сомнений, они нам диктуют свои правила, вот обормоты! — Грязнов засмеялся и покачал головой. — И как они всюду поспевают?

— У них свои информаторы, Славка. Приплачивают, наверное. Просто так кто станет снабжать их эксклюзивной, так сказать, информацией? — Турецкий пожал плечами и вздохнул. — Повсюду все куплено.

— Вы здесь затылки себе не чешите, а подумайте о том... Это прежде всего к тебе, Саня... Чтобы немедленно встретиться с представителем азербайджанского посольства в Москве. Эти двое не являются, как мы выяснили, гражданами России, поэтому и поступать с ними мы должны соответствующим образом. Но это уже второй вопрос.

— А есть и первый? — с усмешкой спросил Турецкий.

— А ты не торопись. — Показалось, что Меркулов даже сердится, будто не нравилось ему то приподнятое настроение, с которым явились к нему дружки-приятели с докладом о первых итогах расследования. — Что-то у вас все просто получается, друзья мои. Это плохой признак, значит, вы успокоились уже. А ведь вопрос вначале стоял иначе.

— Костя, я согласен, что поначалу всем нам казалось, будто в городе действует террорист. Вот и напрягли сверху Генеральную прокуратуру. А что вышло? Пшик!

— Хороший пшик! Женщина погибла!

— Я не об этом факте. Да, он трагический. Но ведь в основе, как мы выяснили, самая банальная история! По сути — неутоленное честолюбие! И никакой политики даже близко не просматривается... Ты знаешь, я тут снова побеседовал с Барановым, уже в следственном изоляторе. И, кажется, понял его. Ну то, что он — сукин сын, привыкший устраиваться в жизни, это понятно. Но мне подумалось, что арест на более ранней стадии как бы предотвращает окончательное превращение человека из потенциального в отпетого уголовника. Хотя какая там потенция — уже как минимум два трупа на шее! Но если бы он добился еще и своей цели, вот тут включилась бы в дело вся мимикрия, на которую он способен, и мы бы так, в сущности, быстро его не вычислили.

— На особую благодарность рассчитываешь? — ехидно спросил Меркулов.

— Получишь от тебя, как же! Нет, я подумал, что Володька мой не зря перелопатил показания десятка свидетелей. Я имею в виду тех, кого по собственной недальновидности назвал сам Баранов. Ведь что интересно... Он назвал их фамилии как своих явных недоброжелателей, устроивших ему «бомбу под дверью», а те выдали этому типу такие характеристики, что остается только диву даваться. И толковый он врач, и умница, и человек компанейский. Ну, правда, звезд с неба не хватает, но ведь и такие должны быть, кто-то ж и «на земле» обязан работать. Словом, те, кого он попытался оболгать, оказались выше его по нравственным категориям. Не все, конечно, несколько человек отнеслись равнодушно, отстраненно, но не до такой степени, чтобы бомбу под дверь сунуть. Видимо, у него у самого с этой самой нравственностью было далеко не все в порядке, вот и результат. Короче говоря, я могу с уверенностью сказать, что Баранов, как главный наш фигурант в деле, мне ясен. А вот с этими бакинцами повозиться придется.

— Ты упустил из виду еще двоих, так сказать, исполнителей, это специально? — напомнил Костя.

— С Жеребцовым тоже не будет сложностей. Сломанная судьба. Он во всем сознался, доказательная база в отношении его действий сомнений не вызывает. Получит срок, отсидит, если доживет. Ну и чем он дальше займется? Когда у него в руках такая профессия, что может быть сегодня задействована исключительно в одном, и то криминальном, направлении? Несчастный человек, вот что. И мне его просто жалко... Чего, кстати, не могу сказать об Огородникове... Он, между прочим, такой же оборотень, каких мы видели уже десятки, если не сотни в системе правоохранительных органов. Если твой Виктор Владимирович Краев, с которым ты, Славка, говорил, не спустит дело на тормозах, чтоб не размазывать грязное пятно по своему чистому генеральскому мундиру, значит, справедливость в какой-то степени восторжествует. Но на генерала в последнее время и так всех собак вешают, вот в чем дело.

— Не спустит, — уверенно заявил Грязнов. — Я видел по выражению его лица, что он даже с каким-то садистским, что ли, удовольствием отдал полковника Службе собственной безопасности, ну а уж те-то постараются! Для них честь мундира — самый хлеб с маслом. Уж они постараются так размазать полковника, что кое-кому мало не покажется. Там и зам у Огородникова, по-моему, тоже... Наверняка и у того рыльце в пушку. Так я думаю...

— Ну что ж, подведем итог. Эти ваши соображения, но изложенные в удобоваримом стиле, прошу мне на стол. Я с ними еще раз ознакомлюсь и встречусь с генеральным. Дело-то, если вам память не отшибло, все еще на контроле в президентской администрации. Имейте это в виду. А ты, Саня, немедленно свяжись с посольством. Вежливо пригласи какого-нибудь там советника, объясни ему популярно ситуацию. Да, и обязательно позови поприсутствовать во время беседы нашего главного международника Турсунова. Он восточный человек, и они, я уверен, поймут с этим советником друг друга... А ты, Вячеслав, выполни мою личную просьбу, посмотри у себя в министерстве, что там имеется по поводу просьб насчет этих «баронов» из азербайджанской полиции. Мне не хотелось бы по каждой мелочи дергать твоего министра, ладно?

— Слушаюсь, будет сделано! — Грязнов традиционно и шутливо приложил концы пальцев к «пустой» голове.

— Свободны, друзья, не мешайте работать.

Финал беседы был также традиционным.

5

— Как, ты сказал, его зовут, Саша? — поинтересовался Турсунов, начальник международного отдела Генпрокуратуры.

— Его зовут... — Александр Борисович посмотрел в свою запись в блокноте. — Керим Гусейнович Алибеков, вот как, а что, Наиль, есть вопросы?

— Странное совпадение, — пожал плечами Наиль Гасанович, — у меня на юрфаке, в смысле в МГУ, был однокурсник. Но когда это было! А как он выглядит?

— Это я что, по телефону мог узнать? Спросить его: извини, дарагой, ти как виглядишь? Да?

Турсунов оглушительно рассмеялся. Но тут зазвонил телефон. С проходной доложили, что к помощнику генерального прокурора прибыли господа из посольства.

Турецкий ответил, что там, внизу, визитеров дожидается секретарша, пусть она и проводит тех, кто прибыл, в кабинет Турецкого.

— Как думаешь, Наиль, чай надо организовать?

— Скажи вашей Клавдии, она на гостей всегда благоприятное впечатление производит. Такая женщина, а! — Наиль по-восточному зацокал языком.

— Она их и встретила, я попросил, — смеясь, ответил Турецкий.

Секретарь посольства Азербайджана оказался рослым немолодым человеком, внешне напоминавшим нового президента своей страны, сына известного партийного руководителя Гейдара Алиева. Он церемонно раскланялся, пожал руки российским коллегам и грузно опустился в кресло у круглого стола.

Своего спутника, молодого темноволосого человека в темном же костюме, он представил как своего помощника. И тот занял место рядом с Алибековым. На стуле.

— Смотрю и не могу понять, — сказал Наиль как-то по-домашнему, садясь напротив азербайджанца, — ты это или не ты?

Алибеков расплылся в улыбке:

— А я тебя, Наиль, сразу признал! Но надо же протокол соблюсти, да? Как живешь? Большой начальник стал, да? Важный стал?

Турсунов приподнялся и, сграбастав обе руки Керима в свои, долго их тряс. Потом сел. Сказал Турецкому:

— Саша, я был уверен, что это Керим. Ты представляешь, мы с ним целый год в одной комнате прожили! И какой год, слушай, а! Как здоровье? Семья как? Почему ты потерялся?.. Ну хорошо, мы потом, надеюсь, поговорим, юность вспомним. Давай по делу... Ты даже не представляешь, как я рад тебя видеть, дорогой Керим!

Наконец «восточные сладости», как назвал эту встречу Турецкий, закончились и они приступили к делу.

Александр Борисович показал Алибекову некоторые выдержки из показаний, касавшихся двоих фигурантов — Караева и Гуцерии, затем познакомил с выводами следствия относительно преступлений, инкриминируемых обоим, и перешел к главному вопросу: что с ними делать? По российским законам обоих следовало судить и надолго сажать в тюрьму. Аналогичная судьба ожидала и тех «охранников», которые тоже должны быть осуждены. Но процесс выявления преступных деяний последних будет довольно продолжительным, их дела даже, возможно, будут выделены в отдельное производство. В то время как по двоим основным фигурантам уже имеются устные пока, правда, просьбы об их экстрадиции в Азербайджан, где за ними, особенно за Гуцерией, тянется целый шлейф преступлений. Есть официальная сторона вопроса, которую и следовало бы решить так, чтобы не пострадали при этом интересы обеих сторон.

— Мы советовались по этому поводу, — сказал Алибеков, — созванивались с Баку и в курсе требований органов правопорядка Азербайджана. Что касается Гуцерии, то по его кандидатуре мнение достаточно твердое. На его счету несколько судимостей, причем последней — за убийство — он избежал, укрывшись на территории России. Поэтому теперь требование о его экстрадиции будет выдвинуто в самые ближайшие часы. Если российская сторона не собирается судить его у себя за совершенные преступления.

— Видите ли, — вежливо вмешался Турецкий, — по всей видимости, на территории России господин Гуцерия, по нашим данным, которые вполне могут оказаться и неполными, не совершил лично тяжких уголовных преступлений. Точнее, он может пройти по признакам статьи тридцать третьей УК лишь как соучастник. А конкретно же ему мы можем в данный момент инкриминировать триста двадцать вторую статью Уголовного кодекса — незаконное пересечение Государственной границы Российской Федерации. И по ней максимальный срок — до двух лет. Для него это будет просто отдых. Поэтому мы с удовольствием передадим его вам, в полном соответствии со статьей тринадцатой частью второй УК. А вот что касается Исламбека Караева, тут иной вопрос. При обыске в его офисе найден груз героина в особо крупных размерах. И по нашим законам это грозит ему очень большим сроком. Кроме того, имеется еще ряд эпизодов, по которым он проходит в качестве основного фигуранта. Это связано с финансовыми махинациями при приобретении недвижимости. К тому же он также не имеет официального вида на жительство в России. А те документы, которые он смог представить следствию, являются грубой подделкой.

— То есть, другими словами, вы хотели бы судить его у себя как человека, совершившего преступления на территории чужой страны?

— Вот именно, если у вас не возникнет серьезных возражений.

— Слушай, Керим, зачем он вам? — вмешался Турсунов, чем вызвал улыбки. — Мы его здесь так крепко посадим, что у вас и голова потом болеть не будет!

— Да я вот и думаю, — засмеялся Алибеков.

— Ты хорошо подумай, дорогой!

— Давайте мы поступим так, господа, — уже серьезно сказал секретарь посольства, — я доложу о нашем разговоре и обещаю вам в самое ближайшее время дать исчерпывающий ответ.

— Между прочим, — заметил Турецкий, — если эта информация вам что-нибудь даст, Керим Гасанович, один из моих коллег как-то встречался с некоторыми представителями азербайджанской диаспоры в Москве — как раз по этому делу. Мы выясняли отдельные факты из биографии Караева и Гуцерии. Так вот, отношение к ним у тех уважаемых людей было резко отрицательным. А мы и по некоторым прошлым делам привыкли уважать мнение ваших земляков, проживающих по разным причинам в России.

— Мы постараемся учесть это соображение.

И Алибеков сделал движение, чтобы встать. Турецкий тут же словно бы спохватился.

— Может быть, по чашке чаю, господа? — Он сделал гостеприимный жест.

— Благодарю вас, — сладко улыбнулся Алибеков. — Я бы хотел поскорее поставить в известность свое руководство — согласитесь, такие моменты у нас случаются нечасто.

— Да уж, лучше чтоб их было поменьше, — улыбнулся в ответ Турецкий и протянул ладонь для рукопожатия.

Турсунов поднялся из кресла, дружески хлопнул Алибекова по плечу и, обернувшись к Турецкому, сказал:

— Я провожу Керима, Саша, можешь не беспокоиться.

Когда кабинет опустел, Турецкий подумал, что сам с удовольствием выпил бы чайку, уже хотел позвонить Клавдии Сергеевне с просьбой об этом, но передумал и взялся за телефонную трубку.

Он нашел телефон помощника мэра, представился ему и сказал, что хотел бы буквально два слова сказать Михаилу Юрьевичу по поводу того дела о покушении на его заместителя, которое мэр, кажется, держит у себя на контроле. Это займет ровно две минуты.

Помощник соединил Александра Борисовича с Михаилом Юрьевичем.

— Добрый день, — быстро сказал мэр, — ну что у вас?

— Преступление фактически раскрыто. Если говорить конкретно и только о покушении, то я могу повторить лишь то, что сказал уже сегодня заместителю генерального прокурора, своему куратору. История хотя и трагическая, но, к сожалению, совершенно банальная. Некий врач, полагая себя состоящим в собственной жизни на должности исполняющего, так сказать, обязанности, решил избавиться от этой унизительной для него приставки. А для этого организовал убийство конкурентки с единственной целью занять ее место. Вот так, мелко и бездарно. Так что мы можем с чистой совестью сказать, что Георгию Витальевичу Алексееву решительно ничто не угрожает. Вот и все, что я хотел сказать.

— Погодите, а вы сказали, Александр Борисович, насчет того, что речь идет только о покушении. Есть и продолжение?

— К сожалению, есть. Но оно связано с недавними арестами, о которых вам, вероятно, уже докладывали. Это группа азербайджанских граждан, уличенная в уголовных преступлениях.

— А какая связь, если не секрет?

— Да уж какой от вас секрет, Михаил Юрьевич. Преступность давно уже стала у нас интернациональной. Заказал один, исполнил заказ другой, третий посодействовал — вот и выстраивается цепочка. Так что разбираемся.

— Ну, желаю удачи. Алексеева можете специально не информировать, я ему сам скажу. Всего доброго.

«Да, цепочка... — сказал себе Турецкий. — И чего ему не нравилось быть и. о.? Вот же козел несчастный...»

Оглавление

РЕГИОНЫ:

- Архангельск, 103-й квартал, ул. Садовая, 18, т. (8182) 65-44-26
- Белгород, пр. Хмельницкого, 132а, т. (0722) 31-48-39
- Волгоград, ул. Мира, 11, т. (8442) 33-13-19
- Екатеринбург, ул. Малышева, 42, т. (3433) 76-68-39
- Калининград, пл. Калинина, 17/21, т. (0112) 65-60-95
- Киев, ул. Льва Толстого, 11/61, т. (8-10-38-044) 230-25-74
- Красноярск, «ТК», ул. Телевизорная, 1, стр. 4, т. (3912) 45-87-22
- Курган, ул. Гоголя, 55, т. (3522) 43-39-29
- Курск, ул. Ленина, 11, т. (07122) 2-42-34
- Курск, ул. Радищева, 86, т. (07122) 56-70-74
- Липецк, ул. Первомайская, 57, т. (0742) 22-27-16
- Н. Новгород, ТЦ «Шоколад», ул. Белинского, 124, т. (8312) 78-77-93
- Ростов-на-Дону, пр. Космонавтов, 15, т. (8632) 35-95-99
- Рязань, ул. Почтовая, 62, т. (0912) 20-55-81
- Самара, пр. Ленина, 2, т. (8462) 37-06-79
- Санкт-Петербург, Невский пр., 140
- Санкт-Петербург, ул. Савушкина, 141, ТЦ «Меркурий», т. (812) 333-32-64
- Тверь, ул. Советская, 7, т. (0822) 34-53-11
- Тула, пр. Ленина, 18, т. (0872) 36-29-22
- Тула, ул. Первомайская, 12, т. (0872) 31-09-55
- Челябинск, пр. Ленина, 52, т. (3512) 63-46-43, 63-00-82
- Челябинск, ул. Кирова, 7, т. (3512) 91-84-86
- Череповец, Советский пр., 88а, т. (8202) 53-61-22
- Новороссийск, сквер им. Чайковского, т. (8617) 67-61-52
- Краснодар, ул. Красная, 29, т. (8612) 62-75-38
- Пенза, ул. Б. Московская, 64
- Ярославль, ул. Свободы, 12, т. (0862) 72-86-61

Заказывайте книги почтой в любом уголке России
107140, Москва, а/я 140, тел. (095) 744-29-17

ВЫСЫЛАЕТСЯ БЕСПЛАТНЫЙ КАТАЛОГ

Приобретайте в Интернете на сайте www.ozon.ru

Издательская группа АСТ
129085, Москва, Звездный бульвар, д. 21, 7-й этаж

Справки по телефону:
(095) 215-01-01, факс 215-51-10
E-mail: astpab@aha.ru http://www.ast.ru

МЫ ИЗДАЕМ НАСТОЯЩИЕ КНИГИ

Незнанский, Ф.Е.

Н44 Исполняющий обязанности : [роман] / Фридрих Незнанский. — М.: АСТ: Олимп, 2005. — 346, [6] с. — (Марш Турецкого).

ISBN 5-17-032597-5 (ООО «Издательство АСТ»)
ISBN 5-7390-1745-9 (ООО «Агентство «КРПА «Олимп»)

Убита женщина, известный врач-нарколог. Следователи уверены, что ее гибель произошла по ошибке, на самом деле готовилось покушение на важного московского чиновника, заместителя мэра города. Обвинения в бездействии обрушиваются со всех сторон на органы правопорядка. Дело ставится на контроль в президентской администрации. И тогда расследование берет в свои руки Генеральная прокуратура, а конкретно старший помощник Генерального прокурора Александр Борисович Турецкий.

Но в процессе расследования выясняются факты, которые в корне меняют первоначальную версию…

УДК 821.161.1-312.4
ББК 84(2Рос=Рус)6-44

Литературно-художественное издание

Незнанский Фридрих Евсеевич

ИСПОЛНЯЮЩИЙ ОБЯЗАННОСТИ

Редактор *М.Л. Келарева*
Художественный редактор *О.Н. Адаскина*
Компьютерный дизайн: *Ю.М. Марданова*
Компьютерная верстка: *И.И. Дубровская*
Корректор *И.И. Попова*

Общероссийский классификатор продукции
ОК-005-93, том 2; 953000 — книги, брошюры

Санитарно-эпидемиологическое заключение
№ 77.99.02.953.Д.001056.03.05 от 10.03.2005 г.

ООО «Издательство АСТ»
667000, Республика Тыва, г. Кызыл, ул. Кочетова, д. 93
Наши электронные адреса: WWW.AST.RU
E-mail: astpub@aha.ru

ООО «Агентство «КРПА «Олимп»
121151, Москва, а/я 92
www.rus-olimp.ru
E-mail: olimpus@dol. ru

Издано при участии ООО «Харвест».
Лицензия № 02330/0056935 от 30.04.04.
РБ, 220013, Минск, ул. Кульман, д. 1, корп. 3, эт. 4, к. 42.

Республиканское унитарное предприятие
«Издательство «Белорусский Дом печати».
220013, Минск, пр. Независимости, 79.